00 7315804

WITHDRAWN
FROM
STOCK

D1345843

LA CULBUTE

Henri Queffélec est né à Brest en 1910. Ancien élève de l'Ecole Normale Supérieure, il enseigne une année en France, puis de 1934 jusqu'à la guerre à l'Université d'Upsal, en Suède.
Peu après la démobilisation, en 1941, il quitte l'enseignement. Son premier roman, Journal d'un salaud, *paraît en 1944, suivi de* La Culbute *(1946). En 1945, il a publié* Un Recteur de l'île de Sein *qui devait quelques années plus tard être adapté au cinéma sous le titre* Dieu a besoin des hommes.
Le Grand Prix du roman de l'Académie française a couronné Un Royaume sous la mer *en 1958 et le Prix Louis Jungman (Art et Industrie) a été attribué à* Frères de la brume.
De pure souche bretonne, Henri Queffélec a situé dans le cadre de la Bretagne une grande partie de son œuvre.

Georges Renaut connaît trop les avantages que procure un nom à particule pour ne pas continuer à rallonger son modeste patronyme d'un « de la Motte » auquel il n'a aucun droit quand il retourne à Paris en 1942. Il ne perd plus au jeu comme à Marseille, il a un emploi sérieux dans un de ces services que Vichy consacre à la Jeunesse, il n'a donc pas à inventer d'expédients afin de boucler son budget, mais il garde le goût de l'intrigue s'il n'en a plus la nécessité. Car M. Renaut de la Motte n'aime rien tant que se dédoubler en personnages machiavéliques, créer des situations dangereuses, manipuler les êtres. Il se sent exister à cette seule condition. Or Dieu sait (ou la Gestapo) que la capitale occupée s'y prête avec sa cohorte de collaborateurs, de tièdes et de fidèles de la radio anglaise. Est-ce la fièvre ou la méchanceté qui attise ce désir de porter des masques, de nuire autour de lui, de tourmenter son amie Simone, voler Louise, fréquenter Maurice et Romanino ?
Génie du mal ou fou saisi de vertige, ce Georges qui tend ses pièges, ruse, dénonce, extorque ? Un élan irrésistible le pousse au bout de son aventure hallucinante commencée dans *Journal d'un salaud* au temps empoisonné de la défaite.

ŒUVRES D'HENRI QUEFFÉLEC

Aux Éditions Stock :

UN RECTEUR DE L'ÎLE DE SEIN.
LA FIN D'UN MANOIR.
UN HOMME A LA COTE.
LA CULBUTE.

Dans Le Livre de Poche :

UN RECTEUR DE L'ÎLE DE SEIN.
LE JOUR SE LÈVE SUR LA BANLIEUE.
JOURNAL D'UN SALAUD.

HENRI QUEFFÉLEC

La Culbute

Suite au

JOURNAL D'UN SALAUD

STOCK

A Jacques AUDIBERTI

« Mais considérant justement que les grandes foules sont en elles-mêmes une sorte de ténèbres... »

(DE QUINCEY, *De l'Assassinat considéré comme un des Beaux-Arts*).

CHAPITRE PREMIER

Paris, le dimanche 18 octobre 1942.

Quel ennui. Tous ces gens sont beaucoup plus excités que je ne voulais le croire. Faudrait-t-il me laisser prendre dans leur jeu?

J'étais prévenu. « En Z.O. ça gueule tant que ça peut. C'est tout Boche, anti-Boche. Vichy, connaissent pas. » Moi-même, j'avais rencontré des Parisiennes et des Havraises, tout ce monde raillait, braillait, politicaillait, Pétain-la-trahison, Doriot-le-vendu, Déat-la-crapule... Non, cela ne va pas toujours aussi loin. A beaucoup près. Une angoisse pèse, qui suffit. Πάντα ῥεῖ. La guerre. Nous sommes dans les coulisses, et, parfois, le décor de la guerre. Tirades patriotiques. Marché noir. La vie est si courte qu'il faut en profiter pour tuer ses ennemis ou se remplir le ventre. Le retour à la terre, que prône Vichy, et qui vous prend, plus bas que Loire, de bons airs d'allées rouillées par l'automne, ramassage de marrons d'Inde et la traite des vaches en croix vaut-elle mieux que la traite parallèle, ne s'entendrait plus ici que sous l'image d'*In pulverem reverteris*. On y est, dans le bain, dans la guerre, et ici ne sont plus de mise les couillonnades marseillaises. — « *Le flot légionnaire monte. Bientôt il submergera tout...* » Cette blague. Ce qui ne veut pas dire qu'il n'y ait pas de galéjades ici non plus, mais ici elles sentent la poudre et la mort. Faudra-t-il me laisser prendre par la guerre?

Me voici désemparé. Tout ce tragique dans l'air, c'est trop pour mon petit cœur. Et puis il semble que, durant mon absence, il se soit passé des choses, et des choses qu'il faudrait connaître. Je ne fais, ni ne ferai jamais, la soudure. Un jour précis, dans une heure précise, le visage de Paris fut cravaché à la volée. Je n'étais pas là. Je vois seulement, aujourd'hui, la cicatrice — je n'ai pas vu la peau déchirée ni le sang gras perlant avec lenteur. Qu'y eut-il alors, quels poings se serrèrent, quelles résolutions furent prises, quelles vengeances ou résignations adoptées, un cri s'éleva-t-il jusqu'aux astres ou dans l'épaisseur du silence entendit-on hennir les chevaux. Je l'ignore et l'ignorerai, je tombe dans une suite...

Quelle différence entre Paris et Paris. La circulation, ce dimanche, était nulle. Un vélotaxi, par-ci par-là, montrait haut le derrière zigzaguant de son conducteur. Des bicyclettes à la plaque jaune, des fiacres souffreteux traînés par des chevaux faméliques. Cela ne compte guère. Pas un seul autobus. Un dimanche, les grosses voitures gazocéphales, qui remémorent monstrueusement les anciens week-ends et les canoës blancs sur le toit des Bugatti et des Renault, ne roulent plus. Les divins embouteillages qui suggéraient avec une telle force, jadis, l'ensemble vivant gorgé de sa propre substance, et qui reprend d'un côté ce qu'il perd de l'autre, fini, fini. De temps en temps, une auto allemande mais les rues, longuement, demeuraient vides. J'ai contemplé pour la première fois certaines perspectives étranges, des files de maisons courant droit vers des lointains nobles et précis — monuments ou collines, — pour la première fois suivi du regard l'échine grise, décorée par de vieux rails, des grandes rues populaires, soupesé sans obstacle le gonflement des côtes, dévalé contre des pentes. Les rues étaient à moi. Nues de voitures. Leurs jambes et leurs bras s'allongeaient dans le calme. L'odeur d'essence brûlée n'encrassait plus le nez ni la gorge. Il soufflait un air limpide, espace et prairie, de quoi réjouir des bataillons de jeunes. Des rues pour boys-scouts, non pour des Renaut de la Motte. J'ajouterai qu'avec tout cela, avec leur frais parfum et leurs molles et longues formes étendues sous la lumière pâle, les rues parisiennes, pour autant, ne rassurent pas. Ces belles entrailles bien lavées et bien purgées ne doivent pas prêter au rire. Plus que jamais, les rues sont des routes et suivent des directions. Ce vide hygiénique est un vide stratégique. Celui qui peut, qui doit s'établir, cinq minutes avant que défile une division blindée. Paris a cessé de former dans la circulation française un caillot énorme, Paris est débouché, Paris se traverse. Les rues représentent des sentiers de guerre.

Aux carrefours, les Allemands ont installé de grosses et longues flèches de bois. Direction Avranches. Direction Calais. Direction *Kommandant von Gross-Paris, Orts Lazarett, Heeres-Abnahmeinspizient Frankreich.* Les rues sont dans le coup, les rues collaborent, font le jeu de la guerre allemande. Le jeu de la guerre et du hasard.

Au-dessus de moi je pense aux routes de l'air que des avions, chaque nuit, creusent et suivent, hardis et dociles. Le ciel parisien figure dans le trajet Angleterre-Allemagne du Sud. Angleterre-Italie du Nord, et nous voilà devenus les proches voisins d'une circulation aérienne qui ne nous concerne pas. Ces avions nous traitent comme les camions un village que la grand-route ne traverse plus, et le tir de la D.C.A. traduit le mécontentement du sol que l'on méprise. Les Calberson de l'Air filent sur le point mystérieux où ils lâcheront leurs marchandises, ils ont à construire des ruines, à combler de trous et de morceaux de pierre le bassin inachevé d'usines pourries par le travail...

Le silence dominical des rues est un silence nerveux, tout différent du silence dominical qui stagne sur les villes de province. J'y découvre une protestation contre la tyrannie. Le temps lui-même, l'heure où baignent ces rues, n'est-il pas devenu le temps du vainqueur. Paris ne donne plus l'heure des côtes pluvieuses atlantiques, mais de l'Europe centrale. Il ne fallait pas montrer à l'homme que le temps pouvait changer plus qu'il ne le croyait encore; on a touché aux idées de l'homme, aux nerfs de l'homme, à la divine et hideuse ossature de ses mœurs. Ce matin que nous devons extraire, aller chercher dans la nuit, de quoi a-t-il l'air — et ce soleil bas, le soir, qui prolonge une ridicule agonie. Que nous importe de connaître le souffle glacé de l'aube et les dernières pâles étoiles et le ciel qui s'imprègne d'aurore — nous ne mangeons pas de ce pain-là, nos corps médiocres ne se destinent pas à de tels privilèges... Ces rues silencieuses sont les rues d'une ville trop matinale, où des être insomnieux ont buté contre l'ombre.

Ici et là, devant un hôtel, devant un grand immeuble, des barrières blanches. Occupé par la Wehrmacht. L'idée de frontière passe un mauvais quart d'heure à ces obstacles fragiles et artificiels, barrières d'hippodrome, de château normand, de plage à la mode. Non pas symboliques, cependant : le plus souvent un soldat les garde. Elles faussent la rue. C'est trop ou pas assez...

Je vois très bien de quels noms affubler ces mesures et, s'il le faut, je prononce un discours religieux, je chante le prêtre païen qui découpe dans le ciel, avec sa baguette, un espace désormais sacré... Des histoires ! Il ne s'agit que de prévenir les attentats, et poser sur le trottoir ces barrières blanches n'offre rien de plus noble que de décorer le faîte d'un mur par des tessons verdâtres... Je parle des attentats qu'organisent les hommes à la surface du sol. Contre les attentats qui viennent par le ciel, de grandes plates-formes de guet et de D.C.A. ont été dressées tout en haut de certains immeubles : les plus hauts, ceux qui possèdent le plus grand dégagement, parfois ceux qui, nommément, peuvent se croire visés. Hideuses pour l'œil comme un four de gazogène en plein radiateur, ou un casque d'indéfrisable, ces protubérances assyriennes ont un aspect barbare et provisoire. En bois le plus souvent, bordées d'un haut parapet, desservies par un gros escalier, et, tantôt placées à même le toit, tantôt lancées dans le ciel par des pilotis de ciment, elles saccagent le paysage doucement désordonné. Des Boches en ciré y scrutent le ciel. Emmitouflée, une pièce légère de D.C.A., longue et fine, sommeille... Ces plates-formes contribuent au spleen qui nous frappe. Voici l'ébauche du couvercle. Bientôt flottera le drapeau noir.

Sur les Boulevards, où j'ai abouti, cohue et contre-cohue de piétons, queues emphatiques devant les cinémas, endimanchements, poules et populo. Toute l'ardeur béate de la ville se rassemble en deux ou trois lieux... J'abhorre cette foule. Autant et plus que l'esthète, elle donne, la pauvre, tête baissée dans le narcissisme, elle est à elle-même son propre miroir. Entre les herbes des maisons et la profondeur sombre de la chaussée regardez comme elle se mire, comme elle se plonge les yeux dans les yeux... Après une attente dehors jusqu'au crépuscule, après avoir eu les oreilles blessées, une heure et demie, des propos insanes que tenaient deux jeunes couples, j'ai vu *Monsieur la Souris*. Mauvais. Le cinéma français ne tourne pas rond. J'ai vu tout de même un film : c'est de l'or pour mes yeux, ces images qui bougent et se succèdent, et j'ai voyagé le long d'un film, à l'intérieur d'un film, sur un film, sous un film, l'attention surexcitée, convaincu de créer et de vivre l'histoire, me gavant de décors et de jeux de scène, auteur-acteur-spectateur, la pupille plus ample que l'écran de la salle, la poitrine qu'un studio démesuré.

Quand je suis sorti la nuit stagnait, pleine d'étoiles sans éclat, les rues tuées par l'ombre. Une angoisse pesait, mystérieuse, niée en vain par des rires et tranquillement confirmée, sous le sol, par les grondements du métro. De chétives lumières s'ouvraient, regardaient la nuit et mouraient. Un feu rouge chuintait et s'enfuyait. Que craignait-on ? Quel événement laissait-on approcher ? Le clair de lune, un coup de sifflet, une alerte, une fusillade ? L'esprit avait beau énumérer des avanies possibles, d'un ton négligent, comme une ouvreuse les friandises de sa boîte, l'angoisse continuait de peser tout le long de la rue...

Ma lampe, au sortir de cette nuit et de l'escalier à teinte de papier mâché, devrait me sembler éclatante et je n'ai pas les sens blasés par un excès de lumières. Dangereusement exceptionnelle, elle ne me rassure pas. Elle s'en garde bien. Elle hypertrophie ma chambre et mon existence et en souligne la faiblesse et le faux prestige à une destinée toujours silencieuse, ironique et cruelle.

J'aimais mieux l'ancienne inquiétude parisienne. Toute cette ville, sans se prendre au sérieux, qui était sa propre fin en soi et flambait par les deux bouts. Dont le centre était partout et la circonférence nulle part. Au-delà, qu'y avait-il — au-delà c'était ailleurs.

Les rues ne savaient pas qu'elles menaient vers Amiens ni Dunkerque. Il leur suffisait de séparer des maisons, de mener vers des maisons. Ce tragique guerrier a avalé sa canne... Et il va falloir que Renaut de la Motte se penche sur la politique, se découvre des opinions. Misons peu, misons bien : « miser peu », avec tous nos excités, apparaît comme difficile.

Eh bien quoi ? Ne suis-je plus Renaut de la Motte ? J'ai tâté de cette bonne vie de « ponte » et veux m'y cramponner. Avoir sous mes ordres des dactylos et des petits gars qui examinent les précieux traits de mon visage pour connaître mon humeur et en inférer la teinte de leur journée, avoir un bureau, trancher du tiers comme du quart sur des problèmes où je n'entends goutte et dont je me superfiche, téléphoner à tout bout de champ, autant de jouissances que je me dois de conserver. Les circonstances m'ont donné un poste : si je ne tiens pas à garder toujours le même, je tiens à en garder un. La guerre cessera. Le lendemain de la guerre doit trouver Georges Renaut de la Motte personnage en place, une place juste sous les plus hautes, une de ces bonnes places à la manque où, tout en faisant figure de jeune force fraîche mise en réserve pour les besoins de l'Etat, l'on peut éviter de « se mouiller » et de salir la magnifique imprécision de la compétence et de la doctrine. Et toc. On est plastique ou on ne l'est pas.

Il m'a échappé d'écrire : « Ne suis-je plus Renaut de la Motte ? ». « Ne suis-je plus... », cela dépend de la période à laquelle je me réfère. Je n'ai pas toujours été Renaut de la Motte; en tout cas, maintenant, je le suis. Le nom figure en noir sur jaune à ma carte d'identité — avec deux ou trois subterfuges, l'appui d'un garçon de bureau, la sainte pagaïe du jour, j'ai fait reconnaître comme légal mon acte insurrectionnel : Renaut de la Motte existe en tant que citoyen du monde, un citoyen tout neuf et qui réclame des aventures. Qu'il se déploie. Il n'a pas de grandes ailes, mais des ailes sombres et nerveuses. Et quels ongles et quelles griffes. Il ne doit rien savoir de l'angoisse parisienne, sinon pour s'en réjouir.

Mardi.

Sur les conseils de notre chanteur et ami marseillais, j'avais prêté mon journal à Maurice, son bon ami Maurice, devenu le mien. Maurice me fait quelques compliments, seulement il n'encaisse pas le titre dont j'ai cru devoir affubler mon texte. Je me figure ça, que je suis un salaud — parce que je m'endette et nourris les deux ou trois idées vicieuses nécessaires à toute bonne hygiène — erreur, erreur. Des salauds, Maurice en connaît et se tient prêt à m'en faire connaître, des gens qui ont volé plusieurs millions, qui tueraient père et mère. Un ancien officier, par exemple, qui s'est découvert une vocation de crapule et, sous le nom d'homme d'affaires, roule ses petits clients. Pour empêcher une restitution, n'a-t-il pas imaginé de divorcer, puis de réépouser sa femme. Histoire de passer de « la communauté réduite aux acquêts » à la séparation de biens. Il a fait à ses deux filles d'énormes dots. Ni vu ni connu, je t'embrouille... Second reproche : mon journal manque d'un certain amour très défini. Je proteste qu'avant la date où s'arrête mon histoire il ne m'était pas arrivé de... Oui ou non, depuis, n'ai-je pas montré ma science ? Rien ne m'oblige à suivre mot à mot ma propre histoire. Je ne vais pas jouer au chartiste avec elle. Je puis broder, tripoter, supprimer. Maurice me caresse les joues, parfume son mouchoir et se mouche bruyamment. L'homosexualité, mon petit Georges, l'alpha et l'oméga de toute psychologie un peu fine. Les grandes lignes, foin des grandes lignes en psychologie, mais de petites allusions, floues et courbes... Troisième reproche, et celui-là contre ma conduite. Au lieu de vivre dans une tanière, il faut que je rencontre des gens et figure dans une « équipe ».

Maurice se tient à ma disposition. Il voudrait me faire « toucher » tel et tel de ses confrères. Je discute pour le principe. Un écrivain ne doit-il pas chercher à connaître les hommes, quand ce ne seraient que les salauds de tout à l'heure ? A fréquenter les Messieurs-dames de sa profession, il risque de perdre le contact et de se transformer en odieux byzantin. Maurice me caresse les joues. Ravissante inexpérience. Délicieuse obscène ignorance de la vie. Ce n'est pas cela qui doit me gêner, si j'ai quelque chose dans le ventre, de rencontrer tous les quinze jours de braves romanciers. De suspendre mon pardessus près du leur. Chercher à connaître les hommes, piteuse échappatoire. Comme si je pouvais mieux les connaître en m'abouchant avec mon concierge dans une affaire de marché noir ou en suivant avec mes dactylos, sur une carte à grande échelle, les opérations de Novorossiisk et de Touapse, qu'en interrogeant un écrivain sur l'art d'écrire. Mon poste à la Jeunesse doit me suffire pour la pratique élémentaire, quotidienne, des hommes, qu'il n'est pas mauvais non plus de posséder. Dans le métier littéraire il ne faut pas se tenir à l'écart : il faut produire et, en même temps, « se produire ». Ce cher odieux petit Georges. Cette délicieuse obscène petite crapule de Georges. Il est là, ce soir, à portée de baiser, sur un divan bleu, et, demain, après-demain, il sera protégé par tout un public sérieux de discussion littéraire. *Dulcis noster ille Corydon* sera devenu l'important Monsieur Renaut de la Motte. Et Maurice de me caresser et recaresser les joues. Il fera quelque chose de moi. L'homosexualité mène loin : que je lui réserve une large part dans mes livres.

Les réflexions de Maurice sur le titre de mon journal m'étonnent et je n'admets pas qu'il me refuse le nom de salaud. Ou pourquoi m'appellerait-il « délicieuse chère petite crapule » ? Je m'attache à mon titre. Les phrases de Maurice, autant d'affirmations en l'air. Après comme avant, je suis un salaud. Moi, naïf, je me figurais Maurice un homme subtil. Mais ramener le vice à l'assassinat d'un père ou d'une mère, au vol de plusieurs millions, dix millions donnant droit à « salaud », cent millions à « très salaud », rigolade. Il ne faut pas avoir sondé le cœur humain ni ses « délicieux obscènes petits tréfonds », comme il dirait lui-même, pour tenir ce langage. — « A ce compte-là, nous serions tous des salauds peu ou prou. » Délicieux obscène petit crétin. Et alors ? Pourquoi cette peur d'un mot ? Je ne lui ferai pas l'injure de croire que jamais il n'a soupçonné les parricides d'être plus courageux, seulement, que les autres. Qui n'a pas volé quinze millions peut être, simplement, un lâche : il craignait les gendarmes, le remords, la fuite dans la nuit — telle ou telle image précise d'angoisse, subie par anticipation, et à laquelle il n'a pas résisté. Voilà le salaud, cet homme, et non pas le voleur : le public populaire des cinémas le sait bien.

— Trois petites causes contribuent au tragique de la rue. Les moteurs des autos marchent mal. Essence de mauvaise qualité, gazogènes. A chaque instant cela éclate. Il semble sans cesse qu'une auto explose ou tire sur la foule... Il y a ces autos qui démarrent comme des sirènes. La montée du son, régulière, irrépressible, effraie l'esprit et le cœur. On veut se dire que ce n'est pas une sirène, mais on sait aussi qu'il existe tant d'inventions diaboliques. On se persuade que les chauffeurs connaissent leur affaire, qu'ils visent à déclencher l'angoisse... La plupart des horloges publiques sont arrêtées. Lamentables, figées dans un geste. Six heures dix. Trois heures et demie. Huit heures vingt-sept. Comme la montre d'un assassiné. Comme les horloges d'un quartier bombardé. Horloges de catastrophe. Elles disent l'heure où les atteignit l'épreuve, où elles comprirent leur déchéance. Atterrées. Crispantes. On voudrait les briser à coups de pierres. Elles ont de grands airs de suicidées de bonne famille, qui se seraient pendues par leur cravate. C'est fait pour remuer, ces choses-là, gluer lentement sur ce rond blanchâtre — si cela s'arrête, quelle gêne aux yeux. Aux nerfs, tournés en ridicule...

Mais tant de choses contribuent au tragique... *La vie imite l'art beaucoup plus que l'art n'imite la vie*. L'ascenseur donne un bruit de moteur qui ronronne en plein ciel et parfois un faible objet qui tombe, là-haut, un lit qu'on traîne, tire une lointaine D.C.A. Ce n'est pas la vie qui imite la vie, comme cela, gratuitement. Il y faut l'intermédiaire de l'art. La vie imite l'imitation que l'art crée de la vie. Nous avons trop entendu les bruiteurs à la T.S.F. remplacer la mer par des cuillères, le vent par des cris, une locomotive par une planche, et nous ne connaissons plus, à supposer qu'ils existent, les bruits naturels. Le lit et l'ascenseur jouent à imiter la vie, ils font du théâtre avec la vie, ils sont des bruiteurs. Nous pouvons les soupçonner de la même cruauté que les hommes.

Les *correspondances* sont innombrables, mais elles ne vont pas dans le sens de la joie. Baudelaire a-t-il pu penser autrement ?

Pareil à ce bruit de sirène qui jaillit de certaines automobiles, en vivant j'imite la vie d'un homme. Je ne suis pas « je », mais l'imitation d'un homme. Ma courbe qui s'élève sans fin — peut-être à la rencontre de l'homme, — ignore la loi qui la dirige, la formule qui départage ses coordonnées : la liberté, le destin.

Qu'importe puisque je fais du bruit et que je secrète de l'angoisse...

Le bilinguisme d'un *Bekantmachung* m'ahurit encore. Que les Allemands fusillent des Parisiens, bon, d'accord, mais pourquoi le dire en allemand ? L'autorité, allemande, je n'en doute pas, dispose d'autres moyens que l'affiche murale pour avertir ses troupes. La fraternité des deux langues dans ces avis de fusillade est un bon exemple d'hypocrisie... De Gentien raconte que ces avis, lacérés, ont été recollés. Que les Parisiens les redétruisent et l'on verra ce qu'on verra. Sur les vieux murs, sur les panneaux d'affichage, dans les couloirs et sur les quais du métro, partout monte le chœur à deux voix. Les pères ont été fusillés à l'aube et les fils en ont les yeux blessés. Les fils ont été fusillés à l'aube et les pères et les mères en ont les yeux blessés. Les maris ont été fusillés à l'aube... Attention, Georges, tu choisis, et sans réfléchir. Songe à ta carrière. Prudence. D'autant que tu es plus malin que ça. Il y a des pères sans enfants, des fils haïs de leurs parents, des maris, non seulement cocus, mais haïs... Et cela ne t'intéresse pas. Ce ne sont pas tes oignons. Périssent les autres plutôt qu'un Renaut de la Motte. Tâche de prendre goût à ces affiches. Lis-les jusqu'à satiété. Empiffre-t'en. Jusqu'à ce que tu sentes, dans le fond de la bouche, une amertume, jusqu'à ce qu'un lent frisson te parcoure et que ton cœur se serre. Bravo. Tu te replies sur toi-même. Redresse la tête et sus aux plaisirs.

Jeudi.

Où sont les plaisirs ?

Vendredi.

Sous prétexte que Maurice me conseille de fréquenter mes camarades, mais, en fait, pour chercher à m'introduire dans une famille, j'ai suivi, hier soir, Romanino. De Gentien me raconte que les Romanino sont très riches, que Lucie Romanino est un splendide brin de fille... Voici, d'autre part, comment il juge notre collègue : « C'est le bon P.P.F. un peu couillon. »... Romanino était de corvée pour écrire, dans plusieurs rues du XVIe — rue de Passy, rue du Ranelagh —, des « *P.P.F. vaincra* » et des « *Doriot, Doriot* », « *Doriot au pouvoir.* » Technicien du graffito, il blâme là, d'ailleurs, une formule que sabotent trop aisément les Déatistes. (Ils se contentent de raturer « uvoir » et inscrivent « teau » par-dessus.) Je m'esclaffe. Les Déatistes joueraient à ce point le jeu du communisme ? — « Eh oui » répond-il d'un air sombre. Il ajoute que, s'il trouve une inscription du R.N.P., il la dénature lui-même sans scrupule. Le grand Jacques répète à ses intimes que ce petit format de Déat n'est qu'un voyou ignoble.

Il a commencé sa besogne tandis que je surveillais les alentours. Il me vantait son coup de main et son coup d'œil. Dans l'ombre il se faisait fort de repérer les inscriptions précédentes, notamment les « V. ». Je lui en présentai mes compliments... Plus tard, le plus sérieusement du monde, et avec une pointe de douleur dans la voix, je lui reprochai de laisser tomber les urinoirs. J'alléguai un livre de Jules Romains qui met en lumière leur considérable importance intellectuelle. « Jules Romains ? Connais pas. » Au lieu de voir que je me moquais, il réfléchit et avoua que les urinoirs figuraient effectivement dans son rayon d'action; il aurait dû « faire les urinoirs » : cela était au-dessus de ses forces. — « En somme, tu n'es pas un dur. Tu n'es pas convaincu. »

Il a rué dans les brancards. Pas un convaincu ? Qu'on lui donne une mitraillette, les gaullistes n'auront qu'à bien se tenir. Pas un convaincu ? — « Vive

Doriot ! Vive Doriot ! » a-t-il gueulé dans le silence nocturne. J'ai retiré mes paroles, mais, plus tard, je l'ai raillé encore, et toujours à son insu, en lui conseillant un type d'inscription : « *Dor... Dori... Doriot* », sur le modèle « *Dubo... Dubon... Dubonnet* », si merveilleusement mnémotechnique. Sans soupçonner l'ironie ou traiter mon idée de grotesque, il se retrancha derrière l'habitude, l'obéissance. Les chefs intimaient d'écrire « *Doriot... Doriot... Doriot* » et cela se scandait si bien. C'était le cri même de la foule qui réclame son orateur et prochain sauveur du pays. Je n'avais pas idée, moi, sympathique ignorant des grands courants populaires et grandes aspirations des masses, comme ce cri avait de la gueule. Que je vienne à un Congrès du P.P.F., je lui en dirais des nouvelles... Je pensais, à part moi, que le « *Do-riot, Do-riot* » se scande sur l'air des *Lampions,* mais j'ai gardé le silence. Mieux valait poser au catéchumène.

Ce Romanino me paraît devoir être une poire. Voilà un Corse qui ne m'effraie pas. A condition, naturellement, d'éviter sa mitraillette.

— Cependant que j'écris, au-dessus de moi vocifère la radio anglaise. Je ne sais qui l'écoute. Ce petit vieux abonné aux *Nouveaux Temps ?* Cet homme, à front large, qui descend les marches quatre à quatre ? J'ai l'impression qu'il s'est formé là-haut tout un groupe d'auditeurs, sous la présidence du concierge, chef d'immeuble. Etrange guerre, vraiment... Il va être minuit, l'heure du « couvre-feu ». Je pense que cette interdiction de sortir dans les rues après minuit contribue, pour une bonne part, à l'atmosphère de malaise tragique dans laquelle nous baignons. Comme sur l'Atlantique Sud pèse, sur notre durée urbaine, l'existence d'un « pot au noir » : il nous faut traverser, chaque nuit, une zone de temps dangereux.

Emmitouflés dans nos sommeils et nos cauchemars,

chaque nuit nous nous en tirons; nous ne nous apercevons guère de la tempête; mais c'est Paris, semble-t-il, c'est la ville où nous durons, par ses rues et les façades de ses maisons qui, semble-t-il, subit, chaque nuit, tel un grand Latécoère, l'assaut des forces mauvaises. De minuit à cinq heures. Le matin tout porterait à croire qu'il ne s'est rien passé. Pas de trace suspecte, dehors, nulle flaque de sang, nulle maison détruite. Cela n'empêche que le péril nous a frôlés. Chaque nuit, le temps, dehors, est déclaré invivable. Nos membres ni nos nerfs, ni notre sang, ne pourraient en subir le poids. Un lac artificiel rôde — et nous ne savons pas nager. Des loups rôdent — et nous sommes des agneaux... Quiconque, dans Paris, figure dans la catégorie F. — Francais —, n'a droit qu'à 19 heures de présence par jour dans les rues. Cela suffit pour vivre, cela ne suffit pas, et de loin, à notre curiosité humaine : elle réclame vingt-quatre heures...

Les heures interdites comptent plus pour moi que toutes les autres. C'est le Cabinet de Barbe-Bleue. Je voudrais en posséder la petite clef magique et déjà, cette clef, je l'imagine comme une clef « Yale », mince, apparemment banale, mais ciselée avec une terrible finesse. Piétiner dans le *Verboten,* quelle douceur. Quelle joie ce serait, une galimafrée de Paris bien nocturne, une longue séance de rues noires et peureuses, à la barbe du péril et des patrouilles. S'il a jamais existé, l'homme des foules selon Edgar Poë, il pourrait exister, aujourd'hui ou demain, l'homme de la nuit interdite. L'homme étrange qui ne voudrait plus sortir que pour errer dans la nuit noire, tendrait le poing aux étoiles et assassinerait, par tels procédés dont la haine lui faciliterait la découverte, les glapissants chats amoureux. L'homme qui rêverait d'un monde où pouvoir passer, à toute heure, d'un quartier nocturne dans un autre quartier nocturne et, les yeux grands ouverts, entendre perpétuellement, le long des avenues éteintes, désertes, angoissées, le bruit de ses pas.

L'homme de la nuit interdite, si précisément il ne fondait son désir sur une interdiction qui lui garantît la solitude et, au fond de lui-même, une angoisse, pourrait prendre argument, pour son désir, de la violation que des avions infligent à cette nuit. D'un endroit que la crainte et les rideaux empêchent de situer, du fond du dehors, d'un trou mystérieux qui se creuse dans la nuit, un bruit d'avion montre la tête, un bruit d'avion surgit, gueule, éclate. Des bruits de canon tirent contre le bruit d'avion, contre un bruit monotone de gros bruits secs. Rien à faire. Le bruit monotone envahit tout le ciel, se promène à sa guise derrière les rideaux. L'interdiction ne valait que pour des hommes faibles : la force demeure libre de saccager les grandes pelouses sombres...

Cependant que j'écris, le temps a glissé. Il est peut-être minuit.

Cependant que j'écris, peut-être se rapprochent-ils de moi, les policiers, les hommes qui m'en veulent. La radio anglaise vocifère au-dessus de ma tête, mais peut-être, en ce moment, un homme frappe-t-il à la loge pour demander mon étage. Le concierge doit se trouver là-haut — c'est la femme qui répond — : « Monsieur Renaut de la Motte ? Chambre 12, cinquième à droite. » Quel agacement. Il me semble qu'on se penche sur mon épaule et qu'on lit ce que j'écris. Je n'ai pas commis d'attentat contre les Allemands, mais peut-être suis-je en train d'écrire les phrases mêmes qui me feront coffrer. Si j'écris, et l'amour du risque me force à l'écrire — « En ce moment précis un Allemand peut entrer et m'arrêter », j'écris peut-être la phrase qui va décider de mon destin. Douze mots. Rien de plus. Je vais peut-être, par eux, devenir un otage; par eux, être attaché au poteau d'exécution. Vivent les Allemands.

Vivent les Allemands. Je n'ai rien contre eux, les Allemands, et un splendide avantage milite aussi en leur faveur : ils sont les plus forts. Mais quelle angoisse ils ont répandue dans le monde et quelles richesses de révolte. Jusqu'à mon corps qui leur refuse obéissance. Mon corps très nerveux, trop nerveux. Quand je sais, quand j'ai bien acquis à y réfléchir la nécessité de la prudence, voici mon bras qui proclame l'insurrection, mes doigts qui se soulèvent, et voici le langage que les mutins, possesseurs du stylo — ma radio centrale — tiennent au monde : « Arrière ceux qui suppriment la liberté ! La mort aux ennemis de la liberté ! »

Le temps glisse toujours. Il est sûrement plus de minuit. Je prête l'oreille... Dans la rue, des pas rapides. Un homme court, je suppose. O délices. Coffrez-le donc, Allemands, cet homme idiot qui joue sa vie sur une minute. Il aura palabré, bridgé, baisé une minute de trop. Coffrez-le donc. Ou n'y aura-t-il pas, dans quelque coin d'ombre de la rue, un bon tireur de la Wehrmacht ? Sans sommation, Hausse 200. Feu... Les pas s'éloignent, les pas diminuent, les pas se taisent. Il y aura bientôt, je pense, près d'un lit, un homme qui ôte une chemise trempée de sueur. Il aurait fait un excellent otage. Au rythme de sa course il était facile de conjecturer un homme entre deux âges, gros, lourdement vêtu, et qui ne goûte pas le charme de la mort... Le vent souffle... Un chien aboie. Se peut-il qu'un chien soit dehors à cette heure ? Sans nul doute, je vais entendre un coup de fusil ?... Le chien aboie encore. Et rien ne tire.

Le temps glisse. Les Allemands, avec leur black-out tellement sévère, nous ont transformés en métaphysiciens, en photographes, en bordeliers de nous-mêmes. Défense aux lumières de filtrer sur le dehors. Défense d'ouvrir une fenêtre sur le dehors. Rien n'existe plus que nous-mêmes et le paysage de notre chambre. Autarcie complète. Vase clos. La frontière avec le monde est fermée — que l'homme se replie sur son individu. Chaque nuit nous habitons, dans un quartier réservé, un hôtel louche, chaque nuit nous sommes des clandestins, des émigrants, des passagers, nous nous blottissons derrière nos rideaux opaques comme des Chinois, au fond d'un cargo, sous une toile, nos fenêtres sont hermétiquement bouclées comme des hublots dans la tempête, chaque nuit nous allumons fébrilement des pièces où se résorbent tous les feux, sur nos yeux plus ouverts, sur les meubles, les parquets, les plafonds, la représentation commence, l'homme est là, une rampe l'illumine, il a rompu avec la réalité facile, grossièrement facile, des « extérieurs ».

« *Connaissance de l'homme !* Dix-huitième tableau ! » Mieux que jamais la chambre où j'habite mérite le nom de « studio ». L'homme des cinémas lui rend grâce. C'est vraiment un studio, un décor de studio, que cette pièce. Il n'y a personne d'autre sur le plateau que l'acteur, et le décor ressemble, trait pour trait, à celui de la scène précédente. Ma lampe, ce sont les projecteurs. Ma fatigue nocturne, ce sont mon fard, mon rimmel, mon kohl. « Silence ! On tourne ! *Connaissance de l'homme !* Dix-huitième tableau ! Deuxième fois ! »

Cependant que j'écris, la radio anglaise continue de vociférer. Dans la chambre où l'homme se tient aux arrêts pendant la nuit, il a trouvé le moyen, diabolique, de communiquer avec le monde. Par des sons, il se tient au courant des événements, et des paysages où les événements se déroulent. Il escalade l'espace et charme les étendues. Il pose les doigts sur l'alphabet Braille des ondes et toute sa pièce, toute sa maison, deviennent discours... J'aime l'indicatif de la B.B.C. Ces quatre coups successifs, on dirait d'un prisonnier, heurtant le mur à la recherche d'un compagnon qui lui réponde...

Mais peut-être s'est-elle mise en marche, la patrouille qui doit s'emparer de moi et peut-être viens-je d'écrire les phrases qui me condamnent.

Samedi.

Cette nuit, entre dix heures du soir et trois heures du matin, on a dansé au sixième étage. Et des rires. Et des cris. Et des courses dans l'escalier avec claquements de portes et démarrages de l'ascenseur. Un doucereux phonographe servait d'orchestre et cela dansait, plus exactement frottait le plancher, sans fin ni trêve. Je me demande quelle danse ce pouvait être ? Dans une pièce que je crois exiguë, par le bruit des pas et des voix il semble que les gens se trouvaient en nombre. Une sorte de biguine à la vache. Cela frottait, cela frottait le plancher, cela paraissait bien faire du sur-place et devait se dandiner en évoluant à peine. Frotti-frotta. Homme contre femme, couple contre couple, souliers contre plancher, corps contre musique... J'ai eu envie de protester, on s'en est chargé pour moi. Une voix, dans la cage de l'escalier, hurla : « Ce n'est pas un bordel, ici ! »

Plus tard, on alla jusqu'à donner des coups sur la porte du bal. Il y eut une explication orageuse, des cris, des rires, et la danse reprit vite son enthousiasme frotteur. A trois heures du matin, des chaises furent traînées, des sommiers grincèrent. Et des rires et des rires. Une belle coucherie, j'imagine... Le concierge, aujourd'hui, battait ses tapis contre un arbre quand je suis descendu : « Dites donc, Monsieur eu... (Ne sachant pas encore mon nom par cœur, il feint de l'avaler)... qu'est-ce que je disais, alors il y a eu du raffût par chez vous, hier soir ? — Hier soir ? Hier soir ?... Ah oui ! Phûû. Un tout petit peu. » Il a posé ses tapis et m'a pris le bras. « C'est ce que je disais à ces messieurs-dames du quatrième. Pensez-vous, que je leur disais, s'il y avait moitié autant de raffût que vous le dites, que Monsieur eu du cinquième ne serait pas resté comme ça sans gueuler. Ils sont jeunes, quoi, au sixième. Dites donc, ils ont des fourmis dans les jambes, alors, il faut qu'ils se remuent. Et vot'voisine, la petite Roussy, qu'est-ce qu'elle raconte de tout ça ? — Je ne sais pas, monsieur Richet. — Alors, c'est qu'elle n'a pas gueulé. C'est ce que je disais à ces messieurs-dames du quatrième... »

Je suis mon plan. Pas de fâcherie avec le sixième étage. La séance recommencera, un jour ou l'autre, et j'irai proposer mes services. Un danseur, cela ne se refuse pas.

« On » ne me trouve pas assez de tempérament. « On » a dit à Maurice, qui avait laissé lire mon journal, que, pour un salaud, ce jeune-là fuyait beaucoup trop les femmes. — « Eh eh ! » a répondu Maurice. Néanmoins il m'a transmis le reproche.

Le dimanche soir.

« *Et l'éveil verdoyant des Fridolins chanteurs...* »

Ma journée avait mal commencé. Toute cette semaine, le chant du coq m'avait réveillé, ce qui vaut tout de même son pesant dans une ville qui pose à la ville des villes, mais, ce matin, ce qui me réveilla, ce fut, sur le coup de huit heures, le chant des Allemands. Montaigne aurait-il voulu de ce réveil pour son fils ? Impossible : le coquin de Montaigne aurait jugé ces voix follement prétentieuses. Pas un grain de scepticisme là-dedans. Un air de marche, ou, plutôt, de conquête. Il se déploie comme une carte d'opérations. Méthodiquement, minutieusement, la voix chante toutes les notes. De temps en temps, pour que les soldats reprennent souffle, sont ménagés des arrêts, pendant lesquels crépite le bruit des pas, comme, au cinéma, le grésillement de la bobine durant les pannes du son. De pareils instants sont hauts en tragique. Ils semblent mettre en lumière le secret de l'âme soldatesque allemande. La musique, les mots ? Enjolivement pur et simple. Seuls comptent les pas de la troupe. Le piétinement cadencé — l'obéissance, l'acte ferme, l'ordre. Quand les voix renaîtront, elles domineront, sans doute, le bruit des pas, mais faites attention, ils crépitent encore. Et, entre les couplets, la mort de la chanson torture l'âme : sans la faiblesse d'une seule tendre bavure, le tendre scandale d'un feldwebel mélomane qui laisserait filer la note, le couplet, grave, a expiré... Il a péri, le grand cygne mâle, et la tribu marche toujours. Peut-être ne vivra-t-il plus jamais de cygnes... Un homme gueule. Deux mots, isolés l'un de l'autre par un silence où crépitent les pas. Deux mots rauques et qui déchirent la gorge. C'est l'ordre qu'un cygne renaisse. L'ordre grossier, barbare, impératif, qu'un peu d'harmonie soûle les guerriers pour leur montée en ligne.

Le dimanche matin je n'aime pas le bruit. Je célèbre l'absurdité du monde par une grasse matinée bien paresseuse, où je m'efforce de tuer en moi tout ce qui peut prétendre à exaltation. Je me vautre dans la chaleur du lit. Je meurs à la vie individuelle, je deviens lit, drap, oreiller, l'objet qui énerve et adoucit mon corps... Un réveil en fanfare par des voix allemandes, j'ai trouvé la mesure comble. Pour ma satisfaction personnelle, j'ai hurlé, de derrière ma fenêtre close « Défense passive » : « Ta gueule ! » — ces Messieurs, bien sûr, ont continué leur tapage. Ils chantent bien, les bougres — cela, peut-être, ajoutait à ma colère...

— Un chou blanc. Lucie Romanino, la belle garce, flirte avec un lieutenant boche, qui doit l'épouser. J'en reste pour mes frais de grandes phrases sur la nécessité d'une politique européenne : à peine si on m'a prêté un coup d'œil. Ce langage n'avait rien de nouveau ! Je soutenais l'évidence même !... Aussi bien, dès le premier instant, m'étais-je coulé. « Oh oh ! avais-je dit, un peu dans la lune, vous avez brodé une hache sur votre blouse ? — C'est la francisque, voyons !... » En tout cas, j'ai un pied dans la famille, Gaston m'a prié de faire un saut toutes les fois que je m'embêterais. J'ai déjeuné succulemment. Au champagne nature. Nous fêtions la prise de je ne sais plus quelle ville russe.

— Au second étage de l'immeuble, j'ai vu sur la porte les scellés hitlériens. Appartement juif, me disait Gaston lorsque je suis sorti avec lui. J'ai cru bon d'y aller de ma tirade, il m'a rabroué. Ces Juifs-là ne sont pas comme les autres. Des Juifs charmants. L'homme a disparu, la femme est à Drancy et toute la maison se cotise pour lui envoyer des paquets...

— Une belle garce, cette Lucie. Une grande fille brune, genre beauté marseillaise, avec de grands yeux brûlants. Quel air de santé. La bête solide. Les Allemands ne se refusent rien. Elle a quitté la table, pour rejoindre son Hans, avant les liqueurs. Pour embrasser papa-maman et — puis-je le croire! — se montrer en grande tenue à Monsieur Renaut de la Motte, elle est revenue dans la salle à manger, droite, ferme sur ses hauts souliers à semelle compensée, les mains fraîches, les jambes souples... Ma déception ne va pas loin et je ne joue pas pour autant les renards aux raisins trop verts. J'ai perçu tous les inconvénients du mariage. Le célibat est une valeur qui ne cesse de monter.

Avenue du Maine, sous un tunnel, j'ai découvert un mur selon mon génie. Là stagnait tout un matelas d'affiches, les unes récentes, les autres vieilles, et tout ce monde, au bruit des grosses gouttes perdues qui tombaient du plafond de fer ou des voitures à cheval qui, à leur passage dans le tunnel, menaient un potin fou, fraternisait à bloc. J'ai reconnu des morceaux de *Il veille... Souscrivez* et de *Nous vaincrons parce que nous sommes les plus forts.* Des adresses de la C.G.T. et des annonces de meeting, au Vel' d'Hiv', de protestation contre Franco, décolorées, trouées, soulevées par des excroissances du mur, que travaillent les suintements, tenaient encore leur place. Et des réunions sportives. Et des bals de bienfaisance. Et puis, naturellement, les placards à la mode. La *Gerbe. Je suis partout. Ohé, Camarade, Viens avec nous. Un Combattant vous parle : Engagez-vous dans la L.V.F...* Brave mur ! Il supporte tous les langages et ne choisit pas. Il a mille fois raison.

Je ne sais pourquoi, les affiches récentes ont un air faux. Elles obéissent à une esthétique de la couleur brutale, du dessin spécieusement moderne, on les dirait passées, vernies à la propagande. Même les étiquettes des bouteilles.

Angoisse dominicale. Malgré une journée fraîche, un bon film, un repas « comme il faut », je me sens la tête pesante. La vie continuera-t-elle. Après le coup de bielle donné par la semaine qui s'achève, y aura-t-il des coups de bielle encore. Une nouvelle diastole de vie pourra-t-elle surgir d'une nouvelle systole... Et puis je traîne sur mon corps la fatigue insensée d'une ville morne, aux magasins clos, des mille et mille proclamations alimentaires, tracées à la peinture, à l'encre, à la craie : « *Inscrivez-vous de suite pour les pommes de terre avec le ticket D Z... Nous avons... Nous manquons de... Pas de bière cette semaine, nous n'avons pas été fournis... 90 grammes de viande pour les inscrits avec le ticket nº 2... Les personnes qui poussent vont pas plus vite, le boucher fait ce qu'y peut... Inscrivez-vous pour la volaille... Nous n'avons pas été répartis...* »

Faut-il que le dimanche tue les gens, cette littérature de bas étage ne provoque aujourd'hui aucune agitation. Les boutiques sont fermées — et alors ? Si les gens avaient tant soit peu de génie ou de logique, ils utiliseraient leur dimanche, eux que tarabuste la nourriture, à visiter et à implorer les inscriptions alimentaires. Face aux boucheries, aux crémeries, aux épiceries, ils s'agenouilleraient sur les trottoirs. Bêtise. Non seulement la vie peut s'arrêter, mais elle est idiote. Farce, farce idiote. Shakespeare truffe ses drames de *Lights, Drums, Exit the queen,* et nous avons nous-mêmes nos bombes et notre D.C.A., pourtant ce ne sont pas de grandes bruyantes histoires que d'abord nous devrions intercaler entre nos scènes et les moments de nos scènes, mais de modestes et monotones indications : « Sortie du ticket D Q... Cri d'un litre de vin... Un éclair montre un chou-fleur... » Et nos intrigues politiques et amoureuses tenteraient de se poursuivre.

Moi, comme Ils disent, je me suffis, ce qui ne m'empêche pas d'avoir faim pour les autres. J'ai faim à cause de ces inscriptions, et cette solidarité où l'on me force en dépit de mes ruses, il faut que j'en tire vengeance. Mon petit dos, mon brave intestin grêle, peinent et gémissent pour les « riverains » de la rue Bobillot. Insensé. Pour les riverains de la rue Abel-Hovelacque — ce qui est un comble avec un nom pareil. Pour les fidèles de l'église Antoiniste. Insensé.

De ma fenêtre je vois la « poussette » de l'homme aux paquets arrêtée devant le 11. Sinistre époque : le dimanche on distribue les camemberts et les saucissons, mais on ne distribue pas les lettres. Et le public supporte, sinon réclame, ces procédés ! La « poussette » jouit d'une popularité niaise et stomacale. Elle tient le haut du pavé. Elle circule sur le trottoir comme une grande personne... Je pense à la voiture à bras des « colis-gare », longue et sans rebords, et qui groupe une collection hirsute de personnages chassieux. Dans le genre livreur d'épicerie. Un nez rouge, des espadrilles, un béret marqué S.N.C.F. A cette voiture à bras et à la poussette se suspendent les espoirs du quartier. Elles distribuent la correspondance alimentaire, les douces et hideuses missives de beurre, de lard et d'œufs, les gras témoignages de l'amour sensuel des hommes pour l'argent et pour la vie.

— La semaine prochaine, sur le même sujet, je dois prononcer deux discours. L'un, dans une réunion avec journalistes. L'autre, dans un cercle privé, entre « chefs ». Je ne sais encore ce que je vais faire, mais j'ai commencé par écrire deux discours. Le premier vous possède une allure garçon franc du collier, droit aux obstacles, les yeux clairs : *Jeune de France toujours prêt, toujours gai, toujours là...*

« Impossible de confondre, sans mauvaise foi, la jeunesse française et les pauvres zazous dont la presse eut grand tort de nous rebattre les oreilles. Dire que notre époque n'a pas le monopole de ces jeunes margoulins, c'est bien. On peut, on doit mieux encore. On peut, on doit affirmer hautement que ces individus, représentants d'une ère dépassée, sont moins nombreux de nos jours qu'en aucun autre moment de notre histoire. Oui, dans les bars des Champs-Elysées, dans ces bruyants établissements où une clientèle enrichie par le marché noir croit utile et de bon ton de se pavaner, les journalistes en mal de copie trouveront quelques zazous, quelques swings. La jeunesse française n'est pas là, n'est pas celle-là. Elle ne saurait plus longtemps, la jeunesse française, sans dégoût, être confondue avec des ganaches. La jeunesse française a médité les leçons de l'armistice et, résolument, elle s'est mise au travail. La jeunesse française, au bureau, à l'atelier, dans les Chantiers comme derrière la charrue, est une jeunesse dure et confiante, une jeunesse qui compte sur ses chefs parce que ses chefs n'ignorent pas qu'ils peuvent compter sur elle. Dans tous les domaines elle a répondu « Présent ». C'est une jeunesse qui chante, mais le chant demeure pour elle la fleur suprême du travail, la suprême récompense et le suprême outil, etc. »

Le second discours, pour mériter son droit à la vie, tire dans le dos du premier.

« La presse de ces derniers jours, et nous l'en remercions, a jeté un cri d'alarme. Certes, le mal qu'elle dénonce, nous le connaissons, mais elle a eu raison de porter le débat devant le pays. Le pays a besoin de lumière. Le pays a besoin de connaître la vérité. La vérité sur la jeunesse. Notre jeunesse, la jeunesse française. Cette vérité a pu blesser certains, mais le salut de tous pèse autrement que le bien-être personnel d'un petit nombre. Il y a un mal de la jeunesse. Il y a un malaise, un trouble de la jeunesse. Les jeunes ignorent la route à suivre. Ils réclament des chefs et, comme ils n'en trouvent pas — le cœur désespéré, mais avec cette ténacité qui est la marque même de leur intransigeance, ils renoncent au travail. Ils sont légion, messieurs, dans les rangs de la jeunesse française, les dévoyés, les égarés, les corrompus. Qu'on les nomme zazous, qu'on les nomme swings, que demain on les baptise d'un autre nom encore, ils sont légion. Ceux qui confondent ordre et austérité. Discipline et châtiment. Loisir et ennui. Qui préfèrent la tabagie à l'air pur de nos bois, l'ivresse à la gaieté énergique, et si française, de nos stades, etc. »

A l'intérieur de mes discours, faut-il le dire, j'ai semé du Péguy tant et plus. De bonnes vieilles citations, que je presse à outrance...

Quatre solutions. Prononcer seulement, dans les deux cas, le nº 1, ou seulement le nº 2; prononcer le 1 dans ma réunion à journalistes, flanquer le 2 sur la gueule de mes bougres — ou vice versa... Y a-t-il, n'y a-t-il pas, un mal de la jeunesse ? Interrogé sur cet important problème, M. Georges Renaut de la Motte, une des personnalités les plus marquantes du S.J., a bien voulu nous faire la déclaration suivante : « Personnellement, je m'en fous. La jeunesse actuelle, je m'en tamponne le coquillard. Mais dites bien à vos lecteurs qu'il y a un mal Renaut de la Motte. Le pauvre Georges se demande sur quel tableau miser. Il est bien parti, il ne s'agit pas de broncher en route. »

CHAPITRE II

Mercredi.

Les films américains me manquent. Je ne les considère pas comme meilleurs que les autres, mais ils représentent, au cinéma, une des principales directions de l'esprit. Ils m'aidaient terriblement à vivre. Leur entrain me flattait le cœur et les sens. Je me trouvais idiot de subir leur action, moi qui répugne à l'optimisme et à toute illusion de l'homme sur lui-même et sur le monde, mais cela me prenait par les puissances d'en bas — Dieu, que cela me prenait bien ! Pour un peu, je regretterais Marseille. Cette journée pluvieuse, qu'elle m'est chère à la mémoire, où, l'après-midi, je vis Bette Davis lancée dans une grande chose sentimentale, et, le soir, Joan Arthur et James Stewart dans *Mr. Smith Goes to Washington*. Ah ! misère. Ah ! Funérailles. Ce dernier film, avec quel enthousiasme il enfonce les portes ouvertes. Avec quels cris de jeune putois qui peut perdre des tonnes de sang. Entre-temps, je me le rappelle, nous avions dîné, Rataud et moi, rue du Tapis-Vert. J'ai envie de dire : c'était le bon temps. C'était le temps des dettes. C'était la ville où nous savions rouler le cher et talentueux Edouard de Maumond et sa petite garce d'Odette... Je m'égare : le bon temps n'est pas venu encore, mais viendra un jour... Marseille, la ville des films américains ? Peuh ! La ville du pâté végétal, des topinambours gelés et savamment dysentériques, de la pieuvre séchée, du saucisson hippo-amylacé, oye, oye, de la famine.

Samedi.

J'ai tombé, je me demande pourquoi, le jeune Romanino. Je lui battais froid depuis que je savais la sœur indisponible et du coup, avant-hier, il sollicite un entretien. Nous nous sommes rencontrés place de Rome, dans un grand bistrot, et, tout de suite, jaillirent les hautes formules. Moi, Georges Renaut de la Motte, moi, distingué, moi, réfléchi des réfléchis, soupçonnais-je, pouvais-je seulement soupçonner de quelle amitié brûlait le Romanino ? (Brr. Si j'avais eu pour mon camarade le moindre sentiment, il aurait chu sans plus attendre.)

Ah ! disait-il, tu souris, tu ris de moi. Et, en effet, je souriais, je riais de ses frétillements amicaux et de son aveuglement déplorable, mais je me gardais de l'avouer : je présentais mes manifestations physiques pour des sourires, des rires de sympathie. Et le jeune fils de famille, à titre de premiers dons et témoignages, m'a offert, successivement, un porte-cigarettes — bourré de gauloises, — un stylographe, un stylomine. Je lui ai demandé son âge : vingt ans. J'ai contemplé ses mains très fines, croisées et tremblantes, son long visage, son long cou et, pour reprendre contact avec le monde, sous prétexte de rejeter ma fumée j'ai renversé la tête et regardé au-dehors. Une petite rue latérale où passaient des hommes réels. Comme on « touche du bois » avec la main, je touchai des yeux une automobile qui portait son gazogène, en avant du capot, à l'image d'un horrible lupus. Cette brusque amitié me donnait le mal de mer. J'avais l'impression d'un rêve. De tanguer, en rêve, dans le bar d'un paquebot rouge. La rue, heureusement, ne bougeait pas.

Vers sept heures un quart, comme je tanguais, cette fois, sous l'influence d'un rancio, d'un muscat et d'un sauternes (jamais nous ne pouvions réobtenir la même consommation), vers sept heures un quart je me disposais à quitter mon jeune prince, quand il abattit son jeu. Il avait donné rendez-vous à sa maîtresse, une certaine Louise, il était convenu entre eux que nous dînerions tous les trois ensemble. Ce mot de « maîtresse », il l'avait prononcé avec une charmante confusion et, aussi, une charmante assurance. Le ton d'un homme bien élevé (hum !) qui, malgré une mauvaise prononciation qu'il n'ignore pas, se décide, tout de même, à parler anglais : « Tu me diras comment tu la trouves. Il me semble que c'est quelqu'un de bien. » Je répondis que je n'en doutais pas et le taquinai de se livrer à un détournement de mineure. Non, Louise avait vingt-deux ans. Alors c'est elle, dis-je, qui se livre à un détournement de mineur ?

Il rougit. Ses yeux se mouillèrent et je reconnus en lui certains Renaut de la Motte de l'époque marseillaise. — « Tu sais, j'ai vingt ans, mais c'est vrai, je te jure, ce que raconte de Gentien : les jeunes de cette époque mûrissent vite. Les événements les forment. » Une grandiose approbation de ma part ne suffit pas. Il me fallut jurer, les yeux dans les yeux, que j'approuvais cet avis. Que je croyais les Jeunes de France 42 précocement mûris par la guerre, instruits par les malheurs. Il allait un peu fort, me semblait-il, le gaillard, de réclamer un serment et, quand il m'avait parlé du repas, tout à l'heure, comme d'une chose entendue avec sa maîtresse, j'avais trouvé la chose saumâtre. Je tiens à ma liberté, moi, jeune homme ! Mais je vivais une scène tellement drôle que je gardai mes réflexions et m'apprêtai, le cœur tranquille, à vivre d'autres scènes plaisantes. Ce gosse me donne un stylographe, un stylomine, un porte-cigarettes, pour que j'accepte de faire gentil-gentil avec sa maîtresse et, tout de suite après, je dois jurer que la jeunesse française a reçu l'enseignement du malheur ? Outre. Bouffre. Et cela se passe au milieu de Paris ! Romanino revenait à la charge. Il me serrait la main. Je ne manquerais pas, hein, de lui dire ma pensée touchant Louise. Je me penchai vers lui.

« Il faudrait d'abord que tu m'en parles un peu. C'est une jeune fille du monde ? » Il rougit de nouveau et ses yeux se mouillèrent. Son long cou vibra comme s'il avalait un sanglot. « Tu ne voudrais tout de même pas. Non non, c'est une petite danseuse. » Très sûr de lui maintenant, très propriétaire de chevaux de courses, il s'appuya au mur et, après une bonne aspiration, souffla un jet de fumée par les narines. « Romanino, lui dis-je, tu es un petit salaud de première classe, un vrai noceur. » Il sourit de plaisir. « On fait ce qu'on peut. — Tes parents savent cela ? — Oh ! mes parents... mon père, oui, peut-être... » Une délicieuse curiosité m'envahissait tout à coup. « Ta sœur, tu l'as mise au courant de tes succès ? — Non. Lucie et moi nous sommes assez mal l'un avec l'autre. — Pourquoi donc ? — Pour rien. »

Il s'était renfrogné sous ma nouvelle question et, puisqu'il voulait jouer à la délicatesse, je le bousculai. Lui, un P.P.F., un partisan de Doriot, un jeune qui militait pour une France propre, ne démentait-il pas ses principes en couchant avec une danseuse ? Cette fois, il ne rougit pas, il verdit. Ses yeux restèrent secs, mais ses mains tremblèrent comme sous les vibrations d'un moteur. J'avais dû le toucher au point sensible. Tomber en plein lieu géométrique de ses difficultés intérieures. Les difficultés intérieures de Gaston Romanino. — « Et alors ? » lança-t-il d'une voix de tête que je ne lui connaissais pas. « Et alors ? » Ses paupières battaient sans cesse : « Je ne fais de mal à personne. Il faut bien que je couche avec une femme. Et il vaut mieux que ce ne soit pas une fille du monde, ni une putain qui me f... la vérole. »

Je tapai le bout de ma cigarette contre le cendrier. (J'adore le geste. Ce temps d'arrêt crispe l'adversaire et me permet de mieux unir mes forces.) — « D'accord. Seulement, je ne sais pas si tu te rends compte, mais, pendant que tu te la coules douce avec ta danseuse, il y a tous les prisonniers qui mijotent dans les stalags et les oflags. — Ils n'avaient qu'à ne pas se faire prendre. — Eh oui, mon cher. Il y a toute l'élite de l'Allemagne, toute la fine fleur de la jeunesse grand-allemande, qui verse son sang à l'Est, pour la défense de l'Europe et de la civilisation chrétienne. C'est quelque chose, cela. La jeunesse française, il me semble que Doriot l'a dit, en tout cas il aurait pu le dire, doit être une jeunesse d'acier. Une jeunesse héroïque. Aux Siegfried doivent répondre des Roland. »

J'avais dégonflé mon homme sous mes phrases. Il se tortillait le col, ajustait et réajustait sa cravate, regardait ailleurs. Enfin, toujours sans me regarder, il dit que j'avais raison. C'est depuis longtemps qu'il rougissait de sa conduite... : « Tu me méprises, hein ? Tu me méprises ? » Je prétendis que, non seulement je ne le méprisais pas, mais que j'approuvais sa conduite et il bondit de joie sur sa banquette. Il attendait mon explication. Certainement je voyais plus clair que lui en lui-même !... Appelant à moi les ressources d'une bonne vieille subtilité qu'avaient un peu écornée trois apéritifs, je m'efforçai donc de légitimer, au point de vue Micromégas-P.P.F., la liaison de Gaston avec la danseuse. Cela semblait difficile, mais quel public en or.

Il fallait connaître la vie. Il fallait se développer intellectuellement par la fréquentation des femmes. Le P.P.F. avait besoin de partisans qui, à l'esprit d'énergie, pussent joindre l'esprit de finesse. Une bonne période avec les femmes, voilà qui affinait un gars, qui vous déniaisait un gars, qui vous lui donnait une vue claire des gens et des choses. Il n'était pas question, bien sûr, de déniaiser un Gaston Romanino, né dans un milieu de vieille culture occidentale, mais précisément, en un sens, cela lui ferait plus de bien qu'à un autre de fréquenter une danseuse. Lui, il sortirait de là un homme accompli... Le P.P.F. avait besoin de partisans qui, sans même le prévenir, se livrassent à une sorte d'espionnage mondain. C'était de bonne guerre. J'ignorais à quel point Gaston pouvait compter sur sa danseuse, mais il avait en elle, dans tous les cas, une indicatrice toute trouvée. Indicatrice soit consciente, soit inconsciente — mais indicatrice. Elle devait rencontrer, entendre, voir mille et mille personnes de tout genre et acabit. Quelle source précieuse de renseignements... Et puis quoi ? La danse, un métier comme un autre. Il ne s'y attache aucun déshonneur. Serge Lifar, tout le monde trouverait naturel qu'il fût P.P.F., pourquoi la bonne amie de Gaston n'aurait-elle pas le droit de militer pour la bonne cause ?

Ces histoires nous avaient menés jusqu'à huit heures moins dix et le rendez-vous avec Louise était fixé à sept heures et demie. Romanino — j'ai peine à le nommer Gaston, — Romanino, surprenant un regard de ma part vers la pendule, me dit qu'il n'y avait rien de perdu. Louise n'arrivait jamais à l'heure. Une demi-heure, trois quarts d'heure de retard, telles étaient ses habitudes. — « Oui, mon vieux. » Il en riait, l'idiot, comme d'un exploit personnel. « Une fois, elle est arrivée au rendez-vous avec une heure et demie de retard. Son record, d'ailleurs. » Je le blâmai. Se laisser marcher sur les pieds de cette manière, une grosse faiblesse. — « Si on ne te connaissait pas, dis-je, on pourrait croire que tu n'as pas de sang dans les veines. — Bah ! fit-il, elle m'aime bien. » Il se tenait un peu, avec ses vingt ans, comme le gigolo de Louise qui en a vingt-deux. Elle alignait d'autres amants, sans doute, et, pour lui rester fidèle — ce qui signifie, je suppose, ne pas rompre, — il fallait qu'elle lui gardât un sentiment sincère. Car il ne lâchait pas tellement de billets. Il ne pouvait l'entretenir — il devait exister un homme, ou deux, ou trois, qui s'occupaient de la chose.

Voyez-vous cela, pensai-je. Pas malin, ce petit Romanino, pas très astucieux, et, malgré tout, assez diablement intéressant. J'admirais en lui ce mélange de faux et de vrai cynisme, d'impudeur et de pudeur, d'orgueil, de brutalité, de gentillesse idiote et de faiblesse...

Louise voulut bien ne pas égaler son record : à huit heures un quart, elle se montra enfin. Une belle garce, elle aussi. Et avec des souliers à semelle compensée. Grande, souple, charnue. Il n'y a que ces faux cils où je trouve à redire, ces espèces de grands rayons que les Benserade et consorts eussent célébrés comme autant d'« amoureux pièges », et qui me semblent, à moi, ridicules. J'ai envie de les arracher. Mais bravo pour le turban. Et bravo pour le sac. Au restaurant, quand elle sortit de son manteau, je la contemplai avec un mélange d'orgueil et de colère. Elle vérifiait son turban dans une glace et trouva le moyen, quand même, de saisir mon regard. Elle sourit.

Dimanche.

— « Mesdames, Messieurs, n'oubliez pas qu'une alerte est toujours possible... » Ce fut d'une voix très bouche en cœur que, l'autre soir, une femme, dans un théâtre, vint en avant du rideau nous lancer sa formule rituelle.

Hier, impossible de dormir. L'avertissement stéréotypé me hantait; je ne voyais plus son ridicule ou, plutôt, son ridicule me paraissait un piège du destin. Dès lors qu'elle s'exprimait en termes pédants, et par une voix pédante, nous allions ne plus croire à une menace, et la surprise, le moment venu, serait totale. Je pris un hebdomadaire et, au sein de la nuit interdite, au milieu de ces heures qui nous bloquent, je lus un article, qui valait son pesant de tickets de pain, sur Gérard de Nerval. Le distingué poète aurait été la victime des Loges. Présomptions matérielles d'abord : la rue où fut trouvé son cadavre se prêtait à un crime. Présomptions morales : les maçons lui en voulaient. Conclusion : Nerval a été tué par les maçons.

Pour fêter les morts selon l'asthénie mentale du jour — et puisque je ne dispose pas de Vichy où je serais peut-être allé voir *l'illustre soldat saluer longuement* tandis que *les troupes se figent dans un impeccable garde-à-vous* et que *la foule acclame le vainqueur de Verdun* — je me suis rendu au cimetière des chiens. Bonne tranche de comique. On apportait des chrysanthèmes aux pauvres choux mignons.

« Les morts, les pauvres morts, ont de grandes douleurs... »

Jeudi.

Je suis inquiet de mon personnage. Je ne sais ce qui m'a pris, je viens d'écrire cinq grandes pages, sans alacrité aucune, de prosternation, d'admiration, de léchage de bottes. Je les ai déchirées, mais, enfin, je les avais écrites quand j'aurais trop dû ne jamais les écrire. Comme si un jean-foutre se fût soudain emparé de mon journal et, possédant à merveille mon écriture, eût essayé de me jouer un tour.

Et cela pourquoi, je vous le demande ? Parce que Maurice m'a fait rencontrer, « toucher » — comme il dit si bien — René Fontanges, l'illustre auteur de *Premières Billevesées, Un fruit d'arrière-saison, Le Sac et la Corde,* etc. Parce que Maurice m'a introduit dans un café littéraire. Et alors ? Et ta sœur ? Il n'y a point là de quoi se monter le cou avec la destinée. La vie demeure une chose grinçante et malpropre et rien ne remue le cœur, aujourd'hui comme hier, autant que la rancune, la vengeance, la jalousie, la haine — toute la joyeuse petite famille.

Bien sûr, elle était curieuse, cette boîte chaude, illuminée, au sortir de la nuit glissante; bien sûr, il était curieux, ce débat de Maurice parmi les rideaux de la porte; bien sûr, tous ces gens crispés ne ressemblaient pas à l'humanité moyenne — mais quoi, je ne vais pas m'exciter sur les autres. Honte à Renaut de la Motte pour avoir oublié son personnage. — « On eût dit d'une conspiration qui vient de reconnaître son échec, ou d'une famille, silencieuse, qui attend la mort de l'aïeule ou la naissance d'un petit dernier. » Voilà en quels termes déplorables je commentais la réunion, moi qui me f... des petits derniers comme des grands premiers... Je ne m'arrêtais pas en si mauvaise route. Je m'expliquais à moi-même, gravement, qu'il s'agissait là d'images, et non de pirouettes, et que je désirais coûte que coûte retrouver mon impression. — « Aucun travail, écrivais-je, ne me rebutera. » Tu parles. Et, là-dessus, cinq ou six phrases, analyse de l'ennui des hommes supérieurs, plume d'oie, triangle, boursiers, chercheurs d'or, cloisons étanches, soviets d'écrivains — pour finir sur cette grosse fusée : « Comme, dans un coin de jardin public, se rassemblent les petites voitures des infirmes et des vieillards, chacun avait poussé ici son corps lourd, son corps sans ailes où brûlait lentement l'incurable maladie de la pensée... »

Crac. J'ai déchiré ces histoires. Je ne vais pas faire

d'exception, maintenant, pour les pisse-copies... Et je sais ce que René Fontanges ne manquerait pas de me dire : vous n'êtes pas un salaud, mais un homme qui voudriez être un salaud. Trop dur pour mon crâne. A force de vouloir être un salaud, je sais maintenant que je suis un salaud. Et puis ce René Fontanges, je lui garde un chien de ma chienne.

Vendredi.

Je suis calme aujourd'hui, bien moi-même. Hier, cette nuit blanche dans la chambre et sous la conversation de notre ami Maurice m'avait détruit... J'écris cela d'une petite plume, car je ne veux pas trop, encore, excuser ma défaillance : elle n'aurait qu'à se reproduire.

Ces Messieurs-dames écrivains, ces Messieurs-dames par quoi le flambeau de la pensée brille toujours d'un éclat pur, ne sont que des bougres comme les autres, anxieux de « matières grasses », de combustibles, de cigarettes... « Et vous, mon cher, vous arrivez à vous débrouiller ?... Moi, j'ai cessé de fumer. Bravo. Depuis quand ? Moi qui ne peux me passer de café, il faut que je trouve autre chose. Le blé. Tiens. Vous êtes bon. Et où trouvez-vous du blé ?... Fargue est d'une humeur exécrable. Il ne peut pas se faire au métro... » Avec ces phrases, naturellement, les petites phrases techniques mènent toujours leur vie régulière : « J'ai lu votre article : il est bon. J'ai lu votre article : il est fort. Vous avez des nouvelles de votre prochain ? Non, je prépare seulement une *Vie de Louis XVI* en édition de luxe... »

Mais Fontanges m'intéresse d'abord. C'est lui que je veux démolir. Lui, l'homme aux yeux pers et à cette pipe éteinte qu'il mâchonnait sans cesse. Lui, le petit frisé trop habile au jiujit-su de la conversation. Lui, le mâle aux trois poules. Maurice, qui le déteste et l'admire, me dit qu'il tient la grosse cote. C'est tout ce qu'il y a de bien en jeune littérature, en jeune expression du tourment moderne. Très gentil, le Fontanges. Poignée de main bien paysanne, asseyez-vous donc, nous avons la chance de posséder un poêle qui tire. Très gentil, très simple. Un garçon charmant. Permettez-moi : Georges Renaut de la Motte, Catherine Esterhazy, Mireille Daraut, Jeanne Varin... Et, sans plus de façons, nous voici devant le chantre et le peintre du tourment moderne. Il prétend trouver dans mon journal une vision du monde aiguë et curieuse, seulement, dame, je ne suis pas le salaud que je prétends être dans mon titre. Bagarre.

Les trois poules, au moins pour faire le coup de poing, n'intervenaient guère. Elles riaient aux remarques de Fontanges, le protégeaient, le câlinaient des yeux. Maurice, très mauvaise langue, assure qu'elles sont toutes trois les maîtresses de Fontanges, et cela se pourrait : depuis quand le tourment moderne se refuserait-il à tenter une expérience ? Quand les esprits communient, les corps se déroberaient-ils ? L'acte de chair, cela ne compte plus ! Le pauvre Fontanges, le pauvre grand chou de jeune peintre du tourment moderne, il ne manquerait plus que cela, qu'il s'en allât broncher en route et que sa peinture n'eût pas exactement la sorte de noir désiré, faute d'un jeune sein moderne où poser sa tête, faute d'un brave corps de jeune camarade féminin qui le connaît, lui aussi, le tourment moderne, qui les connaît, les chiennes de bizarreries de l'existence — ah ! comme l'on sait que le travail d'équipe, voilà la vraie méthode, mettons-nous à deux, à trois, à quatre, pour résoudre les problèmes que pose le cher exténuant tourment moderne : courage, Fontanges, nous ne te ferons pas défaut, qu'est-ce que tu veux encore, coucher, mais très bien, à condition que tu nous le fignoles un petit peu plus, que tu nous le détailles et le nuances, ce tourment moderne, mon chéri, le tourment de toute notre époque.

Un repu de l'acte charnel, le Fontanges. En me déniant le titre de salaud, il me vexait et je répondis, du tac au tac, mais en déplaçant le problème, que les écrivains étaient tous des salauds. Il n'eut ni un frémissement, ni même une ride supplémentaire. Il devait être joyeux. A ma façon, je l'alimentais, je lui excitais le phosphore et, de peur de m'effaroucher le moins du monde, il se gardait d'en rien laisser paraître. (Il mâchonne sa pipe éteinte, je crois, pour la même raison que les diplomates gardent monocle. Il s'évite toute contraction du visage.) Après m'avoir écouté dans un grand flegme, il me répondit que je souffrais de nostalgie. Je regrettais la pureté. Moi, oui, moi, Georges Renaut de la Motte, l'homme de Ginette, de Rataud, de madame Salles. Il ne mettait à ses phrases ni hâte ni colère. Rien qu'un copieux intérêt scientifique.

« Ce que vous appelez être un salaud, dit-il, c'est manquer d'éternité, de totalité. » Je repris mon opinion. Les écrivains, des salauds. Des jaloux. Des singes. « C'est un singe, dis-je, qu'un écrivain et la perfection, la vie, Dieu, ne paraîtront jamais dans le monde pour lui frapper sur l'épaule. Pour crier au public : « Faites « la différence. » C'est un profiteur de guerre, l'écrivain. De cette guerre qui a dû, jadis, opposer l'éternel et le momentané, le bien absolu et la sale petite médiocrité qui réclamait sa chance. » Et, plus tard, je conclus :

« Vous parlez mon vocabulaire, mais, au fond, pour vous, le salaud n'existe pas. Pour vous, il n'y a pas de salauds. »

Il rétorqua sans se hâter.

« Pour vous, tout le monde est plus ou moins salaud. Pour vous, il n'y a que des salauds. »

Après un temps de réflexion, il ajouta, en bon intellectuel : « Nous ne sommes d'ailleurs pas tellement loin l'un de l'autre. »

Et de tendre vers moi les grandes pattes du tourment moderne. Et de vouloir me racoler pour le tourment moderne. Sale, sale, la vie. Sale, sale, notre époque. Les trois poules buvaient du petit lait. Leur Fontanges roulait sur son bon trajet connu, lâchant le guidon, faraud, superbe. Elles me regardaient avec des yeux rieurs, de gros yeux rieurs de propagandiste — que je leur dise donc, seulement, une fois, que la vie était une sale histoire. Et, quand je l'eus dit, elles exultèrent. Quel as de maïeutique, n'est-ce pas, ce Fontanges.

L'autre continuait. Pas de collaboration possible entre l'intelligence et le monde. Souffrir, seulement, souffrir. Avant la guerre, il prônait déjà que la vie était une farce idiote et dégoûtante — maintenant, il ne le prônerait pas davantage, mais les gens, peut-être ceux qui ont besoin de voir pour croire, l'en croiraient mieux. Ces bombardements aériens. Ces propagandes. Ce marché noir. Ces L.V.F. ou Waffen S.S., B.B.C., C.O.S.I., N.S.K.K., Volontaires du Maréchal, et tout, et tout. Ce gouvernement dans une ville d'eaux. Ces images de Pétain entre deux soutiens-gorge, deux paquets de pâtes alimentaires. Farce. Sinistre farce. L'homme des idées claires, notre Voltaire national, un seul séisme, un, avait suffi à détruire sa bonne humeur. Un tremblement de terre, plus un raz de marée. Nous faisions mieux depuis. A jet continu nous démolissions les hommes et le visage du monde. Tremblement de terre ? Peuh ! La guerre détruit plus. Et depuis trois, dix, quinze ans, c'étaient les esprits eux-mêmes qui tremblaient, vacillaient — hier à la recherche d'un équilibre, aujourd'hui saisis de panique : « Regardez-moi ce Drieu La Rochelle, si on ne dirait pas un verre sur un comptoir de paquebot. » La voie m'était toute tracée : souffrir... Les trois femmes exultèrent, comme si on les eût chatouillées... Je tenais à être un salaud ? Que je fusse du moins un immense et douloureux salaud, non ce petit salaud dont il fallait se baisser pour remarquer le vice.

Maurice prit la parole. Eh eh eh eh, comment, comment, on oubliait le principal !... Fontanges dut enlever sa pipe pour glousser à son aise. (Il allait bien, le Maurice. Il portait à la question tout l'intérêt d'un spécialiste !) Néanmoins, vingt bonnes minutes, l'homme du tourment moderne ne manqua pas de laïusser homosexualité, avec références historiques, philosophie, grands mots, grandes phrases, grandes idées... Le tourment moderne pratiquait la main tendue aux homosexuels... Il y avait là des richesses de négation — donc, d'affranchissement, — immenses... Une pédérastie consciente et organisée, excellent moyen de lutter contre la farce du monde.

Le tourment moderne se représenta, dans les rues, sous les espèces de la rue noire, du ciel sans étoiles, et la farce du monde sous les espèces d'une chose mystérieuse sur quoi Maurice faillit s'étaler. Une ambiance cent pour cent mélodrame. La nuit, « sombre au-dehors, éclairée au-dedans », dont parle, avec un tremblement, la *Tour de Nesles*. C'était un paysage selon mon cœur. Un peu d'angoisse, un peu de bêtise, des lampes qui s'allument et s'éteignent, des heurts, des frissons... Nous plongeâmes dans le métro... Une femme enceinte, adossée au mur d'un couloir où elle semblait mise en pénitence, glapissait : « De la pile, voilà de la pile », et des feux étranges jaillissaient devant sa main comme à une prestidigitatrice. Un cul-de-jatte extrayait de son accordéon une *Marseillaise* graillonneuse qui donnait des jambes aux voyageurs. Maurice y alla de ses deux francs... Un ramasse-mégots, digne de Marseille, « fait » le quai et me montra sa dernière et plus belle trouvaille, un tiers de cigarette. Il lorgnait avec envie du côté des rails, dans la fosse, où, pourtant, je ne voyais que des billets sales et des pierres graisseuses...

« Chez vous il fait bon, Maurice.

— Marché noir, jeune homme. La propriétaire nous a mis marché — noir, comme de bien entendu — en main. La tonne de charbon à six fois le prix légal, ou bien débrouillez-vous. Il n'y avait pas autre chose à faire. »

Maurice me prête des chaussons et une veste d'intérieur. Il me montre ses derniers ouvrages, parus à tirage limité, *Douze recettes de haute cuisine* (dans le genre néo-troubadour, avec des « tant merveilleuses » et des « reguerdonner »), et un *Eloge de la cigarette* (bourré de dessins, avec des brouillards, des nymphes et des diables). Nous beurrons des tartines, buvons du porto et du café, écoutons la radio anglaise. Nous fumions. Je me sentais une douce chaleur dans les entrailles et le grotesque des messages personnels me « picotait agréablement les membranes du cerveau ». — « *La bière est bonne* », gueulait l'appareil. « *La bière est bonne. Thérèse marie René demain. Je dis deux fois. Trois amis boiront ensemble l'eau de la rivière. Je dis sept fois. Moustache et protocole ne riment pas toujours. Il n'est pas de hareng qu'à Boulogne. La mayonnaise a des raisins que la raison ne connaît pas...* » Je ne pouvais m'empêcher de sourire et je levai les yeux : Maurice était sombre, renfrogné. Mon attitude, visiblement, lui pesait sur les nerfs. Quand les informations eurent passé, il éteignit le poste et me donna une pichenette sur l'épaule :

« Vous êtes donc, vous aussi, un sale petit défaitiste. »

Les pieds dans les chaussons de Maurice et la poitrine dans sa veste, je ne me trouvais pas homme à pouvoir me moquer. Je ne dis rien. Il ouvrit un tiroir et me mit sous le nez une liasse de tracts et de photographies... « Les atrocités allemandes en Alsace... Tenez, ceci, c'est un prisonnier russe... Encore un autre... Les horreurs d'un camp de représailles... L'enfer des prisons silésiennes... Tenez, ah ! les salauds ! voilà des Polonais pendus par les pieds, et des S.S. qui montent la garde. Regardez celui-là. Cette gueule. Et celui-ci, la brute, qui a le courage de boire une chope... » Il me laissa lire et voir tout seul et fit les cent pas dans la chambre. Mes oreilles bourdonnaient. Le sang me montait à la tête. Pourquoi me fourrer là-dedans ? Je ne savais pas, moi, si tout cela était vrai et, d'abord, en quoi cela me dérangeait-il ? Quel empoisonnement et quelle bêtise. J'avais les pieds à Paris, non dans un camp de représailles... Maurice se méprit sur mon silence :

« Ça vous atterre, hein ? Vous ne pensiez pas cela possible ! Eh bien, si, mon cher. Ah ! cette guerre, quelle saleté ! Mais aussi, ces Allemands, ces Boches, quelle ignoble race ! »

En lui rendant photographies et tracts je lui demandai s'il ne craignait pas la Gestapo. D'un tiroir il sortit un Colt.

« Si ça se passe ici, je tuerai un Boche et je me tuerai après... »

Et Maurice, après un silence, me conta diverses histoires : un locataire de la maison, emprisonné à Fresnes, tout un mois, sans motif; un cousin disparu; une jeune femme passée à tabac, déshabillée, plongée dans une baignoire glaciale, fouettée, brûlée, privée pendant trois jours de boisson et de nourriture. Et la vieille générale de Malespoix sous les yeux de laquelle les Boches avaient tué son fils et son petit-fils. Et les dix ouvriers communistes de Nanterre, fusillés pour avoir donné des vêtements civils à un parachutiste. Et ceci. Et cela. Et patati. Et patata. La langue lui démangeait, à notre Maurice national, tout fier de remuer du drame et de se pincer l'échine et de se trouver un homme honnête, bien gluant de patriotisme.

Théâtralement, il se posait les mains sur les yeux, comme si c'était lui, la vieille générale de Malespoix, lui les dix ouvriers communistes. Et des couplets sur la France. Ah ! il en avait perdu, le Maurice, du sang et de la chaleur vitale, ah ! il en avait perdu, de bonnes douces entrailles, quand on avait torturé les uns, fusillé les autres. Car c'était à lui qu'on avait fait tout ça. A lui et à personne d'autre.

« Une cigarette ? » me proposa-t-il d'un air lugubre. Et, après m'avoir tendu encore ses Lucky Strike — 500 ou 600 francs au marché noir — il s'en alla toucher les vitres. Il hocha la tête. Il gèlerait cette nuit. Ah ! il y en aurait, dans Paris, cette nuit, des gens qui crèveraient de froid, des gosses, des vieillards, des femmes. Quelle honte ! Tout cela par la faute d'un immonde vieillard. Le froid — c'était tout simple — il n'existait rien de pire. Le corps humain, à la rigueur, supportait les restrictions alimentaires, le manque de viande, le manque de vin et même le manque de beurre, mais le froid, brr. Quelle honte, dans toute la capitale il ne flottait pas un seul drapeau français ! Les Boches, dans leur grandeur d'âme, consentaient à fermer les yeux sur les drapeaux de zinc qui servaient d'enseignes aux lavoirs publics — est-ce que cela comptait, un drapeau de zinc ? Il toucha la vitre. Brr ! Il gèlerait cette nuit...

J'acquiesçai. Pour manifester mon intérêt au problème, je me ridai le front. Ce que cela me coûtait ! J'avais les pieds, le ventre, les épaules bien au chaud, moi.

Maurice jeta dans le cendrier un mégot que j'eus quelque peine à m'interdire de prendre, insolent bout de cigarette à peine mouillé, tout gorgé de tabac intact. Je sentais qu'il en gardait gros sur le cœur et me tenais silencieux, car c'était à moi, pensais-je, qu'il en voulait. Naïf. Il éclata : mais non, tant mieux, il ne s'agissait pas de mon humble personne.

« Ce Fontanges, dit-il, quel cochon ! »

Et de vitupérer contre la neutralité intellectuelle. Très joli le pessimisme, très jolie la farce du monde, très joli le couplet sur la dérobade nécessaire, mais, en attendant, ce Fontanges prenait plaisir tous les soirs à descendre au café, à retrouver son public, à développer son système. S'il était vraiment pessimiste, eh bien, il se fût tué. Il n'eût pas permis à son brave tube digestif, chaque jour, de lui brasser quatre à cinq demis de bière. Il eût dit adieu au monde. La mort, une fois pour toutes.

Ouiche, Fontanges mangeait, buvait toujours. Il prenait des rendez-vous chez le dentiste, quitte à rattacher, dans son for intérieur, l'insuffisance d'une molaire à sa détestation du monde. Il permettait à des livres de figurer dans les vitrines avec son nom au-dessus d'un titre de son choix : *Le Sac et la Corde*. Il intriguait pour que ses livres figurent, au plus grand nombre d'exemplaires, dans le plus grand nombre de vitrines possible. Et il savait trop, intelligent en diable, que les gens n'y verraient que du feu. Ceux qui ne liraient pas ses livres considéreraient l'auteur, sur la foi de ce volume présent sous leurs yeux, comme un citoyen de leur type, qui aime la vie, l'argent, le métier qu'il exerce... Et cela ne suffisait pas, il exigeait de lui-même le plus de nouveaux livres possible. S'il croyait à la farce du monde, il croyait à ses idées. Il s'imposait un rythme de production. Tant de livres par an. *Nulla dies sine linea...* Il baisait les femmes. Quitte à décrire le plaisir amoureux comme un plaisir d'ordures. Il baisait les femmes et il fallait s'imaginer, tout de même, que la vie servait à quelque chose, puisque ces rencontres féminines, il les utilisait pour sa production littéraire. Si, d'un plaisir d'ordures, se tiraient des pages esthétiquement fort belles, n'était-ce pas la preuve que la vie humaine valût la peine d'être vécue.

« Qu'en pensez-vous, mon délicieux petit Georges ? »

Le délicieux petit Georges ne voulait pas affliger son grand ami Maurice et il répondit qu'en effet... euh... le raisonnement de Maurice possédait une certaine... force... non... une certaine valeur... non... à bien réfléchir, que c'était un raisonnement décisif. Définitif. Une mise au point. Personnellement, à cette heure de la nuit, il s'en fichait, seulement Maurice offrait toujours des cigarettes.

« Ça ne vous fatigue pas de veiller, mon délicieux petit Georges ? Voyez-vous, cette nuit, permettez-moi ce langage, doit être pour nos cœurs un symbole. En nous, c'est la France qui veille.

— Et si nous entendons un coq, dis-je, vers l'aurore, nous saurons, nous que ce n'est pas un coq de marché noir, destiné à jouer son rôle dans la production des « œufs du jour », nous saurons que c'est un coq gaulois. »

Il prit ma phrase pour argent comptant.

« Bravo, Georges, voilà comment je vous aime le mieux. Un bon Français, vigilant, le cœur haut placé. Ah ! notre nuit a une autre allure que celle de Fontanges. Je le vois d'ici, tenez, notre homme, en train de coucher sur le papier plusieurs nouvelles pages pessimistes dont il se gardera de négliger les droits d'auteur, ou de coucher sur son lit une brave lesbienne comme Esterhazy, une demi-cinglée comme Varin, une bécasse comme Daraut... »

Le sujet inspirait Maurice, qui débagoulait sans vergogne. Refuser le monde, oui : le monde allemand. Notre nuit avait de la gueule, nuit de veille, dans une chambre-bureau française grand allumée, tous reflets dehors léchant les œuvres de nos classiques, nos bons amis les grands auteurs français. La nuit de Fontanges, obstiné à transformer ses heures en nouvelle illustration ou nouveau plaidoyer de pessimisme, était une nuit indigne. Avec un talent comme le sien, c'était même une nuit criminelle. Bien sûr, il ne possédait pas tout le talent qu'il s'imaginait avoir — il s'en fallait de beaucoup — mais c'était encore un garçon très original, plein de tempérament. Il lui revenait de se déclarer contre les Boches. De maudire l'occupant. De crier : « J'aime la France, la guerre continue, sus à l'ennemi par quelque moyen que ce soit. »

Non. Rien que des intrigues pessimistico-littéraires, des coucheries pessimistes, des demis de bière désalcoolisée très pessimistes...

Mauvais calcul, d'ailleurs. Les Allemands le laissaient tranquille parce que, militairement, il ne les gênait pas, mais, plus tard, si jamais ils gagnaient, sa liberté de boire et d'errer et de baiser et de publier pessimiste ne ferait pas long feu... En un sens les Boches pouvaient le tenir, aujourd'hui, pour une aide. Il contribuait à démolir la résistance française en montrant le néant farceur du patriotisme français. Les Allemands vainqueurs, attention ! montrer le néant du patriotisme serait montrer le néant du patriotisme allemand. Donc, en boîte. On enverrait dans un camp de concentration le pessimiste Fontanges pour qu'il puisse authentiquement se refuser au monde.

Très en verve, Maurice alla querir dans une autre chambre *Le Sac et la Corde* et il se proposait de me lire un passage bien écœurant, lorsque, dehors, tout proche, il y eut un coup de feu. Nous pensions qu'il s'agissait d'un rappel à l'ordre pour inobservation des règles de la Défense passive, mais, au-dehors, il y eut aussi un merveilleux bruit de pas, des pas affolés qui heurtaient le trottoir, puis un autre coup de feu, une chute, de vagues plaintes. Une automobile démarra.

« Les salauds, grogna Maurice, encore ces sales Boches. » Dehors, on se plaignait toujours. De merveilleux appels ou gémissements vagues, comme d'un pauvre type enfermé par erreur dans un cercueil. Cela me donnait une peur douce, infiniment savoureuse. « Il faudrait tout de même faire quelque chose », découvrit mon courageux ami, qui se tourna vers moi. « Vous ne croyez pas ? » Il tremblait. Une automobile démarra encore. Les plaintes diminuaient : nous les entendions à peine et souvent je ne savais plus si je n'avais pas affaire à des produits de mon imagination. « En tout cas, dit Maurice, si nous descendons, vêtons-nous comme il faut. » Nous attendîmes une demi-heure. Parfois Maurice allait dans le vestibule mais la prudence l'emportait et nous regagnions la chambre. Les plaintes s'étaient tues. Nous avons fini par descendre, très lentement, à pas de loup, sans allumer la minuterie. J'aimais moins cette peur qui s'insinuait en moi. Au rez-de-chaussée Maurice poussa un cri. Il s'était heurté.

Une lumière jaillit, s'éteignit, et un homme s'éclaircit une gorge, vigoureusement encombrée, pour lâcher d'une voix grasse : « C'est vous, monsieur Valdès ? Alors, vous venez voir vous aussi ? Ah ! là là, qu'est-ce que je tiens comme crise d'emphysème. » Le concierge. « Taisez-vous donc. Vous allez nous faire prendre », chuchota Maurice. L'autre jouait les durs : « Pensez-vous. Il y a longtemps que c'est fini. Il y a longtemps qu'il n'y a plus rien. » Maurice appuya sur le bouton de la porte et, au moment de sortir, me fit passer devant lui : « Allez voir, Georges, moi je guette. »

Il me fourrait une lampe dans les mains. Courageux à mon corps défendant, je me suis borné, dans la nuit froide, à faire deux pas en avant et à projeter soudain une lumière que j'éteignis aussitôt. J'éprouvais une sale frousse. L'impression de ne pas m'être lavé le corps depuis un mois. L'envie désespérée de me frotter. A peine si j'avais regardé la zone de trottoir éclairée par ma lampe. J'allumai encore. Et, cette fois, je vis une tache gluante, je n'éteignis plus — une autre, puis une petite flaque, puis des gouttes isolées. Du sang. Je savais que c'était du sang. Cela me bouleversait. Et ça n'offrait pourtant rien de plus sensationnel que l'urine d'un clebs...

Là-haut, Maurice, en pleine forme, se relança dans les tirades. Moi, Maurice. Ces ignobles Boches. Du sol de France pousseront les vengeurs. Nous buvions du café. Nous fumions. Dans un agréable demi-sommeil j'écoutais les palabres mauritiennes et, en moi-même, je riais, je riais.

CHAPITRE III

Il s'en passe de belles. J'ai interrompu mon journal toute une semaine, je n'avais plus la tête à mes petites affaires. Elles seules, bien sûr, existent et comptent, mais, dans mon bureau, c'était un défilé de camarades avec leurs « A ton avis, qu'est-ce qui arrive maintenant ? » — le gros ponte Mauléon, dit Métaxas, me convoquait pour un oui, pour un non — les dactylos me regardaient sous le nez — le concierge voulait me soutirer des nouvelles que je ne possédais pas — le ciel diurne se fendait de tons ironiquement guillerets qui obligeaient à se rappeler la « chose » — la nuit, au lieu de permettre enfin le dédain pour une agitation puérile, obligeait l'esprit à faire le bilan des rumeurs, à les critiquer, à se chercher une brave opinion — allons, il a mieux valu que mon journal n'aille pas se fourrer dans l'équipée.

L'Afrique du Nord aux Anglo-Américains. Darlan qui vire de bord. Les Allemands en zone nono. Pas mal, pas mal...

Tous ces événements humains participent au grotesque des choses et, si je le pouvais, je m'en moquerais comme de ma première chemise. Je ne le puis pas. Tout cela ne va-t-il pas changer la sacrée face de la guerre ? Il ne s'agit plus, si je comprends bien, de jouer les collabos, et tel qui s'est mouillé, on me dit qu'il retourne sa veste avec des gestes discrets de bonne compagnie. Toutes mes félicitations à Georges Renaut de la Motte : il ne s'était pas compromis, il n'a pas à reculer. Autre aspect de la question : les petits gars vont battre froid au gouvernement et il sera plus facile d'obtenir les places. Hum ! prudence, prudence.

Je n'exécute pas trop vite les événements en les priant de participer au grotesque des choses. Ça grouille, en ce moment, le grotesque. Comme dirait Noël-Noël, on en est bourré, de grotesque. Avec cette foutue sacro-sainte organisation actuelle, ce serait un spectacle infiniment drôle, pour un gentil oisif, de regarder, par exemple, comme les ordres se transmettent, du haut en bas des armées, des administrations, des usines. Quel luxe de détails, désormais, dans la rédaction des ordres et, malgré tout, quelles fissures s'y découvrent. L'obéissance ou la désobéissance des cadres subalternes, quelle plaisanterie ! Ces mimiques. Ces fureurs. Ces ruses. Par la seule imagination, on peut s'offrir, dans une certaine mesure, le même vibrant plaisir que l'industriel du film *Les Temps modernes :* appuyer sur un bouton et, de son fauteuil, examiner tour à tour les derniers événements, les dernières trahisons, le coup de théâtre qui se prépare... Et rigoler une minute de la gabegie et de l'effroyable cafouillage dissimulés par le beau cliquetis des machines à écrire et la prestance anonyme, devant les ministères, des gaillards casqués.

Ceci dit, la vie imite le cinéma beaucoup plus que le cinéma n'imite la vie — ne devrait imiter la vie. J'accepte les derniers événements. Ils fourmillent de séquences astucieuses et c'est enlevé comme un film de prestige. Des volte-face, des télégrammes. Avec les références continuelles à la presse dont usent les cinéastes américains. Un crime est commis — annonce du crime. Une danseuse divorce — annonce du divorce. Rotatives, journaux en série, titres hallucinés. Pluie de fausses nouvelles. Les articles signalent des faits, pour permettre, disent-ils, de « *reconstituer* » les choses. Mot révélateur. Les événements, à la T.S.F. ou dans la presse, sont adaptés, mis en scène, découpés. Ils conservent leur part de mystère : le studio des paragraphes où ils tournent entend ne pas prendre sur lui de les élucider à bloc, de les représenter cent pour cent réels.

Le gars Romanino, qui ne doute de rien, m'a donné le spectacle. Il voudrait que je rencontre Doriot. Je suis le jeune talent qu'il faut faire fructifier au centuple. Pourquoi pas, eh, je deviendrais si aisément un dynamique secrétaire d'Etat, jeune, bien sûr, essentiellement jeune, avec des idées jeunes, des phrases jeunes, des gestes jeunes : « Pourquoi ne prendrais-tu pas la Jeunesse ? » En effet, pourquoi ? Le gars Romanino frétille. Il rêve de combiner une bonne petite rencontre, comme les Odettes un mariage. Mine de rien. Un Doriot prévenu, censé ne rien savoir. Il m'interrogerait. Il a le regard direct, puisque c'est un « chef »... Au lieu de bousculer mon aimable fantaisiste, je me frotte le menton et, tranquillement, je demande pourquoi rencontrer Doriot plutôt que Déat. Il me plaît à moi, ce Déat qui sent la craie et l'encre rouge. Romanino bondit. Moi, que je rencontre Déat ? Absurdité des absurdités. Déat, c'est le mensonge, Doriot, la franchise. Déat, ce sont les défauts de l'intellectuel sans une de ses qualités, Doriot, toutes les qualités du peuple sans un seul de ses défauts. Et notre petit bourgeois qui mange de la viande trois fois par jour, fume ses deux paquets par semaine, s'habille au marché noir, s'offre la manucure deux fois par mois — de m'exalter les pieds, les mains, les bretelles et les lunettes de Doriot, les coups de gueule de Doriot, les bosses frontales de Doriot, son air de gros bouton pustuleux qu'on aimerait crever entre les ongles. Il parle, il parle. Il a déposé sa cigarette dans une rainure du cendrier et il penche la tête pour traquer les nuances de sa pensée. Sous l'oreille et le long de la joue je vois, grâce à un reflet, pulluler de faibles poils. Les faibles poils du godelureau qui exalte le peuple... Grotesque.

Si le gars Romanino tentait de me convaincre, c'était moins pour mes beaux yeux que pour sa digne personne. Il veut me pousser et arriver derrière moi. Quel lieutenant j'aurais en lui ! Un garde du corps et un garde de l'idée. Ah mais !...

CHAPITRE IV

Le mardi 24 novembre 1942.

Hier, voilà ce que j'appelle une journée bien remplie. Ah ! je ne suis pas un salaud, ah ! je ne suis pas un salaud. Sans compter que je dois faire comme le nègre : continuer...

L'après-midi, je sonne ma dactylo numéro 1, Armande Besson et, sur-le-champ, improvisant au fur et à mesure, j'y vais de mes phrases. Elle n'a donc rien remarqué ? C'est vrai que je m'efforce tellement de cacher. Mais on cache si mal. Ah ! du moins, moi, j'ai remarqué une triste chose, la froideur particulière d'Armande. En quoi ai-je donc failli ? Qu'elle abandonne un peu ses dossiers et qu'elle vienne près de moi, la petite Armande, je ne suis pas si terrible... Alors on redresse fièrement la tête. On secoue fièrement des boucles blondes : « Oh ! Monsieur ! » On ne me disait même plus « Monsieur Georges. » Et on claque la porte.

Echec. Je ne me donne pas le temps de la réflexion et sonne ma dactylo numéro 2, Simone Béal. Je recommence mon baratin. Elle n'a donc rien remarqué ? C'est vrai que je m'efforce tellement de cacher. Mais on cache si mal, etc. Intérieurement je m'applaudissais. Je sentais que ma voix portait mieux. Et j'avais quitté mon fauteuil, je me fendais de gestes *ad hoc*, coulais des regards languides... Je n'en étais pas à une vraie déclaration que ma Simone s'appuie au mur et laisse tomber, sans les ramasser, tout son lot de paperasses. Je crois qu'elle va tourner de l'œil, je m'approche, elle tremble et, de ses bras tendus, veut m'écarter. Elle pleure. Ce n'est pas très joli, une Simone qui pleure et ne sèche pas ses larmes. L'insuffisance de coquetterie la perdra, cette enfant... Je susurre : « Ma petite Simone » alors on se jette à mon cou : « Mon chéri, je suis follement heureuse ! Je savais bien que tu m'aimais. » Elle se blottit la tête contre mon épaule, et mon visage, qui regardait librement la pièce, pouvait prendre telle expression d'indifférence que je désirais. Du menton, aussi, je touchais la barrière de ces bras féminins et, avec quelle joie, je méditais sur sa faiblesse.

Simone partie, j'ai regretté Armande Besson. Pour

deux motifs principaux. Elle a le corps plus délectable. Et, ce corps, elle l'a refusé. Provisoirement ? Durablement ? Nous verrons. Peut-être se trouvait-elle seulement dans un mauvais jour.

Simone et moi, nous avions rendez-vous, dès la sortie, dans une petite rue. Je l'embrasse violemment et lui glisse au creux de l'oreille : « Conduis-moi chez toi. » Elle ne voulait pas, bien sûr, mais elle ignore toute finesse et, au lieu de se défendre par un mensonge (elle pouvait me dire qu'elle habitait dans sa famille), n'objectait que des scrupules. Moi, je racontais mille bêtises. Aller dans un café, pouah ! Au cinéma, repouah ! Que rien ne s'interpose plus entre nous deux. Nos cœurs s'étaient reconnus, arrière le monde ! : « Tu sais, déclara-t-elle enfin, que ce n'est pas beau chez moi. — Oh ! mais si, la chambre de ma Simone est naturellement très belle. — Mon chéri ! » Vraiment, avec elle, inutile de se fouler... Simone habite, avenue Emile-Zola, sur la cour et sous les toits, une chambre mansardée. Elle voulait au moins que nous ne montions pas ensemble. Le concierge. Les voisins. « Et alors, dis-je, quelle tête pourrais-je faire si le concierge me rappelle : « Eh là, vous monsieur là-bas, où allez-vous comme ça ? » Elle s'incline. Elle aurait souhaité, je pense, retaper sa chambre avant de m'y introduire.

« Comment trouves-tu mon petit chez moi ? — Très bien, exactement ce que j'imaginais. » Au vrai, l'odeur, une odeur de lit et de poussière, me fatiguait la tête. Le premier objet qui m'avait sauté aux yeux, à toucher le radiateur, avait été une bouteille de terre cuite, la bouillotte de notre imbécile, et j'établissais une correspondance, cruelle, entre l'objet et sa propriétaire. Sur la table, un livre : *Maria Chapdelaine*. Des fleurs mortes achevaient de tourner au brun... Je ne songeais plus qu'à bousculer Simone, mais les choses devaient aller dans l'ordre.

J'ai encaissé des heures moroses. Préparation d'un dîner pour amoureux, avec longs baisers, grands rires et peu de matières grasses. Je suis présenté à un sac noir objet de plaisanteries stupides. C'est un sac noir et il sert aux courses, c'est un sac de marché : donc c'est un sac de marché noir ! Rires et rires. Des « Hou hou » dans le couloir. C'est le voisin du 18. Un ami. Un ami doublé d'un ravitailleur. Peut-être apporte-t-il des victuailles ? Hé oui, le voisin du 18, un myope à col dur et les cheveux en brosse, a trouvé du boudin. Toute une couronne de boudin. Quelle chance inouïe. Le voisin du 18, un postier, ne semble pas m'avoir à la bonne, encore que Simone pousse à la fraternité générale. Elle sert un fond d'apéritif sacchariné. Vive la jeunesse. A moi la timbale S.B. Heures moroses, moroses, très moroses... Enfin approche l'instant pathétique. Nous faisons les amoureux. Chez qui suis-je en ce moment ? Vous donnez — pardon, mon chéri, tu donnes — ta langue au chat ? Une fois, deux fois, trois fois ? Chez une Balnéolaise. Oui, monsieur, les natifs de Bagneux se nomment des Balnéolais... Avant le dodo il faut que Simone récite sa leçon. Elle me passe un livre de sténographie et je l'interroge. « Lorsque... Lorsqu'à... Lorsqu'il... Mademoiselle... Monsieur... Monsieur le ministre... » Enfin il est là, l'instant pathétique. Je revois les boucles d'Armande : « Oh ! Monsieur ! » D'une oreille distraite, j'écoute mon imbécile me raconter sa vie, réseau de lourdeurs édifiantes. Un frère prisonnier, un ancien amant, le premier le seul, qui a trahi de façon indigne, une mère malade, une sœur qui adore Beethoven, une maison de banlieue qui est tellement lyrique. Oui, j'aime les chats. Oui, j'aime la campagne. Oui, j'aime les gâteaux. Oui, c'est drôle, hier je dictais une lettre, aujourd'hui je couche. Oui, le traversin me suffit...

Mercredi.

Simone, qui avait promis de se taire, n'a rien eu de plus pressé que de tout dire à sa compagne. Elle entre chez moi, furieuse. Furieuse contre Armande, bien sûr. Une langue de vipère, cette Armande. Quelle vilaine époque ! Mensonges partout. Je feins une douce rigolade. Je me tiens les côtes. Elle a insinué, vraiment, cette Armande, que je lui ai fait du plat ? C'est tellement drôle. Au point que je ne sais pas si je relèverai la chose...

Plus tard, je sonne Armande. Très digne, très droite. Il me semble lire de l'ironie dans ses yeux.

Ce que j'aime le mieux, je le crois, je le sens, c'est de restreindre la liberté des âmes. Il peut s'exercer, dans ce domaine, l'esprit inventif que j'ai reçu en partage. Cette Armande qui m'échappe m'intéresse follement plus qu'une Simone dont je fais aujourd'hui le bonheur. Patience. Notre heureuse Simone, nous allons la traiter par nos procédés spéciaux — elle m'en dira des nouvelles. J'ouvre un Institut pour la transformation des visages. Eminent spécialiste de l'inquiétude, je la ferai sourdre sur cette grosse figure. Je désincrusterai cette figure de tous les repaires de son calme.

Samedi.

Malade cette nuit comme un chien. J'accuse le pâté de hure dont nous avait munis le voisin du 18. Je parie que, lui, il aura tenu le coup... Heureux d'avoir regagné mon domicile avant la catastrophe. Simone, non plus, ne semble pas avoir souffert.

Il faut surveiller le gars Romanino. Ce « bon P.P.F. un peu couillon » vous sort des réactions insoupçonnées. Il tombe chez moi avec le dernier *Au Pilori* et me met sous les yeux l'écho suivant :

« Il est discret, ce *Bar des Joyeux Normands*, place de Rome, discret, cordial, charmant, et tout. Le vin blanc y coule, un petit vin blanc généreux, et pas plus cher qu'ailleurs. Ces Messieurs du marché noir, qui ont horreur des sommes insignifiantes, ont su reconnaître cet avantage et y organisent leurs rendez-vous. Autant, n'est-ce pas, un cadre sympathique ? Jeunes femmes qui partez pour le travail dans la bise nocturne, les jambes nues, il y a des bas de soie au *Bar des Joyeux Normands*. Ouvriers qui contemplez avec désespoir vos semelles disloquées, il y a des napolitains au *Bar des Joyeux Normands*. Il y en a. Du moins, il y en avait. Car nous espérons qu'il n'y en aura plus si la police donne au *Bar des Joyeux Normands* un de ces époussetages dont elle a le secret, un époussetage discret, cordial, charmant, et tout. »

Pour agrémenter l'écho, un dessin représente un agent à gros nez qui lève son bâton blanc : et, devant lui, un homme se sauve, le col du pardessus relevé jusqu'aux oreilles : « Qu'est-ce que tu en dis ? me demande Romanino. — J'en dis que c'est notre bar. — Tu n'as rien d'autre à dire ? » Il se tait, je comprends tout. Je verdis même, je crois, par jalousie et dépit de ma sottise : « Le style, aussi, est de toi ? — Mais oui, tout. Sauf le dessin. Tu sais, ce style-là, il suffit d'un peu d'habitude... »

Je me renseigne, car je veux aller jusqu'au bout de ma déception, et Romanino me confie des choses étonnantes : l'idée de son écho lui serait venue l'autre jour, dans le café même, tandis que nous bavardions. Il y avait là de gros hommes qui discutaient le coup. Sous leurs chaises, entre les jambes, ils gardaient leurs serviettes de cuir et, parfois, ils en sortaient un soulier — les mystérieux « napolitains », — un bas de soie, une savonnette. Ils se gênaient si peu qu'ils proposaient des affaires au garçon... Et moi je n'ai rien vu. Moi l'observateur, je m'étais tout bonnement soucié de notre causerie et, quand je me figurais le Romanino aux prises avec son démon intérieur de patriotisme et de jeune volupté, il ne perdait pas une miette de ce qui se passait aux tables voisines. Il m'a joué. Le salaud. Il me ressemble ! Je le jouerai à mon tour.

Une revanche apparaît comme d'autant plus nécessaire que la ressemblance entre nous va plus loin qu'on ne pourrait le croire. Pour lui faire pièce, ne m'étais-je pas mis à défendre le marché noir, sûr moyen de lutte contre les exigences allemandes, quand, presque tout de suite, il me tape sur l'épaule. Les prédications, inutile. Lui le P.P.F. il est d'accord. Il me prie de « viser » ses chaussures : quinze cents balles, tout cuir, double semelle, sans bon d'achat; de tâter son costume pure laine, cinq mille balles, sans bon d'achat non plus. S'il a expédié son écho, c'est simplement qu'il voulait voir. Ça l'intriguait, le chemin que peut suivre une lettre anonyme, et le petit geyser qu'elle soulève en arrivant au bout. Et puis quoi ? Les gars du marché noir en seront quittes pour trouver un autre bar : si la police est prévenue, ils sont prévenus eux aussi; tout se bornera, sans doute, à quelques pots-de-vin, du café au journal, du marché noir à la police. J'admire le flegme de Romanino. Il raisonne, ce garçon-là. « Mais toi, pauvre veau, lui dis-je, dans l'affaire qu'est-ce que tu palpes ? » Il hausse les épaules : « Ce n'est pas pour ça que j'ai écrit... »

J'aurai ma revanche. L'envie me prend de souffler sa maîtresse à notre jeune drôle. Et de donner à notre jeune drôle le culte de l'argent. Son histoire avec le journal, je l'approuve, et je devine, bien sûr, les jouissances de l'accusation anonyme. Quand ce ne serait que d'imiter certains grands gestes de la guerre et l'effort nocturne des avions pour passer incognito dans le ciel comme des rois en exil, ces ruées tous feux éteints comme des souverains chassés de leurs capitales baissent la glace de leurs voitures dans la traversée des villages, ce refuge dans la vitesse et dans la nuit. Mais il faut que ces choses-là rapportent ! L'argent, eh oui, en lui-même, ce n'est rien. Il ne laisse pas de demeurer le doux nerf de la vie. Grand homme, celui-là, et doublé d'un grand écrivain, qui le premier surnomma l'argent par ce titre splendide : nerf. Rien de puissant n'arrive que par les nerfs. L'argent figure parmi les grands amis de l'homme intelligent et sage : le thé, le café, la cocaïne, l'opium, la morphine, toutes ces belles substances qu'il ne faut d'ailleurs pas trop écouter, car elles nous raconteraient mille balivernes sur le monde. Elles dégoûteraient plus encore du monde, si possible, mais, entre-temps, procureraient aussi de fades béatitudes. Danger. Ce que je réclame d'elles, et qu'elles dispensent, c'est mouvement, ébranlement, choc. Tout ce que donne, par exemple, la délicieuse aspirine.

« Kalmine » quel contresens et quelle obscénité. Comment s'agirait-il de se calmer, quand il importe seulement de brasser, de secouer — de briser, s'il n'y a pas d'autre solution. Voilà bien la sotte engeance humaine et son ardeur à prostituer les seules matières qui témoigneraient en faveur du monde pour le cas où une divinité, intelligente et rageuse, voulût le détruire : « Kalmine. » Faire baisser à l'opium son beau pavillon noir et le ravaler parmi les tisanes, ah ! c'est tout à fait l'homme. Quand il faudrait plutôt, si c'était possible, ajouter à l'opium et lui permettre sur le corps la foudroyante action de la dynamite. Se tuer, en une seconde, et dans un spasme d'intelligence, d'ambition et de génie — éclater comme une cartouche, — sentir des milliers d'idées, jeunes et brûlantes, se disperser avec fracas, quel progrès !... Se tuer, mais, un instant, posséder, comprendre, voir.

Comme la piqûre d'un instant remonte le cœur, l'argent, encore l'argent, toujours l'argent, remonte les affaires humaines. Ah ! lui aussi, il est *very exciting*. Changer un arbre en statue, une statue en arbre, je ne vais pas énumérer tout ce qu'il peut, l'argent : je sais cela. Mais, ce que j'admire en lui comme dans le café ou l'opium, c'est son aspect de matière, son indifférente brutalité. Dans l'ombre des grands personnages, il joue les grandes « utilités » muettes. C'est lui l'eunuque farouche qui tend le lacet au ministre déchu. Et, pourtant, c'est lui encore, le pitre de la comédie italienne, le valet qui mène la danse... C'est lui l'exécuteur des basses œuvres, la place que le citoyen moderne lui inflige sur son corps en fait foi. La poche-revolver. Place pudique et, tout autant qu'une autre, stratégique. A la différence du poisson pilote menant les requins aveugles, il se plaque derrière l'homme. Il n'est pas le guide, mais l'agent et le recours.

Je gagnerai de l'argent et je veux que Romanino respecte l'argent. Je gagnerai de l'argent. Et non par cette économie aussi ridicule, dans le siècle où nous sommes, que le tendre acheminement des Précieuses vers l'amour, non par ces méandres rituels et poussives attentes qui me mèneraient de Livret-sur-Epargne à Bon-sur-Trésor et de Bas-de-Laine à Bien-au-Soleil. Je prendrai la fortune et lui tordrai le cou.

Romanino, l'après-midi, me porte chez moi un flacon d'élixir parégorique : marché noir.

Dimanche.

Dans ma liste des seules matières qui témoigneraient en faveur du monde, je n'ai pas inscrit l'amour physique. Oubli, mais, peut-être, combien raisonnable ! A la rigueur je veux bien l'inscrire tout de même. L'autre amour... mais il n'existe pas. Paix à ce néant.

Promenade avec Simone. Elle a trouvé le moyen, depuis l'autre jour, de s'offrir un chapeau et une jupe. Elle n'est pas trop mal fichue... Elle tire, déjà, sur la ficelle. Déjà se pratiquent les arrêts le nez aux vitrines et les soupirs devant les sacs ou les bas de soie. J'ai dû payer le restaurant. Un restaurant assez minable : potage aux navets, deux ronds de saucisson inodore sur une salade cuite, deux pommes de terre, une glace rosâtre et qui puait l'eau de pluie. Deux cents balles. Et le cinéma... Patience. Patience.

La promenade me rappelait mes tours dans Marseille avec cette garce de Ginette et l'atmosphère des rues, par un petit soleil frais, avait quelque chose de faux comme le Vieux-Port. Cette journée courte, endimanchée, rasée, vive, sentait son petit frétillant méridional à feutre vert et sa demoiselle olivâtre. Foule. Ici et là, un carrefour sécrétait son avaleur de sabres ou son briseur de chaînes à la peau gonflée.

De temps en temps, le désir m'envahissait de laisser tomber une Simone qui se faisait chatte, et la capitale m'apparaissait comme un immense camp de prisonniers. Ne parlons pas des Allemands ! Je veux dire que tous ces gens et moi-même, je trouvais que nous allions à vau-l'eau; qu'entre nos désirs et nos moyens nous soupçonnions une telle différence que nous ne désirions même plus; nous allions, nous adhérions à une guerre, à une rue, à un mouvement de foule qui contemple le soleil, une vitrine, un tandem de grosses femmes. Rue de la Gaieté, rue d'Odessa, un courant se bagarrait sans hâte avec un contre-courant et de multiples îlots stagnaient. Rue de la Gaieté. Pour m'en tenir à ces noms prétentieux, j'ai vu, rue de la Santé, un attroupement devant la prison. Contrairement à ce qu'il semblerait, ce n'étaient pas des gens qui réclamaient une place dans une cellule, mais de pauvres naïfs qui se tapent des heures d'attente pour faire passer à un prisonnier un morceau de gruyère ou un caleçon de laine... La Gaieté, la Santé. Quels noms idiots. C'est du Paris tout craché. Rues de la Mortalité, de la Morosité, ça vous aurait une autre allure. Jamais l'on ne consulte un homme de goût sur de telles matières.

J'ai fait le tour intellectuel de Simone et ce ne fut pas une longue marche. Voilà trois fois que je cogne à son *Autant en emporte le vent*, cette confiturée américaine dont le Paris occupé fait ses *Deux Orphelines* et sa *Bible*. Simone croit me bluffer en parlant de Scarlett, qui ne serait pas du tout « l'individu » odieux que la foule s'imagine. (Encore un personnage qui échappe à son auteur, comme certain « salaud » près de Fontanges ou de Maurice.) C'est « un chic type », Scarlett, et « un type » dans mon genre. La petite garce bat des paupières : il faut saluer son audace ! Elle a qualifié un personnage féminin de noms réservés aux mâles — hein, tout de même, c'est quelque chose... Elle ne mérite un intérêt, encore très vague, que lors de sensations et connaissances parisiennes. Elle me décrit les odeurs de plusieurs lignes de métro, elle me décrit les beaux « passages » — Brady, Choiseul, et les autres — où grouillait, avant la guerre, la belle marchandise à bon marché, le vrac de l'indémaillable, le triomphe de la jarretelle et des pantoufles à pompons.

Lundi.

Hier soir, sous prétexte de repos, j'ai gagné mon domicile vers neuf heures et demie. Ces Messieurs-dames, au-dessus, menaient joyeux tapage. On ne dansait pas encore, mais on s'excitait pour la danse. J'ai pris *Décombres* et j'ai attendu... Vers dix heures et demie, premiers éclairs de phonographe. Pieds de s'agiter, de frotter. Les danses, maintenant, les danses... A onze heures et demie, je monte, je cogne sur la porte derrière laquelle se menait le vacarme. Les frottements de pieds ne s'arrêtaient pas, mais il y eut des chuchotements et, enfin, l'on ouvrit. Derrière un rideau la danse continuait. En face de moi, dans une sorte de cage-vestibule, une femme trop blonde, la blouse décolletée large, tenait à la main une cigarette :

« Monsieur ? — Vous ne pourriez pas danser moins fort ? C'est impossible de dormir... — Ah ! moi je ne sais pas... Lucette ? » Lucette joue la locataire sérieuse et compréhensive, plaide la nécessité de se dérouiller les jambes — d'un autre côté, bien sûr, le sommeil, ça se respecte !... Arrive un jeune homme à petites moustaches, calicot cent pour cent : « *Are you ready,* Lucette ? Ah ! pardon, Messieurs-dames, je dérange... »

Les filles rigolent, le jeune homme rigole, je rigole à mon tour et fais semblant de m'esquiver. « Soyez gentille, dansez plus doucement ou, alors, je ne verrais pas d'autre solution que de danser avec vous. » Je recule d'un pas, Lucette avance d'un pas : « Eh là, eh là, monsieur, mais entrez donc. Plus on est de fous... Monsieur... comment ? — Georges Renaut de la Motte. » Sifflement du jeune homme : « Whoopee ! — Tais-toi donc, impoli, gourmande Lucette, émue, sidérée. — Ne vous occupez pas de lui, me dit-elle, c'est un cinglé. — Monsieur est swing, peut-être ? » On rit, quelle merveille ! D'une seconde à l'autre me voici à l'unisson. Swing swing. Je suis swing. Tout le monde est swing. Je suis happé, projeté dans une pièce bruyante, chaude, qui sent la sueur et la fumée et que mon irruption calme, présenté à cinq ou six hurluberlus, mis en possession d'une coupe. Il ne reste plus guère de liquide. Tant pis. On trinquera tout de même. Chacun y va de sa formule. Les femmes donnent dans l'aimable : « Au nouveau danseur. Au danseur inconnu. Au Monsieur de Minuit. » Les hommes raillent : « Au petit rigolo.

Au fatigué. » Moi, je bois au Swing-club du 6e et du 13e réunis, mot qui recueille l'approbation et les rires d'un public si connaisseur.

La danse frétille. J'ai pris Lucette à bras le corps. J'ai pénétré dans le secret des Dieux du 6e, en plein dans le centre producteur des frottements de pieds, du tapage nocturne. Je demande à Lucette le nom de la danse. Un cake-walk. Va pour un cake-walk. Je me trouve en humeur de danser n'importe quoi, horsey, biguine, lambeth-walk, swing, swing, rien ne me coûte, dans le pays on n'est pas difficile. Mon sens auditif avait finement interprété les bruits transmis par le plancher. Frotter, frotter encore, frotter toujours. Je m'aperçois que je serre contre moi les seins de ma danseuse et qu'elle en a le visage rouge : « Vous vous appelez Lucette, dis-je. Je m'appelle Georges. — Je sais. » Elle sourit et m'indique les autres. Il faut se taire. Se taire et frotter. On ne parle pas dans ce pays. La danse, une occupation sérieuse. De graves pensées charnelles hantent les visages... Le disque s'achève, Jean-Paul le calicot se précipite pour le remplacer, chaque homme saisit une femme, de nouveaux couples se forment. Je suis tombé à merveille. Il manquait un mâle. Cinq couples, cinq. J'ai contre moi une grosse brune, un grain de beauté entre les yeux, qui danse la bouche ouverte. Je ne lui demande pas son nom. Ici l'on frotte. Je connais les usages, je ne veux pas détonner.

Nouveau changement de disque. C'est le zazou du lieu, un jeune bouclé à longue veste beige et à pantalon sans plis, découvrant haut les chaussettes bleues, qui procède à l'opération. Une autre grosse me tombe dans les bras. Ouf ! Après elle il n'y a plus de grosse dans la bande. Heureusement. Celle-ci, en dansant, pince les lèvres. Une jeannette lui pend entre les seins, deux grands flandrins à la Voltaire, qui se montrent un tantinet. *O crux ave.* Entre les seins d'une grosse fille qui danse. Qui danse et qui chante... Le zazou a fait les choses bien. Il a choisi un disque de Danielle Darrieux, *Premier Rendez-vous*, que l'assemblée suante et frottante possède et apprécie hautement : *Ah ! qu'il est doux et troublant... l'instant du premier... rendez-vous...* Tout le monde chante, sauf Georges, et ce malgré une pression plus vive de sa danseuse, qui utilise le langage par les seins. On frotte, on se frotte et on chante. Ah oui ! Il est doux et troublant, l'instant du premier rendez-vous ! Ah oui !

De danse en danse, de femme en femme, j'étais parvenu à un agréable mélange de tension et de torpeur. Si je ne dormais pas et me remuais diablement, je vivais comme une machine. Je veillais. Combien de temps, j'étais curieux de le savoir, durerait le tumulte... Il dura longtemps — il eût duré davantage encore sans une voix qui hurla dans la cage de l'escalier : « Ce n'est pas un bordel, ici ! » J'éclatai de rire. Je me sentais si bien désormais de l'autre côté de la barricade, le côté danseurs. Lucette se détachait de son homme. « Quel empoisonnant ce gaillard-là. Il rouspète à chaque coup... Vous sauriez pas qui c'est ? Pour moi, ce serait le petit vieux qui a une tête de satyre. » Je n'écoutais plus. J'avais bondi dans le vestibule, ouvert la porte et, à tue-tête, crié dans l'ombre : « Ta gueule ! »

Lucette, mécontente, déclarait qu'elle allait me disputer, que je lui causerais des histoires. Si jamais le petit vieux se plaignait au gérant ! Cela ferait du vilain. : « Laissez donc, dis-je, vous avez le concierge pour vous. » Son visage s'éclaira, puis se rembrunit. Elle avait le concierge, d'accord, mais parce qu'elle en éclairait la religion sur un rythme régulier. Un petit tant pour cent sur les paquets. Par-ci par-là, aussi, un cadeau de beurre ou de viande. Ah ! il faudrait encore lui coller un kilo de bidoche, à cet animal-là, pour qu'il restât tranquille ! « Je ne savais pas, dis-je, je vous présente mes excuses — Mais non, monsieur Georges, tant pis. — Georges tout court. — Tant pis, Georges. — On s'embrasse, on n'est pas fâché ? — Bécottez-vous, Messieurs-dames, bécottez-vous » ordonna le zazou de la bande, qui, pendant toute l'affaire, n'avait cessé de se dandiner sur place et d'alterner frottements et imitations de claquettes. Toujours en se dandinant, il nous saisit la tête à Lucette et à moi et nous courba l'un vers l'autre. Nous nous embrassons.

La danse reprit, moins bruyante. J'avais faim et soif. La tête me tournait. J'aurais voulu ouvrir la fenêtre, mais c'eût été un scandale. Et la Défense passive ? — « Ah ! qu'il est doux et troublant, l'instant du premier rendez-vous... » — « Je suis swing... » — La la la la bel ami, la la la la bel ami... » — « Oh Mona... Tra la la, tra la la Oh Mona... tra la la tra la la Oh Mona Oh... » Les autres, maintenant, avaient de sales figures. Le zazou écumait. Les joues de Lucette, comme les visages dans les romans de Zola, se marbraient de plaques livides... Vers trois heures, les frottements s'arrêtèrent... « Alors, comment s'arrange-t-on ? dit Lucette. Julien et Jean-Paul ici avec moi, et Coco Gros-navet chez Marie-Claire, avec Jo et Titine. Ou bien... Et puis, il y a Bébé Crémeux qui reste en l'air... » J'intervins : « J'offre l'hospitalité, dis-je, à qui voudra. Une hospitalité swing.

— Alors, c'est Titine qu'il vous faut, trancha Lucette. C'est elle la plus swing de nous tous. » Le zazou recommençait à se dandiner, mais elle le tança : « Ta gueule, Baptiste, quand je cause. — Je ne sais pas si Titine voudra », dis-je. Un rire général accueillit ma déclaration et je me demandai, avec ennui, si on n'allait pas me coller une pouffiasse. Jean-Paul me flanqua une bourrade. Comment, je parlais des hésitations de Titine ? Mais j'étais un faux swing ! : « Viens, mon petit swing, viens », dit alors la femme trop blonde qui

m'avait ouvert la porte. « Tu es un swing O.K. pour moi — Whoopee », cria le zazou. J'aurais préféré une petite brunette assez jolie, l'air timide, et qui semblait en pincer pour ma personne, du moins évitais-je les deux grosses, une chance qui l'emportait sur une déception relative. Titine salua ses collègues du « Bonsoir Messieurs-dames » que je me réservais et je dus jeter un « Bonsoir tout le monde et que ça saute », moins heureux, mais qui eut son petit succès d'estime.
— « Vous, je vous retiens, dit Lucette. Vous êtes un drôle de danseur à la manque. Enfin, n'esquintez pas trop la bonne Titine... »

Bien que je n'eusse bu là-haut qu'un fond de coupe, je me sentais ivre. J'étais pareil à une pellicule sur laquelle un amateur a pris deux images. Je vacillais entre deux états d'âme, le présent et le souvenir. Titine se déshabillait devant moi et je revoyais Simone. Il ne s'agissait pas de la même femme et la scène ne se déroulait plus dans la petite pièce à la bouillotte, néanmoins cela se plaquait sans défaillance contre la scène passée. Rien de brutalement nouveau, de nouvellement brutal, ne se déroulait sous mes yeux. « Eh bien, t'en mets un temps pour tomber tes fringues », me disait celle-ci, en train de s'extraire de sa gaine, tandis que celle-là n'interrompait son déshabillement pudique, fait de gestes doux, et derrière un paravent, que par des « Mon chéri, je suis heureuse ! Je ne peux pas croire à mon bonheur. »

Et, pourtant, je n'assistais pas à une scène nouvelle. C'est moi qui les avais créées, ces deux scènes, moi qui les avais fignolées dans leurs détails, en séduisant ma dactylo et en grimpant chez Lucette. Comment qualifier l'une de scène nouvelle et fraîche ? Elles répondaient à une idée de la vie que je possédais avant de les construire, une idée laide que je possédais encore, une vieille idée, plus vieille que moi, et qui les salissait par définition. J'aurais assisté au déshabillage de Lucette ou de la grosse à la croix entre les seins, qu'il en fût allé de même. Cette femme qui se déshabillait chez moi, ce n'était pas nouveau, puisque j'avais vu se déshabiller Simone. Et, avant Simone, il y avait eu Ginette. Et, avant Ginette, il y avait eu... Il y avait toujours eu quelqu'un. Cette scène, je la portais inscrite dans les yeux avant qu'elle se déroulât et la tristesse m'empêchait d'accueillir, comme nouveaux, des changements de détail qui semblaient tellement accessoires. Celle-ci parlait faubourien, celle-là marseillais, toutes parlaient femme, toutes parlaient odeur de femme, et frêles grossiers désirs, et frêles laideurs humaines.

« Allez, vite, au pieu ! criait Titine. Qu'est-ce que c'est ? Tu vas pas faire l'andouille ! Tu me plais bien, t'as bien le genre que j'aime... » Je ne me déshabillais pas. Elle raillait ce qu'elle croyait être je ne sais quelle pudeur, mais, en fait, détournait les yeux pour ne pas me gêner. « On m'a dit que je ressemblais à Norma Shearer... qu'est-ce que t'en penses ? — Oh ! moi, tu sais, le cinéma... — Ben vrai, pour un Monsieur, t'es pas aimable... T'entends là-haut, leur raffut ? Qu'est-ce qu'ils doivent se marrer cinq minutes. Tu la connaissais, Lucette, dis ? » J'apprends l'état civil de Lucette, de Jean-Paul, de Julien, de tout le monde. Maintenant cela se brouille dans ma tête. De la coiffeuse, de la vendeuse, de l'employé, du pédicure. Titine, elle, est ouvreuse au Colibri, un cinéma sur l'avenue des Gobelins. Mécontente de son sort. Elle aurait tant voulu le même poste sur les Champs-Elysées, là où les collègues s'envoient jusqu'à des deux et trois cent mille par an. Il leur faut être bien nippées, mais pour ce prix-là... Dans le boulot, comme ailleurs, piston et compagnie. — « Ils en ont engagé une, à l'Etoile-Cinéma-Palace, elle avait les jambes, des fils de fer ! Et, comme nichons, plats comme un rail. Ben vrai, dans la vie, qu'est-ce qu'il faut voir ! Dans le bureau y avait là un Monsieur très bien, avec une décoration, un Monsieur qui m'a dit après que c'était pas juste. C'est lui qui trouvait que je ressemblais à Norma Shearer... »

Cette fois, je ne veux plus cacher que je me moque un peu d'elle : « Le Monsieur très bien, je parie, tiens, que tu as couché avec lui... » Elle éclate, elle se redresse dans le lit, suffoquée. « Et pourquoi que j'aurais pas couché ? Non mais, des fois, tu penses pas que je t'ai attendu ? » Là-haut quelque chose tombe et roule. Des rires fusent. Titine, grave, les écoute, puis elle se tourne vers moi. Ben vrai, je prends son corps pour une enseigne. Ça vient, oui ou non ?

Ce matin, toute la bande s'est réunie *Au p'tit Mickey* pour un coup de jus. Lucette nous a salués d'un « Bonjour les petits éléphants ! Alors, tous les présents sont là ? », le mot de swing a encore été prononcé un certain nombre de fois et associé à des substantifs tels que saccharine ou cachou, Titine, quand j'ai prononcé les mots « notre folle nuit », m'a demandé ce que je voulais « incinérer », mais, dans l'ensemble, mes amis ont montré une folie plus discrète. La semaine les reprenait déjà. J'ai lié connaissance, par leur intermédiaire, avec des personnalités locales : le concierge du 8, un bel homme ventru, spécialisé dans le meurtre des lapins; la marchande de poissons, la mère Poupoule, ancienne chanteuse de music-hall; Madame Roig, la guichetière de la Loterie nationale, au visage tout sucré de poudre... Quand je voudrais, m'a dit Lucette, je n'aurais qu'à monter chez elle. Titine m'a embrassé. Elle me trouve drôle : « A la revoyure. T'es un swing O.K... »

Mercredi.

Je vais moins au cinéma. Je sais : je suis moins libre;

les heures de cinéma sont moins commodes; il y a pénurie de films. Raisons spécieuses : je vais moins au cinéma parce que... Serait-ce que je vieillis ? Je me refuse à y croire, mais, enfin, c'est possible. Il faudrait seulement habiller un peu l'hypothèse : je vais moins au cinéma parce que, depuis une longue période (et la transformation aura été progressive), je ne me sens plus spectateur, mais acteur. De mon fauteuil j'ai passé sur l'écran. Je joue, je suis dans le film, mon bon médiocre volume se réduit aux dimensions d'une feuille, mais aussi, parfois, j'ai de gros plans qui donnent à mes dents usées l'importance d'une armoire et, parfois, dans le haut-parleur, ma voix tonne et barrit et traverse les murs de la salle, crevant moellons et musiques, pour atteindre la rue. Je joue dans *Ma Vie*. Je joue, non le personnage principal (des personnages principaux, nous n'en voulons pas ici), mais le personnage le plus fréquemment en scène d'un film qui relate mon aventure humaine. Un film réaliste, tourné par le destin. Aucune répétition. L'image s'obtient d'un seul coup. Et puis je joue dans une seconde histoire, un film où l'autre dégringole comme une goutte dans un puits, un film fantastique et dont j'ignore le nom et dont j'ignore s'il portera jamais un nom — je cherche en vain l'équipe directrice, le metteur en scène, on ne peut l'approcher, mais il devrait exister de hauts techniciens et je n'en rencontre pas un seul — je ne sais où ce film commence ni où il finit, quelles portions du temps ni de l'espace il enveloppe, s'il se contente de la guerre ou si la guerre n'en est qu'un accident — je ne sais pas, je ne sais pas, je connais seulement que je joue, que je figure dans des foules, que j'entends le bruit de la camera, que je devine la boule sauvage des projecteurs — derrière les affiches, entre les lignes des journaux, à la T.S.F., cela grésille, cela flambe, c'est bien le cher désordre des studios...

Comme les garçons pâtissiers ne mangent pas de gâteaux, les acteurs éviteront de regarder les films. Ainsi je vais moins au cinéma. Les autres, cependant, mes collègues, je les vois toujours faire la queue devant les salles. Jamais, dit-on, le cinéma n'eut une telle vogue. Oui, mais, eux, ils ignorent. Ils ne savent pas qu'ils jouent. Ils situent dans un monde à part Emil Jannings, Corinne Luchaire, Lucien Baroux, Jean Tissier, René Lefèvre, ils se croient spectateurs, alors que, derrière eux, devant eux, sur leurs flancs, on tourne, on tourne, on tourne tant que ça peut : et, à l'heure même où, sous la protection et la surveillance d'agents, ils droguent dans le froid et la pluie pour contempler, sinon recontempler, Lucien Baroux se gargarisant en famille, ou Ginette Leclerc donnant des cornes à son amant, ils sont impitoyablement filmés. D'ailleurs, quelque chose les agace. Ils ne prennent pas conscience qu'on les tourne, mais ils se sentent drôles. Monsieur retouche sa cravate, Madame vérifie dans une glace si son chapeau est droit, ceux-ci rient moins fort, ceux-là plus fort, ils vont « voir » — ils ne savent quoi, en eux, pourrait bien leur murmurer qu'en même temps ils sont *vus*. « Du reste de la salle » diraient-ils. C'est ici que je les arrête. Ici que je me distingue. Non, ils ne savent pas qu'ils jouent. Que cette porte, le dimanche soir, dont ils tournent la clef en se demandant si on ne les a pas cambriolés en leur absence, que cette porte figure, à l'instant même, dans un petit film, et ce petit film dans un immense film, plein de râles et de mariages, de débauches et d'angoisse, de sang, d'or, de femmes et d'hommes nus, de batailles, de travaux, d'éclairs et de longues attentes, les nuits, les villes, les déserts et les mers, un film à l'écran sphérique, un film qui bénéficie, sur l'heure, de tous les progrès matériels, un film qui ne sera jamais projeté, dont il n'existera qu'une seule bande, et cette bande flambera un jour.

Plus particulièrement, de notre temps, ce film se rapproche de l'aventure policière. Tout en écrivant ces lignes j'éprouve une crainte, plus même, une angoisse. Car je peux figurer sur une liste d'acteurs. Je me tiens dans ma chambre, close en apparence — et rien ne m'y protège ! Devant la police, je suis nu. Oui, comme si j'étais dehors, nu, exposé aux dents du froid. 13, avenue des Gobelins. Ma chambre, devant la police, figure un lieu aussi public qu'un théâtre ou un cimetière. « Ils » ont mon adresse. Ils peuvent tirer sur mon adresse comme sur la corde d'un cheval. Possédant mon adresse, ils possèdent, pour ainsi dire, ma clef et le moyen de m'abattre. Je suis chez moi — non, je suis chez eux, sur un de leurs terrains, à leur merci. Sans tomber dans la monomanie de la persécution, je peux tout craindre.

Mon adresse, un homme l'a inscrite, machinalement, grossièrement, un homme, que sais-je, une femme peut-être, Simone la bêta ou Ernestine la gourde, et voilà, ils tombent, eux et leurs carnets, entre les mains de la police, ils trafiquaient lutte clandestine et on confisque leurs papiers, Georges Renaut de la Motte, 13, avenue des Gobelins, c'est fait, le policier avait malheureusement appris à lire, 13, avenue des Gobelins, rien de sacré là-dedans, rien de particulier, nous allons arrêter notre homme... Dois-je me croire peureux ? Je l'ignore. Je puis avoir ces craintes, il me semble, sans être un froussard. J'ai tort, je le reconnais, mais certains jours je me trouve désemparé devant elles comme un vieux professeur chahuté qui n'ose contrôler, en sortant de classe, s'il porte, ou non, un polichinelle dans le dos. Mon pauvre grand cœur défaille. Tant de choses que je n'ai pas faites — et je puis mourir ! — tant de couleurs dans le vice où mes yeux ne se sont pas encore posés. Je n'ai encore tué personne. Je n'ai tué personne de sang-froid. Je n'ai pas tué de sang-froid, dans un lieu où nul ne pouvait me surprendre, un être faible et qui m'aimait... qui m'aimait un peu.

Il faut que je me choisisse une opinion politique.

Jeudi.

Ce matin, à onze heures et demie, coup de téléphone : « Dites donc, j'ai à côté un raseur qui se dispose à me tenir la jambe. Je vous le passe. Faites-en ce que vous voudrez. » Le patron commande : obéissons. Je vois entrer un grand monsieur digne, plein de pardessus, de foulards et de décorations (quelque chose comme un Edouard de Haumond devenu vieux) et qui se présente lui-même : « Charles Bettinas, conseiller général de l'Aveyron. » — Il plonge dans un fauteuil et le voilà qui dégoise. Il a pensé — que n'a-t-il pas pensé — que nous autres, à Paris, nous vivions sans contact réel, intime, avec la jeunesse de province. Que, sous la conduite de chefs, très distingués sans doute, animés des meilleures intentions, re sans doute, dérangés dans leur tâche par mille consignes contradictoires, rere sans doute, les Allemands (je ne bronche pas, il se dit finement : « Ah ! il n'aime pas les Boches ! A Paris, on n'aime pas les Boches » et il sourit), l'armistice, et tout et tout, les militants parisiens de la Jeunesse retombent dans l'erreur de cette tête qui veut vivre sans le reste du corps. Eh bien, le Bettinas a perçu le danger. Le reste du corps de la jeunesse française, il ne veut pas que la tête s'en sépare et il vient dire à cette tête : « Que faites-vous donc ? Vous courez à la catastrophe... »

Avant cette visite, je me morfondais : le bonhomme paiera pour ma tristesse. Je m'offre une pinte de bon sang. — « Oh ! oh ! dis-je, savez-vous que c'est plein d'intérêt tout cela. Vous permettez que je prenne des notes ? » Il tousse, il a sur lui un mémoire qui pourrait m'épargner cette peine. Non non, je ne veux pas de ce mémoire, rien ne vaut pour l'esprit les notes jetées toutes chaudes et, sur un carnet, très vite, j'écris : « Dans l'Aveyron il y a au moins un grand couillon. » Je m'accoude. Je regarde mon homme. Comme je vais boire ses paroles. Il est tout content, lui. Il s'imagine prêcher les sommités de la Jeunesse. Il se tient devant moi comme le Charlot des *Temps Modernes* devant les cinquante centimètres de flotte où il s'apprête à plonger. Enfin il sème, enfin il possède l'oreille des grands. Et ça pleut, ça pleut. Crise de la jeunesse. Manque de cadres. Criminalité infantile dans le Sud. Consommation de l'alcool par les jeunes Aveyronnais. Fréquentation du cinéma par les mêmes. Protection des jeunes délinquants... Parfois je pose une question avertie, je prononce les a « â », je sirote mes phrases. Il m'écoute, tout sucre, tout miel. Quels bons Français nous sommes et quels esprits lucides ! Je gribouille sur mon carnet mille insultes colorées.

« Monsieur, dis-je, savez-vous que vous êtes pâssionnant ? Je croyais connaître un peu notre jeunesse, je m'aperçois que je dois me remettre à l'étude. Dommage que le grand pâtron lui-même n'ait pas été libre. Vous n'y perdez rien, remarquez-le, je le mettrai au courant de votre dévouement, de vos renseignements si précieux, de vos suggestions. Il faut absolument que toute la maison se pénètre du problème. » On frappe. C'est Romanino, la bouche en cœur, que je présente aussitôt : « Monsieur Romanino, un de nos plus brillants collaborateurs, une de nos jeunes têtes les mieux bâties » etc. Bettinas se lève. Il admire notre jeunesse et notre ardeur. La France ne ressemble plus à la France ! M. Lebureau est mort et enterré ! Place aux jeunes ! Vrai, il le sent lui-même, un esprit d'équipe souffle sur la maison. Et de recommencer ses histoires de crise, de remèdes et de cadres, que notre Gaston écoute, la bouche ouverte, avec, de temps en temps, une sorte de gloussement, qui paraît un tic directorial...

Resté seul avec Bettinas, je le tape. Nous avons installé en Seine-et-Oise un Centre de rééducation professionnelle et, jusqu'à présent, nous disposons de capitaux insuffisants pour un bon démarrage. Il allonge deux cents balles. Autant de gagné pour les œuvres de Georges. Merci, Monsieur. Ce n'est pas la fortune dont je rêve, mais ce n'est pas non plus une économie sordide, ceci est bien, en somme, le résultat d'un vol. Je ne puis plus refuser le mémoire et en quoi, d'ailleurs, l'accepter me dérange-t-il ? J'écoute, dans un rêve, mon interlocuteur me parler d'une visite au Maréchal qu'il serait désireux d'accomplir — avec une recommandation de la Jeunesse... La Jeunesse ne pourrait-elle pas ?... Situation du pays tellement grave... — et je déclare prendre très bonne note de ce dessein. Certainement nous ferons notre possible. Certainement le Maréchal serait heureux d'écouter Monsieur Bettinas. Sur mon carnet je note : « Il est de plus en plus couillon. » Je lui serre la main avec force. Il est de toute nécessité que la Jeunesse et lui nouent des relations solides : « Continuez là-bas, lui dis-je, votre admirable tâche de base et ne manquez pas de nous tenir au courant. Nous n'avons pas, en France, assez d'hommes comme vous qui sachent unir à ce point le dévouement et la compétence... »

Samedi soir.

Fin de journée morose. J'avais grimpé chez Simone. L'escalier, depuis le troisième, sentait le fétide. Au sixième, cela empestait. Un locataire, peut-être le jeune idiot du 18, aura reçu de la viande pourrie. J'admire ces protestations de la matière, mais j'en souffre toujours. Chez Simone cela se contentait de sentir le lit et la poussière, toutefois je reniflais sans cesse. Il me semblait que l'odeur de viande assiégeait la chambre, qu'elle donnait l'assaut, qu'elle s'infiltrait dans les murs : « Allez, viens, je t'emmène », dis-je à Simone, qui cuisinait une vague tambouille. Elle obéit. Je lui offris, dans un restaurant, un dîner plus vague encore. Je l'emmenai chez moi. Elle se passionnait pour chaque objet, posait des foules de questions, voulait ranger ma table et inspecter mon linge.

J'attendis qu'elle se figurât être chez moi comme chez elle, pour laisser tomber la statuette de Beethoven, son fameux cadeau. La statuette se brisa : « Eh bien, dis donc, elle n'était pas solide, ton histoire », criai-je. « A quoi obéissent les marchands en vendant des choses aussi fragiles. » Je coule un regard vers mon amie. Elle avalait péniblement un sanglot. Elle tenait les dents serrées. J'attendis. Elle ne me faisait pas un reproche et, accroupie maintenant, ramassait les débris de son Beethoven. Allais-je lancer une autre vacherie ? Je tenais prête une bonne petite phrase sur la bêtise des cadeaux. Si je l'ai écartée, on ne perdit rien pour attendre... Au bout d'une demi-heure, et alors que Simone était en train de me repriser une chaussette, je me frottai les mains : « Ah ! il va falloir que je te renvoie. Je ne voudrais pas que tu manques le métro. Je t'ai dit qu'un ami et moi nous combinions une histoire très spéciale et qu'il me retrouve tout à l'heure. » Je n'avais rien dit de pareil : elle ne releva même pas ce mensonge, ou cette distraction, et interrompit sa besogne comme une élève. Elle évitait seulement de me regarder. Humblement, elle remit sans plaisir le chapeau dont elle était si fière tout à l'heure, tendit la joue à un baiser fraternel et disparut dans l'escalier sans allumer la minuterie. Pauvre garce. Je ne suis pas autrement satisfait de mon histoire, mais il fallait que cela fût.

CHAPITRE V

Dimanche.

Hier matin, poussée de fièvre. Je reste chez moi. Délicieuse torpeur. Songes délicieux. La femme de ménage me prépare une soupe. Le temps passe. Cachets d'aspirine. Brusquerie des avions. Ennui. Cet ennui est-il détestable ? Impossible d'y répondre. Cachets d'aspirine. Eléphant 42. Je transpire comme un cheval. La fièvre monte. Les livres suent, les livres ont la fièvre. Pas du concierge, haltes du concierge, toux du concierge. Une lettre, glissée sous la porte, crisse tendrement. Il y a une lettre qui gît dans le vestibule. Ma fièvre se braque dessus comme un projecteur. Gros plan pour la lettre — allumez tous les feux. Une lettre gît dans le vestibule — menace de mort, arrêt de mort, déclaration d'amour. Lettre de Fontanges, lettre d'un éditeur pour me féliciter de mon dernier chef-d'œuvre : « *Le mort prend des cachets* rend un son tout à fait nouveau dans votre production et dans la littérature contemporaine... »

Que sais-je ? J'ai peut-être écrit vraiment *Le mort prend des cachets*. On me l'assure, cela doit être. Le lit tourne, le plancher tourne, cadavre de la lettre, tombée sur le front. Autopsie de la lettre. Le vestibule tangue : « Mon cher Georges. » Lettre de Rataud. L'orthographe, le raisonnement, le style ont la fièvre. La soupe est dans la cuisine. Le concierge est dans l'escalier. Une lettre de Rataud repose dans cette enveloppe déchirée qui tremble autour de ma main. Délices. J'ai la main pleine d'événements, pleine de grâces. Au bout de la main, comme au bout d'une lorgnette, je tiens un diorama d'azur, d'or, et de noir sauvage. Marseille me frémit dans la main.

La sonnette coupe le silence. J'en ai des échos plein les oreilles. Je les compte. On resonne.

« Qui est là ? — Simone. — Je suis couché, j'ai la fièvre. — Justement, je viens te soigner. — Besoin de personne. — Mais si. Ouvre. — Besoin de personne. — Mais si, il faut que je... »

J'entends un bruit de pas. Quelqu'un monte. Simone ne craint pas le scandale. C'est la nuit. Pour la première fois depuis mon arrivée, rien ne cache les fenêtres, sur lesquelles tremblent des bruits de rue. Joie. Joie. Ma chambre est sortie dans la nuit, ma chambre voit clair dans la nuit. Quelles aventures ne seront pas les siennes. Je me sens majestueusement moite. « Ouvre. Je t'aime tant. » Elle n'a donc pas bougé. Crampon. « Je t'apporte des oranges, mon chéri, des oranges... » Ah ! des oranges. Ah ! des oranges. Mais non. Tandis que je voguais dans ma moiteur majestueuse et mes pensées de solitude, tandis que je goûtais ma chambre livrée à la nuit, mes fenêtres posées dans la nuit, contre la nuit, comme des hublots de sous-marin, elle était là. Elle humait mon silence. Elle prenait barre sur mon silence. « Besoin de personne. Pas besoin d'oranges. » Silence. Que peut-elle faire ? Hâtez-vous de me laisser. Jetez-moi un stupide adieu. Voyez-vous ça. Mademoiselle ne sait plus prendre congé. C'est qu'elle file. Sans rien dire. Pour une dactylo, vrai ! Les oranges, après leur ascension, regagnent la surface du sol. J'aurais bien mordu à même leur écorce, atteignant la chair dans un mélange de douceur et d'amertume, et j'aurais bien caressé ma joue poilue contre le poli de l'écorce, mais, pouah ! il fallait encaisser ce visage. Et ces pas de dévouement. Et ce réseau de gestes pour emmailloter mon caprice.

La sonnette. C'est donc un défilé de gens. Ou aurait-elle le culot de... ? « Qui est là ? — Lucette. — Je suis au pieu, je suis drôlement coincé. — Mais je sais bien, c'est le concierge qui m'a dit. — Le concierge ? — Le concierge. Allez, ouvrez, qu'on s'occupe de vous. Et puis il y a quelque chose ici pour vous, un paquet, quelque chose... » J'ouvre. Lucette allume, puis, voyant que j'ai négligé les prescriptions de la Défense passive, éteint et se rue vers la fenêtre. Bruits de vitres et de persiennes. Voici la chambre, cette fois, prisonnière de la nuit. Sacrées femmes. Tout ce monceau de dévouement. Je guide Lucette, à la voix, vers mon lit, puis vers un commutateur. Ça y est, elle m'aperçoit un papier dans le vestibule. Une feuille. Je devine.

« Lisez-moi ça, Lucette, j'ai trop mal au crâne. » Je me tourne vers le mur. « Mon chéri je t'aime de tout mon cœur ta Simone. » Je garde le silence. « Causez pas tous ensemble, dit Lucette. C'est tout ce que ça vous fait, que votre Simone ait le béguin pour vous ? — Faut croire. — Ben vous, comment que je vous aurais laissé tomber ! C'est pas moi qui aurais supplié des grandes murailles. » Sans me prévenir elle me touche le front et un poignet. Bonne fièvre, mais pas terrible. A toute vitesse, je ne sais où, elle trouve mon manteau, soulève les couvertures, me chasse du lit, me couvre du manteau : « Il a encore un popotin très confortable, dit-elle. C'est un faux malade ou un veau malade ! »

A grands coups elle retape le lit et l'oreiller. Avec ça elle oublie le paquet devant la porte. Un sac. « Pour M. Georges Renaut de la Motte. » Les oranges. « Vous pouvez pas dire qu'elle vous aime pas, votre petite amie, des oranges, merde. J'en sais quelque chose de ce que ça coûte au marché noir, quand ma mère a été malade, il a fallu que je lui en achète. — Je ne dis pas le contraire. — Vous faites aussi bien, parce qu'avec moi ça n'irait pas. » Elle dit et se retire avec un air bien digne, mais elle a gardé la porte ouverte et, dix minutes plus tard, elle redescend. Elle m'a cuit deux œufs sur le plat : « Monsieur est servi », dit-elle. Je la remercie mais, on est dévoué ou on ne l'est pas, j'oublie de lui proposer une orange. Il faut, évidemment, lui laisser le mérite de sa bonne action. Elle tourne autour du pot : « Ils sont bons, mes œufs ? — Parfaits. — Ils sont bien ronds, hein, ronds comme des oranges. » On frappe. — « Messieurs-dames. » C'est Jean-Paul, venu en chaussons. « Salut l'artiste. Je ne te demande pas comment vas tu-yau de poêle, je vois que t'es couché, je vois que Lucette te soigne. Eh, à propos, va pas me la prendre. — Idiot, lance Lucette. Je l'ai assez disputé, pas vrai, monsieur Georges, parce qu'il y fait pas bien avec les femmes. Je peux bien le dire, quoi, je l'aime bien, monsieur Georges, mais c'est pas mon genre... »

J'ai fini mes œufs. Lucette a posé le plat sur le bureau et ne démarre plus. La chambre n'a que deux chaises — qu'à cela ne tienne, ils sont deux. Ils m'assomment avec toutes leurs histoires. Le concierge du 8, la concierge du 10 et deux locataires du 16 se sont fait « pommer » hier par la Défense passive. Churchill a dit que la guerre finirait. En Auvergne, on trouve du beurre et du fromage autant qu'on veut. Titine est une chic môme. Elle tient quelque chose comme sex-appeal. Elle vaut mieux que son *Colibri*. S'il y avait une justice, le directeur d'un grand cinéma l'aurait engagée, et des deux mains... Je ferme les yeux, je feins l'abattement, on se retire quand même. Derrière les paupières je vois Lucette, une dernière fois, guigner les oranges, puis considérer, l'air morne, son plat à œufs vide. Avant de partir elle me borde. Le Jean-Paul a déniché un livre de Nietzsche dont le titre, naturellement, lui paraît une galéjade. Il siffle : « Whoopee ! » Il n'ose, toutefois, rien en dire et me conseille, tout bonnement, de passer une nuit bien « swing... » Douceur, douceur de la fièvre solitaire. De la tête, qui souffre, jaillissent des millions d'images, des millions de Minerves au corps sec.

Lundi.

J'ai pris plaisir, entre la cantine et le bureau, à une promenade. Ces lendemains de fièvre, abattus, possèdent leur charme. Je suis pareil à un arbre étêté, ébranché, mais qui recommence de gagner sur l'espace. Il faisait clair. J'en ai vu, de belles cyclistes, de belles promeneuses. Quelle ville !... Boulevard de la Madeleine, comme je dépassais un carrefour, un cri a jailli, aigu, terrible. Je me suis retourné : un camion venait de jeter bas une cycliste. Un attroupement se formait. Le camion, ridicule maintenant, se tenait de travers sur la chaussée, immobile, comme gêné de son mauvais coup. Je ne voyais pas la femme. J'ai pensé, un instant, à faire le badaud, mais je me sentais malade. « Ces sacrés vélos », grognait un balayeur. Les jambes me portaient à peine. Ce cri terrible, je le gardais dans les oreilles. Un side-car allemand, monté par deux hommes casqués, tournait lentement, avec des mines de blâme et de pitié, autour du camion.

Non, la souffrance physique, je la récuse. La fièvre, je l'aime. La fièvre n'est plus guère pour moi de la souffrance physique. Subir des tortures, non, je ne le pourrais pas. Cependant que j'écris ces lignes, mes jambes, dirait-on, vacillent encore. A mon malaise se joint une honte. Une honte sans caractère moral. Je ne connais aucun principe ni ne me connais aucune obligation qui méritent que, pour eux, on subisse la torture. Au contraire. Il importe de jouir. De se creuser dans la vie un chenal facile. Seulement cette impuissance du corps et de ce qu'on nomme l'âme, peut-être dois-je y voir matière, sinon à rougir, du moins à ne pas m'enorgueillir. Odieuses limites. Intolérable faiblesse du corps. Ma pauvre liberté. Avec quelle ardeur nous faudra-t-il aimer la prochaine crise de fièvre et son exubérance intellectuelle. Ces folles fumées, ce foyer incandescent...

Gloire à nos fièvres ! Gloire à nos lendemains de fièvre, si étrangement mâles, si étrangement non féminins, d'une tristesse qui se suffit à elle-même... Les fièvres. La noire et la jaune. La mienne est couleur de cendres. Je trouve beau — c'est dans les entours de la fièvre qu'on glane encore un peu de beauté — je trouve beau que les Européens ramènent des colonies leurs inguérissables fièvres. Fièvres microbiennes. Fièvres paludéennes. Mais je peux croire, moi, si je veux, qu'elles sanctionnent des violations. Les paysages se défendent. Les étangs, les bas-fonds, les marais vaseux où s'ébattent les moustiques, protègent leur mystère. Oui, la fièvre est un mal sacré. Elle porte la trace d'un ancien monde, peuplé de dieux. Les dieux sont morts mais les antiques interdictions n'ont pas perdu toute leur virulence. Mal divin. Attaché à l'excessive connaissance des paysages, à la pénétration dans le secret des paysages, à la recherche épuisante, excessive, du secret de l'homme.

Mardi.

Mon concierge me propose une bicyclette neuve, rendue à domicile, pneus d'avant-guerre, trois mille francs. Comme dit la suave Arletty dans *Le Jour se lève* : « C'est un lot, c'est une affaire. » Néanmoins je refuse. Il insiste, il me parle du Danemark. Il trouve un homme sans bicyclette un homme périmé — bureau, usine, ravitaillement, que sais-je. Pour me tirer de ses pattes je prétends que je vais réfléchir.

C'est tout réfléchi. Je déteste le sport. Foin de ces hygiènes. Pourquoi pas, du coup, un tandem pour moi et Simone ? Je ne me vois pas non plus, le soir, avec une lampe-code, essayant de creuser la rue, de prévenir les tournants. Un grand camion de la Wehrmacht ne tarderait pas à m'entrer dans le chou. Merci bien... Et puis le concierge, dans l'histoire, doit palper quelque chose. Je ne tiens nullement à engraisser cet homme. Bien sûr, je pourrais commander la bicyclette et la revendre à un prix supérieur. Compliqué. Dangereux.

Tout ceci de moi à moi. Et, encore de moi à moi : décidément, vive le métro. J'aime son insulte à la fausse dignité humaine. J'aime que le roseau pensant y devienne un simple roseau comprimé, entouré de roseaux compresseurs. J'aime la fièvre de ces arrivées dans les stations, la hâte des employés, leurs coups de clef dans la vitre, les fermetures automatiques, les portes qui se déclenchent, j'aime les couloirs humides, puis torrides, — chaud l'hiver, frais l'été, le métro apparaît comme un étrange océan régulateur — j'aime son gargouillis, son fredon rageur, son tangage, ses galeries monotones, immense crypte désaffectée où l'on chercherait en vain la place de l'autel... Rouler en bicyclette dans Paris, inutile blasphème. Toutes les fois qu'un Parisien se porte d'un lieu à un autre de sa ville, nous lui ordonnerons de plonger dans la terre. Que ses yeux se purgent de rues et s'infligent une méditation souterraine. Que ses pieds urbains, un temps, se carrent sur ce tapis magique. Qu'il soit secoué, serré, bouclé. Qu'il débarrasse le sol de sa présence. Et, fuyant sous Paris, la tête sous les pieds des maisons, il aura voyagé dans Paris une demi-heure, une heure, sans rien contempler de Paris, à l'image du convive qui mange pendant trois heures sans ouvrir la bouche une seule fois.

J'aime cette diète à l'observation des rues. Ce régime XXe siècle. Tous les jours, pour être, pour exister en tant que tel et en tant que moderne, vous ferez quatre fois une demi-heure de métro. De préférence avant les repas et après. Si cela vous est impossible, vous bloquerez les séances. Nous dirons deux fois une heure. Et, suivez-moi bien, vous n'oublierez pas de prendre des trajets avec changement. Une fois, deux fois, trois fois au maximum. Par exemple au Châtelet, où vous avez une bonne plaque centrale. Ou à la République. Ou à Nation. Il vaudrait mieux le Châtelet. Je serais plus content si nous disions le Châtelet. Ou, à la rigueur, Concorde. Et vous poursuivrez le régime jusqu'à ce que je vous dise de le cesser. Votre sang porte encore des éléments paysans. De deux choses l'une, ou vous désirez faire le paysan toute votre vie, ou vous désirez faire un bon Parisien.

La semaine dernière, à la faveur d'une alerte, j'ai marché dans les galeries du métro. Quelle jouissance. Je laisse aux doux cinglés de la « petite reine » le plaisir de la descente à tombeau ouvert et je m'assure qu'il ne tient pas devant le mien, ce jour-là où je suivais les galeries, graisseuses comme une plage est humide à marée basse, monotones, sombres et luisantes. Je me sentais dans la gueule d'un monstre, mystérieusement inoffensive pour un temps mystérieux. Car, plus vite que le flux dans la baie du mont Saint-Michel et que les avions au-dessus des toits, l'électricité, d'une seconde à l'autre, allait irriguer ce rail fade, ce rail brun, ce rail sombre — l'électricité gronderait de nouveau dans la gorge massive et bombée de ce rail...

Pourquoi j'écris tout cela ? Il me semble que je veux me prouver à moi-même, dans une vingtaine d'années, que j'ai subi, accompli, telle ou telle action. Je me méprise. Ce journal prend l'allure d'innombrables nœuds que je ferais à mon mouchoir. Ce jour-là voici ce que j'ai pensé, la tuile qui m'est tombée dessus. Il y aurait en moi la même naïveté que dans les « souris grises » qui se photographient les unes les autres, au soleil, devant la statue équestre de Foch. Mais alors le cinéma...

Ne creusons pas davantage. Cette marche dans les galeries du métro, s'il arrive une après-guerre et que, dans l'après-guerre, les batailles civiles n'arrêtent pas, à tout bout de champ, la circulation, je la concevrai en effet comme une marche qui profita d'extraordinaires équinoxes. Il m'apparaîtra comme impossible d'avoir relié, à pied, en suivant le rail, la station Concorde à la station Madeleine. Je frémirai en pensant que j'ai eu ce courage. Je sentirai que j'ai joui d'un privilège obscène; que j'ai comme profané les grandes forces nerveuses du monde.

Il est aussi, la nuit, plusieurs lignes grandioses : le métro aérien. Les rames y circulent sous des veilleuses bleues qui donnent aux êtres des couleurs maladives. Les joues, les yeux, les chevelures pâlissent. Et ces approches de l'ombre, loin de murmurer une invitation au désir, créent une fade hostilité universelle, le mécontentement de figurer dans une boîte saumâtre qui s'appelle le monde ou qui s'appelle une voiture de métro. Dehors brise la nuit. De faibles moutons de lumières finissent par surgir, l'embrun bleuâtre d'un hall, la bouée d'un réverbère, le phare d'une chambre épouvantée qui se ferme... Où allons-nous, où allons-nous. Sommes-nous encore dans la ville, sommes-nous encore sur le sol. Métro aérien, *scenic railway* plein d'un ridicule grandiose. Il en est de ces voitures qui glissent à la hauteur des platanes abolis, comme de ces enfants, les mains et les genoux sur le sable du fond, et qui pensent nager.

Mercredi.

Madame ma mère, qui s'est abattue sur Paris, me lance un pneu pour me convoquer chez moi avant le dîner... Elle n'a guère changé, Madame ma mère. Toujours une tête folle. Toujours des cigarettes. Comme elle donne dans le clinquant, les petites fleurs aux oreilles lui ont paru une mode charmante et les siennes, d'oreilles, sont ornées de quatre marguerites bleuâtres... « Le nom de Renaut ne vous suffit donc plus ? me dit-elle. Votre concierge m'a parlé de vous sous je ne sais quel titre... Je ne vous en blâme pas, d'ailleurs. Le nom de votre père n'a jamais passé pour un joli nom. Je regrette, seulement, à tant faire que de vous donner de la particule, que vous ne m'ayez pas consultée. Je vous aurais indiqué un nom plus brillant. Vous ne savez pas que, de mon côté, figure un Jean-Baptiste de Hurtauville... »

Madame ma mère m'invite. Je lui indique une petite boîte où nous mangerons de la viande... Pendant tout le repas, elle fume. Elle lorgne les hommes. Surtout les officiers allemands. « Quels beaux athlètes. Vraiment ils sont parfaits et habillés avec une parfaite intelligence du corps. Leur veste courte, qui leur découvre largement la culotte, c'est d'un chic fou. Ces pattes d'épaule, cette casquette, ces bottes, vraiment, ils sont parfaits. Regardez-moi celui-ci. Je vous accorderais seulement que leur petite épée semble ridicule. Je dis « semble », car nous devons nous tromper... » Et d'opposer l'armée allemande, si belle, correcte et bien vêtue, à l'armée française, débraillée, pleine de soldats repoussants. (Oui, il y avait deux ou trois capitaines qui portaient gentiment l'uniforme — pas plus.) « Et vous aussi, naturellement, mon petit Georges, mais vous, j'ai toujours trouvé que vous aviez un petit air germanique... » L'armée allemande fait plaisir à voir. Si ces deux jeunes hommes, là-bas, qui mangent du poulet avec cette distinction, invitaient ma mère à sabler le champagne avec eux, eh bien, elle ne le refuserait pas. On ne doit rien refuser à de beaux guerriers. En fin 1940 et début 1941, des soldats montaient la garde à la Kommandantur de Besançon — de vrais antiques !

D'un calme, d'une force, d'une jeunesse... Devant la porte, il y en avait deux, chacun devant un canon, des hommes splendides. Ces gens-là, ils possèdent le génie de la figuration. « J'espère que vous ne partagez pas les absurdes préventions populaires. Les Allemands, ce sont nos sauveurs plutôt que nos vainqueurs. Ou bien ils nous ont étrillés d'une telle manière que nous devons leur obéir. Servir de tels maîtres... »

Elle me demande mes opinions politiques, je réponds que je n'en ai pas et, après un silence, elle m'approuve. J'ai toujours été un garçon fin. Elle me demande si je ne veux pas me marier, je réponds que je n'y tiens pas, elle m'approuve encore. Un homme libre de ses attachements, qu'il doit donc être heureux. Cependant, si j'avais désiré prendre femme, elle en avait deux ou trois sous la main. « Riches ? — De bonnes fortunes. — Jolies ? — Vous pouvez vous reposer sur moi. J'ai toujours eu bon goût. » Je me méfie. Je déclare vouloir garder, pour l'heure, toute mon indépendance. La guerre. Les événements... Ma mère paie l'addition. Elle fume. Elle se trouve bien ici. Elle s'informe près du garçon s'il ne serait pas possible d'avoir des cigarettes. Il en apporte : cent cinquante francs le paquet. Elle fume, lorgne les hommes et, de temps en temps, me pose une question distraite sur mes occupations à la Jeunesse. Je m'ennuie. Je n'éprouve pas le désir de chercher à savoir pourquoi elle vient à Paris ni comment elle se débrouille. Bientôt elle me renvoie. Il faut que je me couche tôt ! Elle va téléphoner à un ami. Comme je me lève, elle se frappe le front : ne puis-je lui prêter trois cents francs ? Je les allonge sans un mot. L'addition se montait à trois cent quatre-vingt une balles.

Je pense à Fontanges. Quelle bêtise, cette vie ! Où tout être humain, selon les lois de nature, possède un père et une mère. Je ne ressens pas d'amour filial et ne ferai pas l'injure, à ma collègue de ce soir, de lui attribuer un amour maternel caractérisé. Nous nous connaissons. Un point c'est tout. Et, pour moi, c'est trop encore. Si j'ai besoin de rencontrer des femmes qui portent aux oreilles des marguerites, elles ne manquent pas, elles ne manquent pas.

Vendredi.

Il y a en moi un homme absurde et qui renonce — près de, et sous, l'homme qui avance. Pour la seconde fois j'ai dû raturer ma note. Me voici obligé de me surveiller moi-même, de m'interpeller, de me suivre à la trace. Dans ce Renaut de la Motte, déjà clandestin, se cache un Renaut de la Motte qui ne lui obéit pas. Un clandestin de la clandestinité. Où allons-nous ?

J'ai commis, et j'en demeure tout gêné, une description des femmes qui tournait à l'éloge et que ne sauvaient pas deux ou trois termes érotiques. Qui suis-je donc ? N'étais-je pas convenu, une fois pour toutes, d'abominer, au moins de mépriser, l'arrogance féminine ? Et la mode féminine présente serait-elle susceptible de changer nos idées ? La femme reste la même. Elle reste l'esclave. L'ersatz de l'homme. La déformation de l'homme. Parce qu'elle se pend le sac à l'épaule, elle n'en représente pas moins une misérable chose qui a besoin d'un sac. Bavez, messieurs les journalistes, sur l'élégante silhouette de nos Parisiennes et le fin balancement de leurs sacs. A l'épaule comme sous le bras, je vois toujours un sac. Il faut toujours que la femme s'encombre d'un sac. Qu'elle traîne avec elle ce rudiment de cabinet de toilette... La fleur à l'oreille, la croix entre les seins, qu'en dirons-nous ? Esclave, esclave. Elles ne peuvent se passer d'amulettes. Elles ne peuvent même pas se donner l'air libre, elles ont besoin de signaler à tous qu'elles ne sont pas des êtres libres. Il ne leur suffit pas, sur leurs grandes têtes, leurs petites têtes inexpressives, de soigner leurs chevelures pour attirer les hommes, il faut encore qu'elles se percent les oreilles, qu'elles se rehaussent le teint avec ces fleurs absurdes, ces absurdes gouttes. Ce qui veut dire : « Je ne suis pas libre. Je suis la très humble servante de la mode. » Sans ces colifichets, à la rigueur, elles paraissaient volontaires. Elles ne sont que têtues, capricieuses, soumises à la première volonté forte. Elles me font souvenir de ces images où des bracelets ceignent les chevilles des négrillonnes. Demain, peut-être, elles se perceront les narines.

Méprisons les femmes. Si j'ai commencé, aujourd'hui, par écrire une tirade qui ne fût pas misogyne, la raison en doit être éphémère. De motif grave, je ne saurais en avoir. J'ai passé de bons moments avec l'ouvreuse et, à posséder deux maîtresses, j'ai connu, soudain, un vif plaisir. Je n'étais plus le même homme que lors de ma première coucherie. Ephémère, éphémère. La femme, dans son corps et ce qu'on appelle son âme, demeure un être qui mérite le dédain.

Samedi.

Louise, la poule de Romanino, n'est pas une petite danseuse. Plus exactement la poule de Romanino ne se nomme pas Louise — et d'un — et n'est pas danseuse non plus — et de deux. Son vrai nom : Arlette Bosc. Je tiens ce renseignement d'elle-même. Elle semble m'avoir à la bonne : « Vous, m'a-t-elle dit, vous êtes un type qui comprend les femmes. Gaston est gentil, mais Gaston est jeune... — Tandis que moi, je suis vieux ! — Idiot. » Je manque de capitaux pour entretenir une femme. Je me vois mal faisant du plat à cette créature... Cependant je tenterai la chose. On me tient pour un que je ne suis pas, un homme qui comprend les femmes — moi qui les méprise. Et cette fille qui se nomme, tantôt Louise, tantôt Arlette, me séduit par cela même. Comment et pourquoi elle se dédouble, je voudrais qu'elle me renseigne là-dessus... Embrouillamini sympathique... J'allais lui demander un rendez-vous, quand Gaston s'est approché...

Il va bien, notre Gaston. En pleine forme. Il en est à sa troisième dénonciation pour marché noir et, l'autre jour, apprenant de sa bonne que l'épicier leur avait vendu des confitures sans tickets, il a pondu une lettre au Contrôle du Ravitaillement. On a fouillé chez l'épicier, on l'a interrogé, menacé — si, en fin de compte, on l'a laissé tranquille, il a dû y aller d'un très fort pot-de-vin. Je me figure que Gaston raconte d'abord cette histoire pour effrayer sa danseuse. Il veut lui donner à croire qu'il ne recule devant rien et que, si elle le plaquait, un petit coup de feu pourrait être tiré contre sa jolie petite gueule.

Dimanche.

Ce matin, pour me laver de Titine, Simone et consorts, je me suis levé tôt. Homme libre. Aucun usage ne me liait. J'ai marché dans la nuit, dans la nuit remonté la rue Claude-Bernard, la rue Gay-Lussac, au bout du compte je me suis trouvé passer devant les Carmes et, pour bien me prouver ma qualité d'homme libre, qui se refuse à mettre les pas dans ses pas, j'entrai. Deux ou trois femmes priaient dans une église vide. Au hasard, en sortant, j'ai poussé une porte, descendu quelques marches. Un prêtre laïussait. J'ai pris une chaise.

L'assemblée ne se composait que d'hommes, tous bien vêtus et graves. Bizarre. S'il faisait froid, la curiosité me tenait ferme et j'espérais dans quelque événement, quelque phrase inattendue. Les gens qui se réunissaient là, je pus vite le conjecturer et, bientôt, le croire, appartenaient au même groupe. Le prêtre, un grand maigre, fit allusion à « nos camarades qui sont morts en forçant l'admiration de leurs ennemis ». « Nous garderons leur mémoire », disait-il, et les messieurs bien vêtus et graves ne pipaient mot : oui, oui, ils garderaient leur mémoire... « Je dois aussi vous entretenir, continua le prêtre, touchant certaines inquiétudes qui se sont manifestées parmi vous... » Et de se lancer en pleine bagarre... J'étais un homme heureux et l'audace du curaillon me frappait mille fois moins que ma chance. Quoi ! J'aurais pu — et, normalement, j'aurais dû — suivre la rue de Vaugirard sans m'interrompre et, grâce à un absurde caprice, je contemplais une réunion secrète. Pas de chaînes, de verrous ni de mots de passe. La facilité même avec laquelle on accédait au lieu était devenue sa garantie.

Seulement, le brave destin me guidait, le caprice, comme une branche de saule, m'avait conduit sur ma droite, m'avait conduit dans la crypte, et j'étais là, moi qui ne crois à rien, moi dont la mère se perce les oreilles pour des pendants ridicules, j'étais là dans le dos d'une réunion clandestine, apte à tirer dessus par une dénonciation... De pauvres types avaient dérangé le curaillon en lui posant la question suivante : pouvaient-ils refuser de partir pour l'Allemagne et gagner le maquis ? Oui, répondait le curaillon. D'une part... d'autre part... Sans doute... Mais... Un catholique pouvait considérer comme un devoir envers ses frères de partir pour l'Allemagne et, puisqu'il partait pour l'Allemagne tant de non-catholiques, l'autorité religieuse ne l'en blâmerait pas. Toutefois elle le verrait, d'un œil plus favorable encore, sacrée autorité religieuse, s'évanouir dans le paysage... La presse avait dénaturé les mots de Monseigneur un tel, à qui elle avait attribué une condamnation du maquis. Le curaillon le répétait, le criait, tout cela, mensonges ! Hideux mensonges. Monseigneur avait dit textuellement... Et il sortit de sa poche un papier, qu'il se mit à lire...

Lorsque l'ensoutané eut repris sa messe, je me glissai hors de l'église. D'abord je voulais un bol d'air. J'avais retenu mon haleine, pendant cet étrange sermon, de peur d'en manquer une parole. Je riais tout seul. La chance que j'avais eue me tapait sur le crâne. Et je faillis, du coup, me faire jeter en bas par une cycliste...

L'après-midi, je taquinai Simone sur ses convictions religieuses et, de fil en aiguille, je l'irritai, la précipitai dans une crise de larmes. Cela m'amusait fort, mais, surtout, je pensais au bon petit emploi d'une chaste soirée. J'ai gagné mon avenue des Gobelins, refusé une belote chez Lucette, enfourné deux vestes, et, à la fin des fins, couché sur le papier trois ou quatre projets de dénonciation. Je ne suis pas mécontent de ceci :

« A Monsieur le Général commandant la subdivision du Gross-Paris.

« Monsieur le Général,

« J'ai l'honneur d'attirer votre attention sur les faits suivants, que je crois de nature à vous intéresser. Aujourd'hui, 13 décembre, à 8 heures et demie du matin, s'est tenue, dans la crypte de l'église des Carmes, rue de Vaugirard, une réunion que je n'hésite pas à dénoncer comme séditieuse. Un prêtre, dont il serait facile de retrouver le nom, a parlé, une vingtaine de minutes, devant une cinquantaine d'hommes qui appartenaient visiblement à un groupement secret. Il a pris nettement, officiellement, parti en faveur du maquis. Parlant, avec une effronterie démoniaque, au nom de « l'autorité religieuse » (?), il a déclaré en substance que, selon cette « autorité religieuse » (?), bien loin de commettre une faute, un catholique français, en prenant le maquis, agissait mieux qu'en partant pour l'Allemagne. Il a lu un mandement épiscopal séditieux en faveur du maquis.

« Révolté par cette audace inouïe, j'ai failli, à plusieurs reprises, intervenir de la voix et du geste, mais, catholique pratiquant, j'ai eu plus de respect pour l'auguste sainteté du lieu que n'en manifestait ce prêtre indigne. Il vous paraîtra étrange, peut-être, Monsieur le Général, dans votre loyauté d'officier de carrière, qu'un catholique pratiquant s'abaisse à une dénonciation, mais je suis révolté par les faits et gestes de trop de prélats et, à leur suite, de trop d'ecclésiastiques subalternes. Une action rude, mais immédiate et franche, contre ces fauteurs de désordre qui se figurent servir l'Eglise du Christ en luttant (vainement d'ailleurs) contre la civilisation européenne et en faisant le jeu des Juifs et du communisme barbare, serait particulièrement opportune et entrerait parfaitement, si j'ose me permettre cette remarque, dans le cadre de vos soucis.

« Je jure, sur l'honneur, que je rapporte dans cette lettre des faits scrupuleusement exacts et que, seule, une pudeur — vous la trouverez respectable, je n'en doute pas — m'empêche de signer de mon vrai nom. Français écrivant à des Allemands, je ne puis me défendre de rougir, et alors même que, j'en suis convaincu, je sers au mieux les intérêts de mon pays. Ancien officier de carrière, il m'est moins facile de tenir une plume que de verser mon sang.

« PAUL DE GENNEVILLIERS. »

Je ne sais encore si j'enverrai cette lettre... A l'intention d'*Au Pilori* j'ai composé un écho :

« Ne pourrait-on mettre à la raison, une bonne fois, ce prêtre qui s'est permis, dans la crypte des Carmes, de tempêter en faveur du maquis ? Et, puisqu'il a si bien su, à plusieurs reprises, parler de l'autorité religieuse, Son Eminence le cardinal Suhard, qui représente tout de même quelque chose comme l'autorité religieuse à l'égard de ce pauvre dévoyé, serait bien inspiré en fendant l'oreille à un excité qui serait singulièrement mieux à sa place dans l'ombre d'un *in-pace* que dans un lieu saint arrosé par le sang des martyrs. »

Cet écho pourrait s'intituler, soit « Au fou », soit « Dédié à Son Eminence le cardinal Suhard ». Le dessinateur qui avait orné la petite histoire de Romanino trouverait encore le moyen d'orner la mienne. Je vois d'ici une grosse tête de prêtre et deux longues mains qui jaillissent, comme un polichinelle, d'une boîte à ressort. Ou un profil de curé, doué d'un nez en lame de couteau — d'après M. de Brinon.

Je dispose, en plus, d' « Une lettre au *Pilori* » (Tribune libre).

« Monsieur le Directeur,

« Catholique fervente et bonne Française, ayant donné trois de mes fils au pays et en ayant un quatrième toujours prisonnier, je ne puis laisser d'être émue par... (Je relate les faits.) Mon sang n'a fait qu'un tour. Quoi ! ai-je pensé, ce prêtre ose conseiller la désobéissance ! Mes trois fils, qui ont versé leur sang en héros pour le pays, avaient donc tort d'obéir ? On ne respecte donc plus les morts pour la patrie ? De retour chez moi, je prends la plume. J'ai pesé la gravité de mon acte en mon âme et conscience et je suis sûre, maintenant, que mes fils morts ne me désavoueront pas ! Je sais bien qu'ils m'approuvent et qu'ils me disent : « Merci, maman. »

« Madame G..., veuve de guerre. »

Et je nourris d'autres idées encore...

La clandestinité. Les émetteurs clandestins. Pauvres fous. Moi, moi, moi, je suis clandestin moi aussi. Je n'ai pas écrit toutes ces choses sur ma table pour en faire des cocottes, mais pour atteindre un homme. Pour briser la liberté, sinon le crâne d'un homme... J'ai la fièvre. Tant mieux. C'est le tocsin qui me bat dans la tête, c'est la sainte insurrection qui commence. Dehors glue la nuit. Et je suis là, dans ma chambre, homme libre, homme vivant, dans ma chambre illuminée comme doit l'être la chambre de veille. Je connais un Juif que la police ignore pour tel. Je connais des auditeurs de la radio anglaise et les bonnes heures où les coincer. Je connais...

Ce que je veux, d'abord, c'est bien dénoncer mon prêtre. J'ai une trop vieille querelle à vider avec l'Eglise, pour que je ne me venge pas sur elle d'abord. M'aura-t-elle assez empoisonné, la garce, assez bluffé, jadis, par ses défenses. Car, enfin, j'ai cru. Oui, je me suis payé la rotondité de cet acte fantastique, de ce verbe sans complément, *croire*. Cette vaniteuse grosse caisse qu'on se place sur le ventre et sur laquelle on frappe des coups redoublés pour tuer toute rumeur hostile. Croire. Croire. Ah ! ces agenouillements ridicules, ces bénitiers, ces ostensoirs, ces orteils de Saint-Pierre. J'ai porté en moi, jadis, mon orgueilleuse petite foi, qui me gonflait tout le corps — et ce n'était qu'une bulle de savon. Je m'écorchais la conscience. Tous les soirs je me remuais la conscience pour en expulser de pauvres fautes grelottantes. Arrière. Arrière. Laissez-moi tout entier à moi-même que je m'arrange tout seul avec moi-même. Dieu n'existe pas. Le Christ n'existe pas. La communion des Saints, foutaise. Qu'on démolisse l'Eglise. Sus au Verbe Incarné et à l'Auguste Mère de Dieu. Il faut que je nuise à l'Eglise. M'aura-t-elle assez nui. C'est elle que nous frapperons d'abord.

Et tous ces hommes graves et bien vêtus, moi je les trouve comiques. Quoi ! Ils auront toujours des scrupules ! Quoi ! ils consulteront toujours d'autres hommes sur leurs scrupules ! Pauvres infirmes, pauvres boiteux de la conscience. Monsieur l'abbé, pouvons-nous prendre le maquis. Msieu. Msieu. Allons, vite, que je donne un coup de pied dans ce tas de feuilles mortes : « Monsieur l'abbé, vous ne croyez pas que ce soit mal ? — Mon cher enfant, non, ce n'est pas un péché. » Allons, hâtons-nous, dehors, dehors. Il n'y a pas de cœurs fiévreux dans la poitrine de ces hommes graves, mais de grosses pendules qui disent l'heure de Rome. Suer d'angoisse, ils l'ignorent. Ils entretiennent de bonnes petites inquiétudes médiocres, qu'ils portent, gravement, à leurs confesseurs... « Directeur de conscience », quelle antinomie entre les mots de l'expression. Et comme notre devoir est tout tracé, à nous, Georges Renaut de la Motte. Je dénoncerai ce prêtre parce que je hais l'Eglise et les catholiques. Je ne sais ce que ces gens veulent dire quand ils parlent de frères. J'ai à peine une mère et je n'ai pas de frères. Je dénoncerai ce prêtre. Après m'avoir attendu quelques jours pour choisir le procédé le meilleur...

Je croyais en avoir terminé. Je dormais platement. D.C.A. Je reprends mon cahier pour lui dire ce que je pense de moi. Guère de bien. Je ne suis même pas un fou, un homme qui agisse contre vents et marées. Je vais dans le sens de l'époque. Je rêve de fracasser des hommes comme ces obus que j'entends; de déchaîner dans la vie d'un homme le tohu-bohu que déchaînent, dans la nuit du Gross-Paris, ces ronronnements d'avions et ces canonnades. Dans la banlieue, près des banlieues, je vois d'ici les chambres où se rue la lumière hallucinante des coups. Que fais-je d'autre — et encore en tout petit. Un pauvre type, un singe, voilà tout ce que je suis.

Lundi.

Métaxas me convoque ce matin : « Vous avez lu les journaux et hebdomadaires de la semaine passée ? » J'ai compris tout de suite où il allait en venir. Ces articles hostiles à la Jeunesse et ces racontars précis, il avait tout de même fallu quelqu'un pour les alimenter ? Ne serait-ce pas moi ? « Monsieur le directeur... » ai-je dit, il m'a enlevé la parole. C'était oui ou c'était non ! J'ai dit non, il m'a fait jurer sur l'honneur que je ne mentais pas — j'ai juré sur l'honneur. « Très bien. Je vous crois », a-t-il déclaré d'un ton sec, mais en regardant sa table. Il ne me croyait pas. Il a tenté d'une autre méthode. Ne plus me précipiter dans un aveu, mais me conduire, par la flatterie, à ne plus donner de tuyaux aux journalistes. Il a enlevé ses lunettes, et, en riant, m'explique pourquoi il avait égaré ses soupçons sur ma personne : je suis diablement intelligent ! « C'est vrai, a-t-il ajouté. Tout ne marche pas pour le mieux dans la maison et la Jeunesse a bien des à-coups comme si elle était une vieille maison, mais il faut m'aider, voyez-vous, je ne demande pas mieux que d'agir pourvu qu'on me signale mes erreurs. »

Là-dessus, avec des périphrases soignées, on a sollicité mon avis. On m'a supplié de dire mon avis. Moi le diablement intelligent. Qui donc gagnerait la guerre ? La collaboration n'entraînerait-elle pas trop de risques pour la France ? Fallait-il expédier les jeunes en Allemagne ou leur conseiller le camouflage ? J'ai répondu que je n'en savais rien. Il tremblait un peu, le Métaxas. Il pense que je cache mon jeu et me refuse à rien dire. Il me voit ayant partie liée avec la presse parisienne et, dès lors, craint pour sa place. A tout hasard, il a loué, en large et en hauteur, le Maréchal. Ça ne peut pas faire mal, n'est-ce pas, dans le tableau ?

Je m'esquive, on me rappelle. Le fin du fin. Il s'agit de me demander un service, un service très particulier, hum ! « Je crains que la chose ne vous semble bizarre... » Métaxas, sacré bonhomme, me croit de taille à jouer les Monsieur Perrichon ! Voici donc sa dernière : il se trouve débordé à chaque instant, surtout dans la compagnie des femmes, par les allusions à certaines œuvres littéraires. Il n'a pas le temps de lire, lui. La Jeunesse. L'Etat français. Les servitudes multiples d'une large existence. Seulement, d'ici peu, et malgré la grande âme que le discours révèle si bien, les gens vont le juger défraîchi, le Métaxas, de ne pas savoir répondre dès qu'on lui parle *Autant en emporte le vent,* ou *Sparkenbroke,* ou *La Mousson.* « Renaut de la Motte, soyez gentil. Résumez-moi tous ces bouquins-là. Donnez-moi quelques tuyaux qui me permettent de me débrouiller... »

J'en profite pour laisser tomber le service et baguenauder rue de la Paix, avenue de l'Opéra, rue de Rivoli. Sous prétexte de me réimprégner dans une bibliothèque. Puis j'ai dicté mon rapport à la svelte Armande. Histoire d'énerver Simone — et d'un — et de sonder Armande — et de deux. Je demandais : « Que pensez-vous de Scarlett, mademoiselle Armande ? — Je ne pourrais vous le dire, je ne connais pas. » Peut-être jouait-elle la comédie. Peut-être estropiait-elle, volontairement, les noms des personnages, pour me convaincre de son ignorance. Bien sûr, au tournant, je la rattrapais en lui posant des colles générales : « A votre avis une femme qui, etc. Croyez-vous que... » Mêmes échecs. « Je ne sais pas, monsieur, je ne sais pas du tout. » Elle ne levait pas le nez de sa machine pour me répondre. La garce. Elle est plus belle que Simone, ou si elle revêt à mes yeux le prestige de l'inconnu ? Ah ! que cette dernière hypothèse, un instant, me paraisse la bonne, et je n'ai de cesse que je n'emporte, de vive force, le cœur et le corps de notre dactylo... Du moins Simone enrage-t-elle. Elle qui est à tu et à toi avec Scarlett. Tantôt elle me bat froid, tantôt — car elle craint si fort de me perdre — elle me montre un visage lugubre...

Coup de téléphone. La voix bafouilleuse de Métaxas. « Cher ami » par-ci et par-là. Une pensée de la dernière heure a frappé le grand esprit du chef : il ne faut pas que l'Angleterre et l'Amérique soient les seuls pays représentés dans ma liste, un peu d'Allemagne ne ferait pas mal dans le tableau. Oh ! Simplement des noms d'auteurs et des titres de livres ! Mais que Métaxas, mine de rien, puisse jeter aux gens de la littérature allemande. Qu'on ne le prenne pas pour un gaulliste.

— La fin de ma note d'hier, je devrais la déchirer. Parce que le bruit m'avait sorti du sommeil et que, par moments, les avions me semblaient rouler au-dessus de ma tête, j'ai eu peur, j'ai cherché des excuses à mes actes — oui, adroites ou non, j'en ai cherché. Me comparer à la D.C.A. ! Grotesque. Je suis tout de même plus cruel que la force aveugle. Les ruines et les cadavres, c'est du voyant facile, j'ose dire que ma besogne, à moi, possède une autre qualité. Un autre « cachet », ainsi s'exprimerait ma mère.

— Romanino entre chez moi, fier comme Artaban. Aurait-il trompé sa maîtresse ? Obtenu un entretien avec Doriot (que je croyais parti pour le front de l'Est) ? Il me place fièrement sous les yeux deux cartes d'identité, l'une au nom de Gaston Romanino, étudiant, l'autre de Guy Lecourbe, surnuméraire. Et une autorisation de port d'armes. Celle-ci, je m'en moque, mais la double identité, voilà qui me passionne. Je demande à Gaston si moi non plus je ne pourrais... Il s'esclaffe. Il est membre d'un parti, lui, et membre agissant ! Que j'entre dans le parti, on verra ensuite...

Plus j'y réfléchis, plus j'envie à mon camarade son privilège. La liberté, dans cette sale vie, n'existe pas, mais il ne saurait, même, exister de tendance à la liberté, d'esquisse de liberté, sans une identité double. Avoir un double de soi-même, extérieurement, dans les faits, la chose admirable. Trop d'hommes divers s'agitent en moi. Je vais pouvoir sanctionner ce polymorphisme. Un Renaut Jekyll, un Renaut Hyde. Je dis Renaut, cette fois, pour Renaut de la Motte — car je sais, maintenant, que je suis Renaut de la Motte... Oui, le dédoublement est possible et il est admirable. Vivre deux vies. Quand je pense que cet absurde jeune voyou loge en lui un Guy Lecourbe, mes poings se serrent. Pourquoi pas moi ? Je m'imagine fort bien en Armand Fauxblas, en Xavier Choisy. J'écris des noms que je n'ai pas eu le temps de polir. Les premiers qui se présentent. Ils ne sont pas fameux. Que serait-ce si j'avais le loisir de me fabriquer un nom, à tête reposée, en écartant et reprenant mille jeux de lettres... Et, une fois le nom trouvé, j'aurais fabriqué un autre moi-même. Sans le concours vulgaire d'une matrice ni la non moins vulgaire nécessité d'une longue attente, j'aurais créé un homme, et un homme de mon âge. L'*Eve future :* généreuse utopie, disent les critiques du roman de Villiers de l'Isle-Adam. Pauvre bêtise, plutôt. *L'Eve future* !... Quand des Adams présents peuvent naître de chacun de nous ! Pourquoi s'exciter sur l'ingénieuse construction de robots qui marchent, s'asseyent, clignent de l'œil, lèvent une coupe, changent de direction, quand je puis lancer dans le monde, immédiatement, un homme dont le sang véritable court sous ma peau, dont les cheveux réels recouvrent ma tête, dont les pieds vivants ont froid dans mes pantoufles.

Admirable chose, admirable chose, admirable chose. Eh oui, cela ne se fait que sous condition et il va falloir prendre parti et prendre un parti, mais, au terme de ces douleurs, quel spectacle ! J'aurai deux personnes. Deux séries d'images. Il ne sera même pas vrai d'écrire que j'aurai un Moi public et un Moi clandestin, j'aurai bel et bien deux Moi, chacun me servant dans des conditions données, réels tous les deux, également publics et clandestins.

Admirable chose.

Mercredi.

Lettre de Madame ma mère, qui a regagné sa province. Elle m'écrit à mon nom de Renaut de la Motte. Elle joue le jeu. J'ai toujours pensé qu'elle comprenait la vie... Pas un mot, non plus, des trois cents francs. En voilà que je ne suis pas près de revoir.

Sur ma table, enveloppées, cachetées, deux lettres. L'une de Paul de Gennevilliers, à la Kommandantur du Gross-Paris. L'autre, signée X, pour *Au Pilori.* (Je me borne à envoyer mon écho, et sous le titre « Au Fou. ») Sans posséder une double carte, comme Romanino, je puis déjà, je le vois, vêtir plus d'une personnalité. Seulement, mon procédé à moi demeure trop facile et ne donne que des résultats éphémères. Je ne veux pas d'une personnalité que rien d'extérieur n'appuie. Ce Paul de Gennevilliers, rigolade...

Mon rapport a tapé dans l'œil à notre Métaxas. Je m'étais promis de faire le pince-sans-rire et d'offrir au grand puissant chef de le sonder sur ses nouvelles connaissances; je l'aurais interrogé comme un élève : « Monsieur Métaxas, voyons, monsieur Métaxas, si vous nous parliez de Scarlett... » L'audace m'a manqué. M'engueulerai-je ? Le coup n'était pas facile.

Toute cette histoire aboutit, aujourd'hui, à une magnifique note de service.

NOTE DE SERVICE

« Il est recommandé à tous les jeunes du S.J. d'apporter leurs plus grands soins à leur culture personnelle, par la fréquentation des livres, l'approfondissement des techniques. Il peut paraître oiseux de donner un tel conseil, mais le manque, ou l'insuffisance, de culture générale, est à l'origine de la défaite française et, si l'on écoute de nombreux augures, le mal, loin de décroître, a gagné en intensité. Nous n'ignorons pas les difficultés de la vie quotidienne actuelle. Nous savons que les Jeunes ont à faire face à de nombreux soucis qui, pour n'être pas tous de la plus noble essence, n'en sont pas moins des soucis urgents, indispensables, qui engagent la vie individuelle de chacun comme la vie collective de la nation. Mais nous connaissons le ressort de la Jeunesse. Ce n'est pas en vain qu'on fait appel à la Jeunesse. La Jeunesse appartient à ces grandes forces qui produisent mal moins parce qu'on leur demande trop que parce qu'on ne leur demande pas assez. Nous espérons, non, nous sommes sûr, que chaque Jeune du S.J. aura, dès maintenant, à cœur de se cultiver, de lire les grandes œuvres représentatives de l'époque, les étrangères comme les françaises, de se tenir aux écoutes de son temps, de devenir un Français nouveau, sûr de lui grâce à ses connaissances et qui décèle instinctivement, toujours grâce à elles, ces « mensonges qui nous ont fait tant de mal. »

« MAULÉON. »

Avant de lancer la note — et soi-disant pour que j'y mette la dernière main si quelque chose devait m'y heurter, mais, en fait, pour que j'admire ce bon gros style 42 fillette — Métaxas me convoque.

« Je crois que ça peut aller ? demande-t-il avec une inquiétude feinte à demi.

— Je pense bien ! »

Cette familiarité administrative lui a touché le cœur. Je loue le dynamisme, la précision, la force de la note.

« Flatteur ! » disait l'autre, qui buvait du petit lait...
« Que diable ! grommelle-t-il. Je ne pouvais tout de même pas écrire : « Bouffer ça compte, se cultiver ça « compte davantage. » Ni : « Quand vous aurez fini « de bouffer si vous songiez un petit peu à vous culti- « ver ? » En France nous arrondissons toujours. N'ai-je pas arrondi aux dépens de la netteté ?
— Soyez convaincu que non. Tout est parfait là-dedans. »
Parfait... Je n'ajoute pas de quoi.

CHAPITRE VI

Mercredi, huit jours plus tard.

Une petite aventure prend fin. Il semble qu'elle se solde par un échec, mais je trouve, moi, que je puis l'inscrire au compte « Bénéfices ».

Quand je ne savais pas encore si je demanderais ou non un rendez-vous à Louise-Arlette, elle m'en fixa un d'elle-même. Elle voulait me parler (?). Au rendez-vous elle arrive à l'heure, pomponnée, bichonnée — trop voyante, sans doute, mais enfin si galamment. Avec un bibi d'un bleu azur et un amour de « chamberlain ». Oui, elle voulait bien me parler. La jeune personne au corps tumultueux et au fin « chamberlain » songeait bien à employer le langage des mots. Elle avait besoin de moi tout simplement. Fille d'une concierge, née rue du Faubourg-Saint-Martin, elle éprouvait qu'elle manquait d'instruction, d'éducation, et désirait l'avis d'une personne qui ne fût pas trop intéressée par l'amour et pût se contenter d'amitié. Une personne intelligente —

comme moi, expérimentée — comme moi, franche — comme moi, toujours comme moi. Car voilà : elle guignait le théâtre et prenait toutes sortes de leçons — seulement, il lui fallait un jugement impartial. Les autres la flattaient, bien sûr... Que je n'aie d'ailleurs aucune inquiétude. Elle me paierait, et largement, un avis sincère. (Je levai les bras au ciel, pour la forme.) Elle insistait, elle gagnait tellement, la pauvre. Comme je le pensais et comme Romanino lui-même le suppose, Gaston ne lui sert que de passe-temps agréable et elle se fait entretenir par deux amis sérieux. Un colonel Boche et un industriel du Nord. C'est fou tout ce qu'elle recevait. Pour l'industriel, elle possédait un grand appartement boulevard Haussmann, pour le Boche une garçonnière près du parc Monceau. Cette vie-là ne durerait pas toujours. Il fallait préparer l'avenir. Ah ! jouer dans un grand théâtre, voir son nom éclater dans tout Paris sur des affiches...

Nous nous étions donné un second rendez-vous pour mardi soir, hier, dans la garçonnière du Boche. Au dernier moment, comme elle me suppliait de fixer un prix, je lui avais baisé la main et répondu : « Ce sera une nuit d'amour. » Elle avait retiré sa main, simulé une vive colère... Fleurs dans le vestibule, fleurs dans le salon, fleurs dans la chambre. Des azalées, des orchidées, des boutons de rose. Sur la commode Louis XVI, deux photographies en évidence : le Boche, le monocle à l'œil, le stick sous le bras, très G.Q.G., et la famille du Boche, une matrone souriante et charnue affublée de ses cinq gosses. « Pas très fixé » dis-je. Arlette haussa les épaules : « Ben quoi, il aime sa femme. » Lui aussi, le Boche, je le voyais bien, pratique le dédoublement.

Des glaces de Venise, des tableaux surréalistes, des éditions de luxe. Une magnifique *Chartreuse de Parme*. De magnifiques *Fleurs du Mal*. Dans l'armoire, un second manteau de fourrure. Paysage intérieur bien cinéma, auquel ne manquaient pas les petites touches de vie que les metteurs en scène situent en pleine lumière, un cendrier avec un mégot de cigare, des pelures d'orange derrière un biscuit de Sèvres, un bas de soie sur une pile de romans. Et cela sentait des parfums inconnus de moi, mais aussi la Gauloise bleue... Je ne pus me retenir de siffler : « Whoopee ! » et me mordis les lèvres : je me conduisais comme un Jean-Paul. Je révélai tout de même ma surprise. Ce Boche-là, quel richissime. Elle éclata de rire. J'aurais mieux fait de dire, paraît-il, « ces Boches-là ». Oui, il y avait surtout un colonel, mais il y avait aussi les amis du colonel, et tout ce monde payait Arlette, tout ce monde entretenait la fille et le décor.

La jeune théâtreuse m'offrit le champagne et un cigare, puis je m'assis dans un fauteuil bas, les pieds sur une peau d'ours, tandis que notre Arlette se reculait entre salon et chambre, saisie d'un trac violent, toute gauche dans sa robe décolletée. Je dus attendre. Elle prétendait que cela ne viendrait pas, qu'elle souffrait du ventre... Enfin elle commença :

Poète, prends ton luth et me donne un baiser...

Tous les Moi que je loge furent unanimes et je plongeai en avant pour dissimuler leur envie de pouffer. Elle me la baillait bonne, cette petite garce, avec son poète et son luth.

Poète, prends ton luth, c'est moi ton immortelle,
Qui t'ai vu cette nuit triste et silencieux...

Elle récitait d'une façon monotone, les bras derrière le dos le plus souvent car elle ne savait qu'en faire, quelquefois les coudes au corps et les paumes chichement levées, à l'image d'un curaillon qui lit sa Préface. Elle avait essayé de regarder dans le vide, mais cela l'ennuyait, et bientôt elle avait dirigé ses grands yeux caves et les clignements de ses faux cils vers ma pauvre personne. Je me sentais devenir le haut fonctionnaire qui subit le compliment d'une fillette.

Poète, c'est ainsi que font les grands poètes.
Ils laissent s'égayer ceux qui vivent un temps...

Elle avait lancé le bras droit dans l'espace comme pour faire signe à l'autobus. Ah ! ah ! elle les connaissait dans les coins, les poètes, les grands poètes, et tous les trucs des grands poètes. Ils ne la prenaient pas sans vert...

J'allais applaudir, elle secoua la tête. Mademoiselle continuait. La bouche en cul de poule, elle annonça : « *L'invitation au voyage,* par Charles Baudelaire...

Mon enfant, ma sœur,
Songe à la douceur
D'aller là-bas vivre ensemble... »

Et successivement défilèrent et je dus encaisser des poèmes de Jules Romains et de Péguy, et une scène du *Voyageur sans bagage,* dont, ne se refusant rien, elle jouait les trois rôles.

J'applaudis à tout rompre. Elle minaudait : « Non... Non... », mais ses yeux brillaient et elle gagna un fauteuil avec des nonchalances d'athlète triomphant. « Alors ? » Je me jetai à l'eau et, dans un remueménage de phrases décisives et de poncifs, verbe impérieux, geste tranchant, je dis que, bien sûr, elle montrait encore, par moments, une certaine gaucherie, que tout n'était pas complètement au point dans sa tenue, sa respiration, sa façon d'ouvrir la bouche, mais qu'elle possédait le principal, le sens du théâtre, le sens de la diction, le feu sacré, etc. Elle transportait l'auditeur. Il ne s'occupait plus de savoir si les bras ne se trouvaient pas trop en avant, trop en arrière, il n'était plus qu'émotion, pauvre chose émue.

« Ah ! comme tu causes bien », s'écria-t-elle. Et de me saisir le cou et de caresser mes bonnes joues de critique subtil. Elle prétendait hésiter à me croire. Elle voulait bien sentir qu'elle avait récité et joué avec cœur, avec flamme, et cela avait dû « franchir la rampe », une autre fois le miracle se produirait-il ? La beauté de ses textes l'avait puissamment aidée, d'autres textes l'aideraient-ils ? C'était si beau, *Poète, prends ton luth...* et *Mon enfant, Ma sœur...* — « Ah ! dit-elle, *L'Invitation au voyage*, c'est chou, c'est chou... » Je n'eus pas de peine à la convaincre, naturellement, que mon opinion ne valait pas seulement pour une séance, mais pour toutes les séances. Je croyais ferme qu'elle serait une grande actrice. Je la voyais très bien en Hermione ou en Roxane. Ou encore... Je la pris par la main, la conduisis sous un lustre et feignis d'étudier son visage. J'étais grave. Elle aussi, elle était grave... En Célimène ! J'applaudis. Enfin quelqu'un qui va nous jouer Célimène. Enfin une artiste qui eût le physique du rôle. Ah ! merci, Arlette, merci, Arlette. Je la couvris de baisers.

Avant de passer à la récréation et pour mieux la mériter, je m'assis de nouveau dans mon fauteuil et notre jeune future Célimène, toujours grave, m'accorda un interview amical. Voulez-vous dire quelques mots pour Renaut de la Motte. Vos rôles préférés. Quand nous donnerez-vous l'occasion de vous applaudir sur une scène. Tantôt je blâmais, tantôt je demandais un surcroît d'explications, tantôt, et le plus souvent, j'approuvais. J'approuvais techniquement, pour des raisons précises, en hochant la tête à toute allure... Elle me confia que l'industriel du Nord lui achèterait une salle.

« Ça doit coûter cher, dis-je, un théâtre. » Elle haussa les épaules. « Il peut cracher. Il a de quoi cracher. Avec ses tissus écossais d'avant-guerre qui lui restaient comme rossignols, si je te disais ce qu'il a pu gagner. Ça ne coûte pas si cher que ça, un théâtre. Quelques millions. Ça se paie comme tout. Et il faut compter avec les recettes... »

Le plus sérieusement du monde, et sans transition, elle me pria de lui écrire une pièce. Son amie Solange, à un cours de diction, lui avait raconté que ça existait, ces choses-là, des pièces écrites directement par les auteurs pour les artistes. Elle voyait d'ici la belle pièce que je pourrais lui écrire, avec un rôle formidable, un rôle de femme fatale, haute en bijoux, pâle, merveilleuse, insatisfaite, usant et trompant les hommes, cherchant en vain l'amour, le seul amour, l'amour dont parlent les poètes, et finissant par boire du poison. Je me récusai. Je regrettais follement, bien sûr, mais, n'est-ce pas, pour écrire des pièces, il fallait un instinct du théâtre, ce même instinct qu'elle montrait si bien, sur un autre plan, pour les jouer...

La récréation arrive. Elle a de faux cils, la garce, mais un corps authentiquement beau, et sur quoi passent les amours des Boches sans le défraîchir, comme leurs divisions blindées sur nos routes. Je plongeai dans la volupté. Le lit, immense, était chaud, et doux, et souple. Et cette Arlette...

Lorsque je me réveillai, je ne savais pas l'heure, j'ignorais si dehors il faisait jour ou nuit. Je sentais la merveilleuse température du chauffage central, souple, silencieuse, anonyme. Loin de moi reposait Arlette. Le parfum des roses, que nous avions oublié de retirer, encombrait la pièce. C'était comme la seule chose visible. Il s'approchait de moi, sautait sur moi comme un chat indiscret. Je me cherchais et me découvrais une fine lassitude. Aucun bruit ne montait de la rue.

Je me glissai hors du lit et, à pas de loup, tâtant les murs, gagnai le cabinet de toilette, où j'avais laissé ma montre. Deux heures vingt. Donc, c'était en plein la nuit, mais en moi quelle vigueur ! quel désir de vaincre les obstacles ! d'accomplir les exploits ! « Les » — ceux que ma nature exigeait, que le destin attendait. Ecrire pour le théâtre, par exemple. Composer des scénarios de film. La vie n'était-elle pas un film ? ne subissais-je pas sur tout mon corps la vie comme un film, et au point d'en souffrir ? Tout se déroulait, tous jouaient, sur un immense écran, dans le décor d'une immense rue chinoise, grouillante, où prenaient jour tous les intérieurs et toutes les campagnes. Romanino, Mauléon, Lucette, Simone, Madame ma mère : quel flux d'images. Il ne restait qu'à découper avec un peu de soin. Je portais inscrites, fidèlement, sur ma rétine, les moindres nuances de ces physionomies... Ici encore, quel film. Pour un studio de Neuilly ou de Joinville, c'était du tout cuit. Des fleurs, des peaux, des tapis. Cet immense cabinet de toilette. Cette baignoire de cristal où l'on descendait par des marches. Cinéma. Cinéma. C'était, même, tellement du cinéma que cela ne semblait plus réel. La savonnette, dans sa boîte, semblait trop neuve.

Sur une chaise, alors, je remarquai le sac d'Arlette. Un sac en peau de crocodile, marqué sobrement A.B. Je ne le connaissais pas, celui-là. Je connaissais le sac de daim où s'arboraient de grandes lettres naïves, L.D. Le sac se lie trop à la personnalité féminine pour que notre garce n'en ait pas eu besoin de deux, un pour chacun de ses êtres. Je pris le sac en peau de crocodile. Je l'ouvris. Au lieu de contempler un mouchoir, une houppette, un trousseau de clefs et autres bagatelles, je mis le nez, tout de suite, sur un petit revolver noir. La folle. Ça la tarabustait donc, cette idée. Une belle putain comme elle, à quoi bon un revolver ? Ça ne se tuait pas, une bête d'amour, ça faisait l'amour et ça marchait toute la vie.

J'hésitais à regarder plus avant. L'animal était peut-être chargé. Mais il fallait visiter ce sac... Je sortis à moitié une liasse de billets de mille et de cinq mille et une carte me tomba sur les pieds. Je la ramassai. La photographie était celle d'Arlette, une mauvaise petite photo qui lui grossissait le front, mais la carte portait le nom de Suzanne Reboul, vingt-sept ans, couturière. Que signifiait cet imbroglio ? Arlette Bosc, Suzanne Reboul, Louise Dieulafoy, combien de vies, combien de personnages s'offrait donc la fille avec laquelle je couchais ? Machinalement — et, peut-être, heureusement pour moi — j'avais replacé la carte dans le sac (alors que je désirais la voir plus à loisir), quand, soudain, absolument comme dans les films et les romans-feuilletons, la porte s'ouvrit et une femme parut, tenant un revolver à la main.

C'était tellement du cinéma que je n'eus pas une vraie frousse. Et il faisait une merveilleuse température de chauffage central. « Qu'est-ce que tu fous là ? » cria Louise-Arlette-Suzanne. « Réponds, qu'est-ce que tu fais là ? — Rien, dis-je, stupide. — Rien ? Rien ? Qu'est-ce que tu fais avec ce sac ? Tu fouilles, tu tripotes, qu'est-ce que tu fais avec ce sac ? Pourquoi as-tu pris ce sac ? Réponds ou je te tire dessus. » En même temps, sans que mes mains offrent la moindre résistance, elle me retirait le sac. Il fallait trouver un motif plausible. Je baissai la tête, je demandai pardon : en venant chez Arlette, je n'avais certes pas prémédité de vol, mais j'avais une terrible dette de jeu et, quand le sac m'était tombé sous les yeux, la tête m'avait tourné. Arlette me crut. Elle s'enquit, pour la forme, si je ne mentais pas mais, devant ma mine piteuse, elle sembla rassurée. Le sac, je pense, devait contenir tel objet qu'il a mieux valu pour moi ne pas découvrir.

Elle baissa son arme. Au hasard, avec dédain, elle sortit du sac et me jeta des billets de banque. C'était la première fois qu'elle payait un homme. Avec un devant et un derrière comme les siens, elle ne courait pas les gigolos. Elle me trouvait un type moche. Fini entre nous. J'allais reprendre mes cliques et mes claques et déguerpir... J'objectai l'heure. Avec la meilleure volonté du monde je ne pouvais gagner la rue. Et les patrouilles ? Je la suppliai de m'écouter un peu. Je lui rendrais vite, très vite, son argent, j'étais amoureux d'elle, amoureux fou, une fille qui jouait si bien la comédie et avec tant de personnalité. Elle m'interrompit. Oui, elle jouait bien, mais, quand je me prétendais amoureux d'elle, je mentais. Je mentais aussi quand je prétendais lui rendre son argent très vite. Je ne savais seulement pas, je n'avais pas seulement compté encore, la somme qu'elle m'avait jetée. Ouste. J'allais déguerpir. Enfiler mes vêtements et sortir dans l'escalier. Je n'avais qu'à m'allonger sur les marches.

Piteuse fin de nuit... Je ramène dix-huit mille trois cents francs. En billets tout neufs. Et qui ne sont pas faux.

Etrange vie. Puis-je me permettre une question et Renaut de la Motte numéro deux, le dur, jugera-t-il sévèrement Renaut de la Motte numéro un, le mou, si ce dernier confie, non une inquiétude. mais une pensée qui le traverse ? Tant pis. Renaut de la Motte numéro un médite sur l'étrangeté de la vie. Et il demande ce qu'il adviendra d'une époque où chacun se dédouble. Renaut de la Motte numéro deux répondra peut-être qu'il s'en fiche, mais le numéro un néglige son indifférence et continue de réfléchir. Gaston Romanino chevauche sur deux selles : Gaston Romanino, Guy Lecourbe. La garce de la nuit dernière, et dont je ne sais plus, aujourd'hui, le véritable nom, si véritable il y a ! chevauche sur trois. A ce train-là, Françaises et Français, nous allons repeupler la France. Paris me semble en train de battre Marseille. Là-bas les morts votaient;

ici, ni plus ni moins, les doubles vivent. Ils ont des photographies. Ils boivent des bocks. Ils baisent des femmes ou se font baiser par les hommes. Ils ont de remarquables états civils, frais cueillis à point dans les quartiers démolis par les avions. Ça pousse, les doubles, dans les ruines, comme du chiendent. Ça pousse, la vie, dans les quartiers rasés. C'est fou, c'est fou. Guy Lecourbe a jailli de Nantes, dans une rue morte. Une inflation des vivants est en train de se produire et, pour peu qu'elle se poursuive et s'étende, la folie s'abattra sur le monde.

Merveilleux chaos, songe le numéro deux, qui veut bien alors écouter son double. Les gens ne se reconnaîtront plus. On ne saura plus qui marche dans la rue, qui a écrit ce livre, composé ce film, ce manteau, cette lame de rasoir. On ne saura plus qui a écrit cette lettre. Qui pousse ce juron. Surtout, on ne se reconnaîtra plus soi-même. On sera là, toute une bande, à la porte d'un corps, à tous vouloir entrer les premiers, à tous se prétendre les maîtres. Il n'y aura plus de solution. Que la folie. Ou la mort.

Peut-il se présenter une autre solution pour ce monde atroce et stupide ? J'ai marché dans les rues, cette nuit, aussitôt après cinq heures, marche fatigante, morose, angoissée, dont je garde l'image sombre. L'homme crée des entassements de maisons, des groupes de rues, et il crée la nuit sur les entassements de maisons, la nuit sur les groupes de rues. Par là même il les abolit. Je ne trouve pas bon pour les rues de vivre avec ces lumières pauvres, qui n'éclairent pas les trottoirs. Dans le ciel ne brillait aucune étoile. Tout semblait même masse, même épaisseur gluante et grave. Parfois, collée dans une encoignure, une grappe d'ombre bougeait — une grappe policière. Très rarement, il passait une automobile, honteuse, lente, et presque invisible entre ses prunelles malades et son pauvre feu rouge. Puis, tout de même, des feux glissèrent et grésillèrent dans la nuit. Les premiers cyclistes, aux visages inconnus. La ville demeurait sombre.

Métros farouches. Hommes silencieux et machinaux. Des faces terreuses. Des yeux qui se ferment...

Je ne sais plus qui, dans cette chambre, tient le stylo entre les mains. Le numéro un, le numéro deux ? Cette réflexion sur la tristesse des rues ne me paraît pas de la même veine que l'éloge de la fièvre. Serais-je, de nouveau, en train de faiblir ?

Samedi.

Réveillon chez Lucette. Julien le zazou, une heure avant la cérémonie, me tient la jambe chez moi. Qu'il y a zazou et zazou. Qu'il sort d'une bonne famille lyonnaise. Qu'il adore la littérature et le marché noir. Qu'il est gaulliste cent pour cent. Qu'un de ces jours il descendra un P.P.F. Il parle et parle. Avec sa chevelure à la guillotine et ses boucles sur le devant du crâne, il porte une tête de mauvais prêtre... Le réveillon casse tout. Thon à l'huile, rosbeef, dinde, foie gras. En guise de benedicite, nous gueulons *La Marseillaise*, puis sus au vin, aux viandes et aux rires...

Nouvelles diverses :

Afrique. Alger. Un jeune assassine Darlan, l'ex-amiral de la flotte.

Paris. Le ticket BQ est honoré pour vingt grammes de fromage gras. — Monsieur Georges Renaut de la Motte, le jeune et dynamique écrivain, vient de ne pas « sortir » *L'Eloge de la Fièvre*, qu'il avait promis à son public. Toutefois il projette un *Traité de la Fièvre volontaire*, en douze leçons, qui remplacerait, au moins partiellement, cet ouvrage...

Je voudrais nuire au sieur de Gentien, qui sort de chez les « Jèzes » et dont le gros optimisme m'afflige. Il réduit tout en formules et se dirige par formules. Le S. J. cite de lui, avec admiration, un rapprochement entre la France et le fils Tell. Gessler, c'est Hitler, Guillaume Tell, la Grande-Bretagne, la pomme ce sont les fortifications Todt, l'aide industrielle française à l'Allemagne, les troupes d'occupation, les réquisitions, etc. Comment veut-on qu'un jour ou l'autre l'Angleterre n'écorche pas la France ?... Idiot. Ces personnalités, il faut que ça meure.

Jeudi 31 décembre.

Je suis crevé. Au lit l'amant de la fièvre.

Au lit donc. Toutefois, auparavant, une petite note. Un titre, aujourd'hui, dans la bibliothèque de la station Concorde, m'a frappé. « *Qui est Laval ?* » Comment ne serions-nous mystérieux à nous-mêmes si les « dauphins » doivent poser de telles questions ? « *Qui est Laval ?* » Beau titre de film. Encore l'intrusion du cinéma. Il rôde, je suppose, de par le monde, trop de bribes Laval, trop d'images fragmentaires étiquetées Laval, pour qu'il ne faille résorber cette masse et la remplacer par de nouvelles devises. Laval est-il l'homme qui fait risette à Hitler ou celui qui sauve la France à la force des poignets ? L'homme qui jongle ou l'homme qui attend son heure ? Le silencieux ou l'orateur ? L'arriviste impénitent ou l'arriviste scrupuleux ? Avec quelle intensité, un jour, la presse ne nous a-t-elle pas jetés dans la vie secrète, la vie physiologique de Laval, quand il fut blessé, nous dit-elle, au médiastin. Laval possédait un médiastin. Nous avons pu, un instant, nous figurer cet homme sous un aspect de chair meurtrie, de corps étendu sur une table d'opération. Pourtant cela n'a pas suffi. Le médiastin, nous savons qu'il existe, mais à qui appartient-il ? Quel est son maître ?

Je conçois, aussi bien, que demain jaillisse au monde une brochure : *« Qui est Pétain? »* Puis *« Qui était Darlan? », « Qui est Churchill? », « Qui est Hitler? » And so on.* Serait-ce particulier à notre époque ? Nous vivons, dans tous les cas, notre époque et les hommes de cette époque, nous le constatons, ont perdu leur identité. Ils s'interrogent, nous nous interrogeons à leur propos, avec angoisse... Je dois le reconnaître : la conclusion de toutes les brochures que je suppose verserait dans l'optimisme. On nous trouverait une bonne image unique. Voilà ce qu'est Pétain. Voilà ce qu'est Hitler. Blagues ! Enormes blagues ! Ils ont perdu leurs êtres. A force de jouer ils ont émis trop d'individus sous la peau de leurs corps et ils ne sont plus désormais qu'une scène hantée. Mystère, sale mystère. Comment peut donc s'écrire l'histoire. Tissu de blagues. Il en est de l'histoire comme des rayons X. Elle pénètre, éclaire les régions molles des corps et des peuples, ne vaut rien pour les régions compactes : « Qui est Laval ? » Des gens se croiront aptes à répondre, mais, en fait, Laval ne le sait plus lui-même, l'auteur de la brochure l'ignore et il ne faut pas compter sur nous pour le lui dire, ni sur les hommes de demain pour s'en instruire.

Dimanche matin le 3 *janvier* 1943.

Au Pilori, sans aller jusqu'à reproduire mes phrases, les utilise. Sous le titre « Ceux qui n'ont pas compris », il publie l'écho suivant :

« Un de nos fidèles lecteurs, catholique pratiquant, nous écrit pour nous faire part de l'indignation qu'il a ressentie, l'autre dimanche, dans la crypte des Carmes, où un singulier prêtre, devant une singulière assemblée, a prononcé l'éloge du maquis. Il ne serait peut-être pas trop tard pour éclairer les dessous d'une telle activité, dont ne peuvent que souffrir les véritables amis de l'Eglise. Charbonnier est maître chez soi, dit le proverbe. Le jeune Etat français devrait s'inspirer d'une telle sagesse. Il y a des gens, comme nous l'écrivons dans notre titre, qui n'ont pas compris, mais il existe les moyens de leur faire comprendre... »

Et un petit dessin représente alors une charmante paire de menottes.

Dans la nuit de vendredi à samedi j'ai poussé une vigoureuse pointe contre l'argent de notre Louise-Arlette-Suzanne. Cet argent de rêve, il fallait le jeter par-dessus bord. Venu à moi la nuit, il devait s'en retourner la nuit... Je me suis rendu, seul, à Montmartre, avec l'intention de m'enfermer à l'El Garron, un cabaret dont le nom me trotte par la tête : moi, l'homme des couloirs du métro, j'en ai plein les yeux des images où une femme au visage épais, à la haute robe noire, ouvre perpétuellement, comme une huître malade, ses lèvres charnues et trop pourpres. Il me semble même que, l'autre jour, un homme qui se tenait dans ma peau a souillé la bêtise de l'affiche en plaçant au crayon, entre les deux grosses lèvres, un « merde ». On lui dira que ce n'est ni drôle ni original et qu'à la station Solférino un autre plaisantin avait commis exactement la même farce au détriment d'un visage-réclame pour un dentifrice. D'accord. Je connais à peine l'homme qui se tenait ce jour-là dans ma peau. Qui est Renaut de la Motte ?... Donc, je me répétais sans cesse : *El Garron, El Garron*. Je trouvais le nom somptueusement idiot et voulais voir de près cette idiotie. Qui est *El Garron ?* Quelle fleur, quels oripeaux ? Au terme de toutes ces majuscules, de toutes ces images, que se cache-t-il ? Quelle poche séminale de l'art et du plaisir ?

A peine descendais-je la rue Pigalle que la force me manqua. Autour de moi toute maison devenait *El Garron*. Pourquoi m'acharner sur un nom ? Dans l'ombre épaisse jaillissaient des feux de cigarettes, des coups de sifflet, des mouvements, des rires. Un vélotaxi faillit me jeter bas. Des ombres s'approchaient, soupesant mon ombre, vérifiant sa solitude. Je heurtai un homme. Une voix cria « *Was?* ». Cela grouillait d'allées et venues, de gens qui gagnaient un cinéma ou un théâtre, de fêtards, de marlous, de putains, de Boches, de pourvoyeurs, de curieux — tous pêle-mêle passant du trottoir sur la chaussée, y remontant, suivant la chaussée, bras dessus bras dessous, ivres, sombres, gais, sinistres, luxurieux et durs. « Ici la Canne à pêche. Cabaret ouvert toute la nuit. » « Ici la Frimousse. La Frimousse. Le grand cabaret montmartrois. » « Chez Fanny, Fanny, Fanny, Fanny, Fanny. » « *Man spricht deutsch*. Mousmé. *Glücklich Haus. Good Für Wehrmacht*. Mousmé. » Des grooms, des enseignes au néon, vociféraient, souillaient, racolaient la nuit.

Une hâte, seule, m'habitait maintenant, m'engouffrer, sans être vu, dans une de ces boîtes. J'évitai deux ou trois perrons ostentatoires et, avisant sur ma droite, entre de grandes choses gueulantes, une toute petite maison dont la porte se devinait en contrebas d'une marche, ce fut elle que je choisis. Je tombai dans le silence, des tapis feutrés, des lumières éclatantes ou paisibles, des surfaces polies qui miroitaient. Bravo. Je franchis le bar, où, nichés sur leurs tabourets comme des perruches, de jeunes hommes aux souliers de daim et aux cheveux bouclés buvaient dans des verres immenses et atteignis une sorte de salon. Trois tables seulement étaient occupées. Un couple jeune. Un couple gigolo vieille femme. Un couple homme sérieux petite poule. Je m'assis dans un coin. Du champagne. Les trois couples, aussi, buvaient du champagne. La vieille, attendrie, caressait les mains de son gigolo. Un groom jaillit, impeccable, portant sur sa casquette, en lettres dorées : *Fred's*. « Monsieur est seul ? » Je bougonnai.

« Monsieur attend ? » Je rebougonnai. Il s'éloigna.

Je savourais mon bonheur. Dans mon portefeuille je sentais les billets de banque qui grouillaient, brûlaient de se transformer et de fuir sous d'autres mains. La rue Pigalle n'existait plus. Trois couples et du champagne, voilà mes amis. J'étais en voyage. Je pratiquais le mode de locomotion dernier cri, le cabaret nocturne, et, par lui, comme un avion le désert, j'allais franchir le grand espace morne qui s'étend après le couvre-feu. J'allais ne pas dormir. J'allais, en toute vigilance, traverser la nuit interdite. Le cabaret volait dans la nuit. Les passagers faisaient le plein de champagne. Nous tournions en cercle au-dessus des maisons, invisibles, éteintes, endormies, nous tournions dans les régions solennelles où naissent les causes des alertes, nous tournions au milieu des angoisses nocturnes, qui ne pouvaient rien contre nous.

« Monsieur est seul ? Monsieur ne veut pas que je téléphone à une petite femme ? — Fichez-moi la paix. — Comme Monsieur voudra. »

Plus tard, je devais accepter une petite femme, après qu'une bande folle, entre-temps, eut encombré la boîte, crié, chanté, dansé. Les hommes portaient les chapeaux des filles et vice versa. Une fille, je crois, but dans mon verre. Derrière deux poules enveloppées de fourrures blanches, il y eut aussi des officiers Boches qui claquaient des talons, saluaient le bras tendu. Ils tenaient une bonne cuite, ces Messieurs, et les poules, sans cesse, clignaient de l'œil à la serveuse.

Mes souvenirs se brouillent. Je ne revois pas la petite femme et ne puis la décrire. Sous prétexte de nous aider à franchir la nuit, de nous distraire, il me semble qu'on nous infligea du danseur à claquettes et de la danseuse nue et du prestidigitateur. Moi, je m'acharnais, autant que je me le rappelle, à ennuyer la petite femme. Je lui demandais ce qu'elle touchait de la maison, ses rapports avec le groom, avec la police. Je lui parlais noblement, mais pour l'abrutir, soudain, d'une bonne grossièreté. Elle aurait voulu savoir d'où je tenais mon argent.

« Marché noir, mon petit ? » Je racontai que je travaillais pour les Boches, alors elle me pressa le bras avec plus de tendresse. Je travaillais pour les Boches, je devais gagner un argent fou. « Dans quelle branche travailles-tu ? — L'industrie. — Quelle industrie ? — Les roulements à billes. »

Elle s'enquit de mon opinion sur les Allemands et se crut obligée de plisser les yeux pour me préciser la sienne, m'offrir la sienne. « Les Boches, hein, c'est comme partout, y en a des gentils et des pas gentils, y en a des corrects et des pas corrects. Une fois, j'ai causé, comme à toi aujourd'hui, à un officier qui était dans les sous-marins, eh ben, tu sais, des Français gentils comme lui, chiche, j'en ai jamais rencontré. C'est souvent que j'ai les larmes aux yeux tellement qu'il était gentil. Poli, bien causant, bien doux, bien propre et tout. — Qu'est-ce que tu veux que ça me foute ? — T'es jaloux ? — Tu ne m'as pas regardé. »

Plus tard, elle me proposa une affaire : des paires de bas, pure soie, à deux cent cinquante francs et des citrons à vingt francs pièce. Une carte de viande, aussi, et une carte de pain — prix à discuter. Elle m'assommait. Il me paraît qu'elle était, comme dans la chanson, jeune et jolie, seulement elle ne m'excitait pas. Elle cherchait à me griser. Vers quatre heures, j'acceptai de sortir avec elle, dans la nuit déserte, et de remonter jusqu'à sa maison, quelques numéros plus loin. Aucune émotion, hélas ! de marcher dans la nuit interdite. Chambre qui danse au fond de ma mémoire. Un téléphone sur une table de nuit. Des photographies de Boches et une croix de Lorraine. Des citrons dans du papier de soie. Des numéros de *Signal*. Une bouteille de whisky. Consciencieusement, dédaigneusement, irréellement, je fis les gestes de l'amour.

J'ai libéré plus de six mille francs. Dans une seule nuit. Pour un plaisir fade, un plaisir grisaille. Je suis heureux, car je ne tiens pas au plaisir, mais au vertige. J'ai vu tourner un cabaret de nuit et couché avec une femme dont j'ignore le nom. Je ne rapporte pas, dans ma poche, un souvenir de cuite, une fleur artificielle, un pied de verre, mais une lettre. Une lettre inachevée, qui traînait chez la petite femme, et que j'ai dérobée avec art. Pauvre bafouille idiote :

« Mon cher petit Erik,

« Je suis bien contente, tu sais, que j'ai reçu de toi une longue lettre que j'ai reçu hier même que je commençais à m'impatienter et à dire à Fernande « c'est « pas possible. Il a quelque chose il m'écrira pas ou « bien il est parti chez lui » et puis Voilà c'est la concierge qui me dit il y a une lettre pour vous ça fait que j'avais tort et que je suis bien contente, tu sais parce que, des hommes comme toi ça s'oublie pas la vie c'est pas drôle et je peux bien dire que j'aime les beaux gosses... »

Trois pages dans ce style... Je pourrais composer une brochure : « Qui est Erik ? » A chacun sa vérité. Pour moi, une silhouette flottante sur un fond de néant. D'autres verront un médiastin qu'on opère. La petite femme, un homme qui en redemande...

El Garron. Te connaîtrai-je une fois ? Existes-tu ? Cette femme épaisse, à la haute robe noire et aux lèvres charnues et trop pourpres, dont je chante en refrain les apparences, descendra-t-elle pour mes yeux de son affiche ? Mais cette femme-là, non, je le sais, cette femme-là se développant selon ce même dessin, ces mêmes couleurs, n'existe pas. Une l'affiche, autre la femme. Demeurez donc dans les couloirs du métro, demeurez dans le décor, le passage multiple et fuyant des hommes... Je ne vous saurai pas autrement que sous cet aspect. Ma fièvre se satisfait de vos plates images.

Dimanche soir.

Déception. Je suis allé aux courses avec Simone et y ai perdu cinq mille francs. Mais la déception réside ailleurs. J'ai appris aujourd'hui que je n'aimais pas ce mélange du sport et du jeu, ni interposer des trots ni des galops entre moi et la chance. Bon pour les femmes et les « petites natures ». Oui, bien sûr, je ne m'ennuyais pas à contempler *B.B. Babitt, Petite tête, Tom Jones,* ou *Mont'là-dessus* — seulement je me serais attendu à autre chose. L'hippisme, je m'en moque. Je joue.

Ça foisonne de péripéties et d'astuces, ces histoires de courses, mais, j'en appelle aux connaisseurs, une salle de jeu, ça vous possède une autre allure. Ce n'est pas gai ni éclatant ni chatoyant, c'est grave, terrible même. Pas de crottin, de boue ni de hennissements, ni de chapeaux dernière mode, ni de jumelles ancienne mode, ça ne crie pas, ça n'encourage pas, ça ne se presse pas, ça suit une belle ligne, un axe pur et austère. C'est sinistre, diront les petits gars que les journaux appellent des turfistes, mais, palsambleu, il ne faut pas regretter le mot ni la chose ! La vie, je pense bien que la vie est sinistre. La vie (tant pis si j'épouvante les turfistes), la vie, ça n'existe pas. Une salle de jeu, qui réduit au minimum les traits de la vie, ne peut que séduire l'âme. Un croupier en habit noir, déjà tout semblable à un ordonnateur. Des lumières artificielles. Des mots brefs et toujours les mêmes. Des symboles...

J'ai payé le restaurant à notre dactylo, qui n'en revenait pas de mes dépenses et ne savait trop si elle y prenait plaisir. J'offrais du bourgogne et une liqueur : elle a ri comme une petite folle, mais au moment de la note, elle s'est tout de suite rembrunie : « Six cent vingt-trois francs ! — Qu'est-ce que ça peut te faire puisque c'est moi qui paie ? — Je n'aime pas à voir jeter l'argent par les fenêtres. — Tu n'es pas swing. » Elle m'énervait, cette idiote. Prétendant l'éclairer sur le cours de la vie, je lui donnai, le sourire aux lèvres, le chiffre de mes dépenses dans la nuit de vendredi à samedi. Le coup l'atterra. Etait-ce possible ? Par le détail, je me mis à lui raconter ma nuit montmartroise, avec un luxe de commentaires et d'analyses, très calme, tout en fumant, comme si j'avais parlé à un littérateur. Je précisai la si subtile espèce de dégoût que m'inspirait la petite femme. J'en ôtais, en remettais, je me reculais pour juger de la vraisemblance. Très calme, toujours.

« C'est curieux quand même, une poule, son flegme. Il y a vraiment quelque chose à découvrir, à gagner de ce côté-là. Et, en même temps, cette grossièreté, si... si instinctive... si viscérale... comment t'expliquer ça ?... » Elle ne tenait pas du tout à se « faire expliquer ça », je le voyais bien — la peur de fondre en larmes, seule, l'empêchait de m'interrompre. Elle baissait les yeux sur la table. Une très jolie pâleur lui inondait le front, un pâle mou et verdâtre, ses mains tremblaient un peu, ses épaules se contractaient. Une belle honte. Avec quelques symptômes de notre vieille camarade, la fièvre... Lorsque j'en eus fini, je me reculai, redressai la tête et, les yeux au plafond, lâchai de joyeux ronds de fumée grise. Je jouais l'explorateur qui termine sa conférence et se replie sur ses souvenirs, toute la richesse incommunicable, si sereine, si heureuse, de ses jours et de ses nuits.

Elle pensait en être quitte avec ses bouffées de honte, son silence, sa triste envie de larmes. Elle s'appliquait à ravaler sanglots et reproches. Je la provoquai directement : « Qu'est-ce que tu en dis ? Tu ne trouves pas ça passionnant, des expériences de ce genre ? Si tu essayais, je suis sûr que ça t'intéresserait... » Elle ne put se retenir de hausser les épaules et feignit une toux subite. Elle craint trop de paraître me blâmer. Esclave, esclave, cent fois esclave.

Qui est Simone ?

Lundi.

Simone me fait la tête. Pauvre idiote. Une esquisse de rancune. Deux ou trois nobles soupirs. Moi, au contraire, je suis très *old fellow,* gai cent pour cent; je lui tape dans le dos, lui enlève les dossiers des mains pour les lancer sur des chaises. Très Fernand Gravey, très Suzy Delair. Je regrette de ne pas posséder le don des grimaces.

Fièvre. Modeste fièvre. Là-bas je connais le remède, aussi doux que le mal, aussi plaisant que lui. Je vais prendre une hostie d'aspirine. Mon Seigneur et mon Dieu, j'ai faim et soif de vous, mais je ne regrette pas cette souffrance où je languis et par quoi, plus ardemment, je me tourne vers vous. Je vais vous recevoir, doux pain de vie que mes dents n'oseront mordre.

CHAPITRE VII

Mercredi.

L'heure est venue où reposent les fameux honnêtes gens — heure et gens théoriques. Je suis chez moi à ma petite table. Bien que j'aie fini ma journée, je travaille encore. *Nil actum reputans si quid agendum reliquisset*. Je m'occupe à me créer un peu de ma pierre philosophale, le bonheur. Mon alchimie ne réclame pas un outillage savant ni pittoresque et des objets parmi les plus familiers y trouvent place. Une bouteille d'encre, un stylo. A l'araignée, pour filer la toile que les journaux admirent et où ils voient « le bas de demain », à l'araignée suffit le jus gluant qu'elle secrète. De l'encre, un stylographe, des mots. Rien de plus et voici mon atelier.

La lettre par quoi je dénonce mon curaillon à la Kommandantur, je ne la regrette pas, elle est dans la note, elle m'a donné un frisson agréable, mais c'est en fait un coup d'épée dans l'eau. Ce n'est pas ce que j'appelle du travail. Elle figure dans la série Grand Luxe et ne touche pas le public. Je dénonce le curaillon — très joli, mais je n'ai pas le moyen de vérifier sur place si le curaillon se fera sonner les cloches. Je crée pour d'autres une jouissance dont je ne perçois qu'une part infime. Les soupçons, la crainte du curaillon, les conciliabules, les bruits de crosses dans les deux sens de ce mot justement ambigu, le car de police, les claquements de bottes, les hurlements, qui sait ? — tout cela, tout cela m'échappe. Selon les lois du monde, pourtant, tout cela m'appartient. Oui, c'est un coup d'épée dans l'eau, ou, encore et plutôt, un coup de fusil tiré dans un taillis inextricable, au jugé, sur une bête... Décidément, je ne touche pas le public. Le bon public haletant de mon corps. Mes nerfs. Mes os. Mes muscles.

J'écris cette fois à la Kommandantur pour dénoncer mes voisins du 6e, les Fouilloux, comme gaullistes et fervents auditeurs de la B.B.C. Sous la simple signature « Frédéric Bourciez, représentant de commerce et vieil européen. » Metternich le dit dans *Le Congrès s'amuse :* « Ça, c'est du bon travail » et, si Metternich le dit, j'aurais pu le dire tout seul, mais, n'importe, une bonne enseigne de film ne nuit pas au tableau. O suaves araignées, je comprends vos jouissances. Votre monotone puissante lenteur. Et j'ai même l'impression de connaître des jouissances plus savoureuses.

La vengeance ? Oui. Mais ce n'est pas des Fouilloux que je me venge, encore qu'ils se situent parmi ces sottes petites gens, dénuées d'ambition, qui se fichent un peu partout dans vos pattes. Je me venge de la sale, sotte, grotesque vie. De cette vie qui me donne les moyens de commettre ces actions idiotes et ignobles. De cette vie assez laide pour autoriser mon âme à fouailler et à diriger mon corps, mon corps à ne pas jeter bas mon âme. De cette vie par quoi sont les maisons des villes, ces prisons, ces souricières posées les unes sur les autres, la gueule figée vers des rues, des trous insipides. De cette vie par quoi sont les commérages, les odeurs d'escalier, de cabinets, de chou, d'oignon, d'ail, de fromage, les ascenseurs, les concierges, les médiastins, les appareils de T.S.F., les tampons Jex, les chansons allemandes. De cette vie qui, des pieds à la tête, irrigue Simone et Louise, Madame ma mère et Romanino. Je me venge, je me venge. Et, en même temps, je ne me venge pas. Un peu fou, mon discours, mais depuis longtemps je connais la route de la folie, la belle avenue droite, bordée de somptueux et terribles projecteur, qui me mènerait dans la folie. Il est vrai qu'en même temps je ne me venge pas. J'ai lancé un signe à la folie. J'ai des amis dans la place. J'écris cette lettre pour me rattacher à la tradition française, au même titre que Cézanne et Van Gogh poursuivent le Maître de Moulins, j'écris cela pour le travail, pour dire à mon existence : « Avance », à mon corps, « Marche, marche », pour marquer une action de mes initiales momentanées. Je reste sur la terre pour accomplir le mal, mais, d'abord, pour agir. Pour aller au-delà de ce qui a été fait. Ajouter à ce qui a été fait. A chaque jour suffit sa peine, mais à chaque jour il faut sa peine, ce coup de reins en avant, cette mastication d'espace et de fumée. J'écris ma lettre à l'image du chef romain qui se rue dans les rangs ennemis pour que ses soldats aillent l'y rechercher. Demain il faudra que j'aille me rechercher dans le mal. Sus à l'ankylose. Que je ne me mêle pas de devenir paisible.

Si j'avais la main pleine de vérités, je ne l'ouvrirais pas. Ah ! cette bêtise ! Et dire qu'en classe de première B j'ai eu à traiter de ce glorieux thème. Je me le rappelle comme si c'était hier et me revois manquant de sarcasmes pour river son clou au pauvre Fontenelle... Messieurs les professeurs, constatez ma logique. Renaut de la Motte adresse à Renaut un salut protecteur, mais tendre. J'ai la main pleine de vérités et je l'ouvre. Je sais que les Fouilloux écoutent la radio anglaise — eh bien, je le révèle. Dénonciateur ? Pfffuiitt ! Les gens ont usé de ce mot pour salir la chose. Le contraire nous eût surpris. C'est inventeur qu'il faut dire. Inventeur à la façon de Christophe Colomb et de Newton. Cette maison contenait un secret, il fallait y songer ! J'ai trouvé que les Fouilloux écoutaient la radio anglaise. J'ai dégagé, dans le magma des apparences, cette chose précise, cette chose nouvelle, sur quoi tout le monde marchait et que nul ne songeait à isoler du reste. Les Fouilloux écoutaient la radio anglaise : « Mais oui. C'est que c'est diablement vrai. Mais oui ! » peut crier la foule. Chut. Modeste, je me dérobe à ses applaudissements car ce n'est pas à elle que je vais livrer le fruit patient de mes observations, mais au Bureau des Recherches, la bonne grosse vieille Kommandantur. Et encore. Je prête ma plume à Frédéric Bourciez, représentant de commerce et vieil Européen... Modeste comme une petite fille.

Jeudi.

J'ai choisi ce matin les lieux du crime. A la façon des « Copains ». J'ai regardé un plan de Paris. Les arrondissements m'offraient chacun sa bonne idiote couleur, sa figure dans l'espace non moins idiote et, par grands coups de maisons, les rues tranchaient là-dedans. J'ai arrêté le XIXe, et, dans le XIXe, la place des Fêtes. Belleville. La gaieté populaire et le mauvais coup. La chanson sentimentale et la trahison. Bravo. Bon mélange... Aussi bien s'agit-il d'un point élevé. De là, on tire bien. Rien d'étonnant si un obus, parti de Belleville, tombe quelque part vers la place d'Italie.

Le cher métro m'a transporté sur les lieux. Je fuyais sous les maisons, sous les caves de Paris, et, comme un rat sort d'un égout, j'ai jailli place des Fêtes par l'escalier mécanique. Une femme enceinte voulait me coller des roses, un Arbi des sucres d'orge. J'ai franchi les couloirs et, sur la marche de l'escalier mécanique, j'ai pris mon personnage. Je suis sorti là-haut Frédéric Bourciez.

Il faisait nuit noire. N'étant jamais venu dans le quartier, ayant oublié le plan, je ne savais ce qui était devant moi — un mur, un trou, un jardin, une rue. Je tâtais la nuit. Je jouais à colin-maillard avec la nuit, avec des maisons, et, après une minute seulement, pensai à héler une ombre pour m'enquérir d'une boîte aux lettres. Un homme qui devait être un petit format crachotant me parla d'une boîte sur ma gauche, mais, dit-il, « Si c'est une poste que vous voulez, il y en a une de l'autre côté, sur votre droite, en prenant la rue des Fêtes. » Moi, je voulais bien. Frédéric Bourciez voulait bien.

Le pauvre cher homme, un peu plus tard, devait se montrer d'une prudence démoniaque et je lui crois dans les veines du sang d'un vieux bourgeois Louis-philippard. Ne s'avisa-t-il pas brusquement d'une chose : on lui colle une écriture qui n'est pas la sienne, mais celle d'un certain Renaut de la Motte. Dangereux. Les Allemands, paraît-il, entre autres déplorables habitudes, montrent aux gens qu'ils arrêtent les lettres qui les ont dénoncés. Rien ne dit que les Fouilloux ne connaissent pas mon écriture. Qu'ils soient jetés à Fresnes, je n'y vois pas d'inconvénient, mais moi, je ne veux pas y aller. J'ai remis la lettre en poche et donné congé à Frédéric Bourciez.

Ce soir, je me rappelle que Frédéric Bourciez, businessman *up to date*, ne prend la plume que pour signer la correspondance. Où diable avais-je la tête.

Revenu, à pied, de la Bastille jusqu'ici en raison d'une alerte la nuit ne semble pas encore très calme. Admettons que ces bruits rapides, proches des toits, ce soient des avions allemands — ces Messieurs ont tout l'air d'attendre l'ennemi. Le croissant de lune joue, dans le ciel, à briller comme une petite lame... Je salue, dans l'arrêt du métro qui se prolonge une demi-heure après les alertes, une réussite humaine, mais vous pouvez être sûrs que ces imbéciles n'ont pas fait exprès de réussir. Il est bon, il est beau que ce métro merveilleux n'obéisse pas au doigt et à l'œil. Les hommes décident seuls, crac, d'interrompre le flux de son énergie — qu'il leur soit interdit de le voir remarcher à la minute même où ils le souhaiteraient. Bravo, galeries souterraines. Sabotez l'abusive autorité de vos chefs. Ils osent porter la main sur vous. Effrayez-les de votre mystère.

Vendredi.

Romanino m'offre un dîner plantureux dans une petite boîte, vers la gare de l'Est, que Doriot, quand il est Parisien, honore parfois de sa présence. Assistance très P.P.F., très tassée, avec des chapeaux féminins très swing. J'ai tapé dans l'œil à un turban bleu (un peu soûl, le turban bleu) qui dînait avec un épais margoulin. J'aurais dû pourtant être tout à mon affaire, à savoir les grands discours de Romanino, qui tendait : 1° à vouloir comprendre les raisons de la subite hostilité de Louise envers ma personne et à me réconcilier avec ladite Louise; 2° à me convertir au P.P.F.

Histoire d'intéresser le débat, je simule des opinions gaullistes, molles et amples, que j'ai laissé à mon camarade le soin de pourfendre. En fin de soirée, je me déclarais sympathisant P.P.F. ! et Romanino s'expliquait de moins en moins l'hostilité de Louise. Un type sincère et qui sait se rendre aux arguments, surtout quand il a mon visage et mes manières Louise ne pouvait que l'aimer. Bizarre, bizarre, comme dit Jouvet dans *Drôle de Drame.*

Le titre de sympathisant P.P.F. ne donne-t-il pas droit à la double identité ? Romanino pouffe de rire. Il paraît, encore une fois, que c'est tout de même plus difficile d'obtenir une fausse carte. J'arguai des attentats communistes. Par les temps actuels, brrr, il ne faisait pas bon être P.P.F. Qu'est-ce qu'elles prenaient, les Permanences, qu'est-ce qu'ils prenaient, les militants ! Gaston hausse les épaules. Que je me donne la peine d'attendre. Seulement jusqu'à l'année prochaine. Alors se produira le débarquement, c'est-à-dire l'échec du débarquement, la défaite anglo-saxonne, le triomphe du Grand Reich, etc. Les attentats communistes ? Il faudrait se baisser pour en voir. D'ailleurs, sauf mon respect bien entendu, et en raison même de ma superbe intelligence, il me trouvait légèrement mollasson. C'était si bête de craindre. Une mitraillette, un revolver, un fusil, c'est tellement gentil, cela se place si aisément dans la main et sous le bras...

Pendant le retour, follement excité par une jeune garce. Elle était montée, comme moi, à République et, comme moi, s'accoudait à la barre de cuivre. Ni belle ni laide. Les yeux d'Odette de Maumond, en plus sensuel. Odette de Maumond — Danielle Darrieux. Mais elle avait déboutonné son manteau et je voyais sur la blouse, côté cœur, les initiales fatidiques : J. C. Je fis donc feu sur elle de mes regards les plus incendiaires et, flattée par mon adoration métropolitaine, elle ronronna, considéra béatement la glace, béatement les lampes, béatement une petite fille; elle se lissa les cheveux. A Bastille, issu de la gare de Lyon, un flot de voyageurs, de valises caquetantes, de filets écrasants. Marché noir ? Marché familial ? Un sac de pommes de terre s'effondra entre mes jambes, par-derrière moi, avec un bruit de roche. Une oie, sur le quai ou dans une voiture, poussait des clameurs, une deuxième oie lui répondit. Chacun riait. Un voyageur trop curieux faillit me renverser sur les pommes de terre... La jeune garce et moi, nous avons échangé un tendre regard... A place d'Italie, voilà d'une autre musique. Je lui avais emboîté le pas et la garce en prenait de l'inquiétude. Elle se dépêchait pour me fausser compagnie. Comme elle jaillissait dans la nuit, je la rattrapai : « Vous êtes libre, ma chérie ? — Laissez-moi donc. » Elle avait une horrible voix. Je battis en retraite.

Samedi.

Hier soir et ce matin, je me suis fait donner par Simone des leçons de dactylographie. Frédéric Bourciez dicte ses lettres, il faut que je sois capable de les lui prendre ! Mais quel homme ! Encore une fois, un de ces enrichis du marché noir, qui ont tout à gogo et ne savent pas attendre. Or, je n'écrirai pas à la machine, en mettant les choses au mieux, avant huit jours. J'envisage une autre méthode. Et puis quoi, au diable la logique, je n'envisage pas une autre méthode pour pallier mes lenteurs, mais parce qu'une autre méthode me semble tellement préférable. Une autre méthode est là, qui scintille. Je m'en vais fasciner une âme, comme le chat un oiseau. Serrer le kiki à une âme. De l'ardeur, que diable, de la fièvre. N'allons pas nous perdre dans l'esprit de suite, d'autant, selon la sagesse des nations, que les combinaisons les mieux préparées échouent quelquefois par là même. De la fantaisie et du désordre dans la volonté maléfique. Inspirons-nous des écarts de la fièvre. Un pied dans la prudence, l'autre dans la hardiesse.

Une machine à écrire, cela ne garantit rien. Selon de Gentien, toute machine à écrire possède tel ou tel défaut, presque invisible, en propre. Plus exactement, telle ou telle série de défauts. En somme, chacune possède ses empreintes digitales et, d'un document écrit, l'on doit pouvoir, toujours, remonter à la source particulière. Ouais. Le détail est piquant. De Gentien m'assure que, dans une affaire criminelle, Seznec-X... ?, une machine à écrire joua un rôle de premier plan. Ouais...

Pour le moment je garde sur moi la fameuse lettre, que je ne veux pas laisser dans un tiroir : et la femme de ménage ? Naturellement je puis tomber dans une rafle, être fouillé. Bien sûr. Je ne sais ce qui se passerait alors. La présence de cette lettre dans ma poche agit sur moi, en tout cas, à l'égal de la fièvre. Je sue de la présence de cette lettre, j'en ai froid dans le dos. Ce n'est plus une lettre, mais un cataplasme. Bénie soit l'angoisse qu'elle me donne.

Dimanche matin.

Je suis doucement, saintement crevé. Il me semble à la fois que je ressuscite et que je m'effondre. Combien de temps la farce durera-t-elle ? Si souvent déjà, cette année, j'ai connu de semblables défaites.

« Quand on est jeune, on a des matins triom-

phants », dit l'autre veau. Il fallait écrire « déchirants ». Ou le vers est idiot, ou je ne suis plus jeune. Le vers est idiot et je n'ai jamais été jeune. Matins triomphants... parce qu'il fait beau. Parce que le café au lait se prend au lit et avec des croissants. Parce que l'âme demeure aussi vide qu'elle se croit pure. Pauvres, insanes raisons. Le vers est idiot parce que je n'ai jamais été jeune. Parce que, la jeunesse, cela ne veut rien dire. *Words, words.*

Place d'Italie, les feuilles mortes des paulownias, humbles, jonchaient le pavé sec, la terre tendre. Air bleu. J'ai reçu, comme une gifle, le doux paysage urbain qui surplombe mon avenue, et ce sacré Panthéon. Une gifle, oui. Un paysage si propre et si net, si auroral et calmement diurne, qu'il insultait à ma peau flétrie.

J'ai veillé, toute la nuit, chez Maurice. Convoqué par lui. Engueulades. Il ne s'occupait plus de moi depuis que je filais un mauvais coton. Politiquement, comme de bien entendu. Un sale collabo. Mais je n'avais pas pu ne pas changer ! Fontanges lui-même changeait. Catherine Esterhazy et Mireille Daraut changeaient. Les événements. Les atrocités boches. Ce dernier coup des otages. Vive la France. Et l'officier boche qui livre les cadavres à une équipe de Mongols, spécialisée dans la mutilation des morts... Il tenait donc à me voir, le Maurice, à me voir et à me recevoir, moi, le toujours chétif petit obscène. A me sonder. A me demander si, cette fois, j'avais compris. A me déterminer. A utiliser mes services. En un mot comme en deux, accepterais-je de figurer dans un groupe anti-boche ? Je bafouille : il ne me laissait pas le temps de réfléchir ! Il trouvait, lui, que ce devait être tout réfléchi. Oui ou non ? Il ne s'agissait plus de propositions amoureuses, ni d'exciter un pauvre soupirant par le déhanchement *ad hoc*. Oui ou non ? Pas de danse nuptiale. (Toujours galant et voluptueux, le Maurice, même quand il joue à la politique !) « Je t'assure, dis-je, que je ne puis te répondre tout de suite. » Il alluma une cigarette. « Tant pis. Alors c'est non. — Voyons, Maurice, tu te trompes, tu vas trop fort... — Non, non, je vois exactement les petites choses obscènes auxquelles tu penses. C'est non. »

Il voulait que ce fût non, ce serait non ! A Marseille, après constatation de mon insuffisance, un certain père Estivard m'avait, à peu de chose près, jeté dehors, chez Maurice il n'en va pas de même. Une collation splendide était servie : chocolat, gardé brûlant dans une bouteille thermos, pain d'épice, longuets au miel, longuets au beurre, crème Chantilly, champagne, saucisson, que sais-je. Méli-mélo très cinéma. Collation fine à touche populiste. Comme si de rien n'était, nous papotons, bâfrons, comparons gâteaux et pièces de théâtre, plaisanteries et liqueurs. Il venait de recevoir, le Maurice, un banquier roumain, officier de réserve un peu espion, un peu poète, un peu cinglé, qui sortait de Fresnes où les Allemands l'eussent jeté par admiration pour sa personne. Une personne admirablement dangereuse, à retirer du commerce. Le dit banquier roumain connaissait sur Hitler toutes sortes d'histoires drôles, cent cinquante-quatre, mais il en cherchait d'autres. Il tapait les gens, et il inventait lui-même, soucieux d'aboutir au total de cinq cents. Alors il publierait un ouvrage. C'était chose décidée, il avait le contrat en poche. (Image pure et simple, je le conjecture. Cet homme ne doit pas aimer à suer d'angoisse comme Renaut de la Motte.) Il lui manquait seulement cinq cents, moins cent cinquante-quatre, histoires drôles. Le premier jour après la défaite allemande, le livre sortirait.

De l'entretien avec son homme Maurice possédait le sujet à bloc et il me raconta au moins une quinzaine d'anecdotes. Hitler au paradis. Hitler en enfer. Hitler chez le boulanger. Hitler chez la cartomancienne. Hitler faisant du sandow. Et de rire, et de rire, et flatteurs d'applaudir.

La causerie, peu à peu, changea de tournure. Entre deux bouffées cigariennes, moi qui ne demandais rien ! Maurice déclara qu'il ne craignait nullement de me voir le dénoncer. Remarque pertinente. Mon silence, puis mes bafouillages après sa question directe, s'expliquaient sans doute, entre autres, par le fait que, souterrainement, je prenais note d'une dénonciation possible; j'en caressais, j'en léchais l'idée. Le doux socle du projet de dénonciation, la douce et chaste base... Donc, peine perdue, et pourquoi ? Maurice, le vilain, m'avait « donné ». S'il lui arrivait quoi que ce fût, j'y passerais à mon tour. Quelle vie. Les tempes serrées, mais la voix calme, sinon flegmatique, je fis observer que Maurice y allait fort. Il me traitait comme un otage, moi, pauvre petit des tout petits. « S'il lui arrivait quoi que ce fût... » Ce qui revenait à dire que, si un autre dénonçait Maurice, ce serait moi qui écoperais ? Il rit longuement. Cette chère vieille crapule de Georges. Cet obscène petit fourneau de Georges Renaut, qui ne s'appelait de la Motte que pour les tournées en province. Il cligna de l'œil et je voulus me rebiffer, mais en vain, car il savait à quoi s'en tenir. Pas de dignité offensée ! D'ailleurs, il ne m'en jugeait pas plus mal : il approuvait les chauves de porter perruque ou de se teindre la tonsure, il approuvait dix fois plus les jeunes d'être des ambitieux... Que je me rassure, en tout cas. Je ne servais nullement d'otage et ne paierais nullement pour la faute des autres. L'organisation avait ses antennes. « Ils » dénicheraient toujours le nom du coupable et leur vengeance ne s'égarerait pas.

Une demi-heure, à bâtons rompus, nous avons discuté littérature. Proust. Valéry. Proust. Valéry. Identité du moi. Je demandai tout à coup si, dans l'organisation de Maurice, le droit à une double identité m'aurait été reconnu et il accepta de me répondre. J'aurais d'abord possédé un surnom, révélé seulement à trois ou quatre fidèles, après quoi, oui, j'aurais été mis en possession de faux papiers.

Mon cœur battait à se rompre. Un beau pays, la France. Comme il se peuple aujourd'hui. L'être humain français se féconde lui-même, par fragmentation directe, comme la cellule animale. C'est beau, c'est beau. La Trinité selon saint Thomas en perd son latin de jalousie. Dieu se connaît. La connaissance que Dieu prend de lui-même, voilà le Fils. Et Dieu, se connaissant, ne peut pas ne pas s'aimer, voilà le Saint-Esprit — l'amour procédant de la connaissance que Dieu prend de lui-même. Enlevez, c'est pesé. L'être humain français 1943, gros de ses rancunes, fier de ses haines, de ses ardeurs, de ses résolutions farouches, en arrive aussi à se connaître lui-même, et de cette connaissance procèdent en France d'innombrables Saint-Esprit, d'innombrables doubles, chargés, plus particulièrement, des grands actes lumineux. O sainte et impossible Liberté, je sens par tous mes nerfs que je tendrais vers toi si je possédais mes trois êtres, comme Brahma, trois noms pour fixer les trois génies essentiels que je porte, les trois séries de désirs où je m'enfonce.

Maurice, là-dessus, reprenant ses douces insignifiantes railleries envers ma particule, je m'échauffai. Je lâchai le morceau. Comment se faisait-il que l'homosexuel Maurice, tel le plus grossier des hommes nés de la femme, se passionnât pour le sort de son pays ? Que l'homosexuel et sadique Maurice, au lieu de vibrer en accord avec les mille destructions et crimes des Allemands, s'insurgeât contre eux ? Les beaux Corydons, les beaux Alexis, le tumulte intelligent des armes ne les concernait pas. Ou alors qu'ils se rangent avec la force.

Qu'ils admirent le fleuve de sang, qu'ils lui creusent un lit plus large. Après tout, en brûlant les villages, en battant les prisonniers, en leur infligeant de tortueux supplices, les Allemands ne manifestaient rien d'autre que ce goût sombre de la destruction et de la mort, cette profonde amertume et volupté du néant tellement recherchés par l'homosexuel. « Continue, me dit Maurice, tu m'intéresses. » Je lui reprochai cette vulgarité soudaine, mais je n'obtins pas de lui la moindre réponse. Je peux dire qu'il se défila. Et nous sommes retombés dans la littérature.

O nuit, sainte nuit de fatigue où les vêtements collent aux membres, le corps à l'intelligence, et l'intelligence au corps. Où, dans l'assoupissement des dernières heures, ne cesse de briller, comme le gros œil tendre du cyclope, l'intelligence. La funeste intelligence, la divine intelligence, l'exécrable et grossière intelligence.

Dimanche soir.

Je devais prendre Simone chez elle mais je me dégoûtais trop pour oser un tel acte. J'étais un peu fou. La rédaction de mon journal avait achevé de me mettre à plat... J'étais un peu fou, je suis un peu fou. Comme Charlot, à la fin des *Temps modernes*, parmi les danseurs, je me sens perdu parmi ces dedans-dehors continuels, métro, rue, chambre, métro, pièce brûlante, pièce glacée, rue froide, rue tiède, métro gluant.

J'avais besoin de Simone : tant pis, je la laisse tomber. Ça lui fera les pieds. Si ça ne doit pas lui servir aujourd'hui, ça lui servira un autre jour. J'ai descendu, monté, redescendu, remonté, l'avenue des Gobelins. Devant les cinémas, de longues queues hirsutes et béates et béantes. C'était beau. Des glaciers vendaient leurs sales petites choses blanchâtres et rosâtres, avec petite cuiller de bois dans une tasse en carton. Ça pourléchait ferme, puis ça jetait par terre cuiller et tasse. Il s'en collait partout. Dimanche infect. Un morveux, porté sur les épaules de son père, fait se retourner les gens. Rires enthousiastes. C'est quelque chose tout de même ! On aura vu quelque chose ! Un morveux et qui rigolait ! Et un citoyen, malgré les restrictions, qui joue les fiers-à-bras...

Les cinémas n'annonçaient guère que des films allemands et, dans la zone dite libre, la zone nono, m'en avait-on rebattu les oreilles de l'échec de ces films. Les Parisiens les boudent, me criait-on. Pauvre bouderie. Pauvre mortelle bouderie. Pauvre non éternelle bouderie. On me disait, aussi, qu'il ne montait plus de Parisiens en première classe du métro. Je n'aime pas les films allemands, je les trouve ridicules neuf fois sur dix et, quand ils passent en exclusivité, je ne vais pas les voir. Ce qu'est alors l'accueil du public, je ne saurais le dire. Mais la cohue de ce jour, avenue des Gobelins, cela me regarde. Le besoin de films qui se trahit dans l'avachissement des corps, la honte légère des yeux, le teint blafard, les timides ou les grasses plaisanteries. Des films allemands ? Va pour les films allemands. A nous Emil Jeannings, Heinrich Georges, Marika Rökk. A nous les danseuses en robe longue, les sourires à trente-deux dents, les villes provinciales étriquées où sonnent des carillons, les pauvres manteaux du médecin si paternel, le grand-père et son collège de petits-enfants, les situations nettes, le déshonneur qui tombe, par cascades, sur une famille, sur un homme triste. Et les grands domestiques dédaigneux ou spirituellement grivois.

Je ne sais plus où j'en suis de moi-même. Constatons les faits. Je me sentais plein d'une vigoureuse pitié pour Jeannings, pour Georges, pour Rökk. Je cherche ma voie, mais fausse tout de suite l'expérience car une telle horreur me saisit devant les autres que, là où ils vont, je refuse d'aller... Puisque Fontanges lui-même se croit obligé de transcender le dégoût, je reste, moi, dans le dégoût. Puisque Fontanges lui-même veut céder quelque chose à la méfiance générale envers les Boches, je ne lui accorderai rien. Mes chéris. Jeannings, Georges, Rökk. Mes bons amis bovins et emphatiques. Je ne suis pas allé vous voir ce dimanche, parce que, vraiment, vous me crispez, mais soyez sûrs que je vous aime.

Tout à ma sourde et profonde rancune contre Maurice, Fontanges et le public parisien, j'ai suivi le boulevard de la Gare. De temps en temps un métro passait avec un bruit fou. Le boulevard s'enfonçait dans sa descente, lâchant, ça et là, un hôtel borgne, un bistrot, un atelier. Pas un Boche en vue. Pas le moindre motocycliste de la Wehrmacht. Sur les piliers du métro, sur les façades, les palissades et les murs, couraient, grimpaient, des « *P.P.F. vaincra* », et des « *Doriot* » et des « *Déat* » et, par grands groupes soudains, éclataient aussi des affiches multicolores de propagande. Mais tout cela restait silencieux, dépourvu de sang et de fièvre. Des mots et du papier. Aucun Allemand ne surgissait, aucune souris grise ne se faufilait en hâte. Solitude parisienne, traditionnelle, de ce quartier. Si j'en exceptais les balafres, je contemplais une ville sur quoi les Allemands ne pesaient pas. Tel, avant l'occupation, descendait le boulevard, tel, après l'occupation, il descendrait encore. Hélas ! Pauvres hommes puissants, votre destin n'était donc pas de tordre ni de trouer ces gros piliers vulgaires. De faire sonner vos bottes, de longues années, sur ce trottoir grisaille. De pendre et laisser tomber en poussière, accrochés aux pieux de cette palissade, les cadavres de vos ennemis. Vous n'avez pas eu la hardiesse de votre force. Il fallait détruire et changer davantage. Le métro s'avance, arlequin vert à la petite ceinture rouge, le métro garde ses couleurs. Pauvres hommes puissants.

L'envie m'a pris alors de me coller le nez contre les affiches, de m'abrutir de propagande, mais je n'ai abouti qu'à découvrir mille petites suscriptions séditieuses. Elles se confondent avec le paysage, mais elles sont là. Rien à voir, dans cette audace, avec l'audace patentée d'un Romanino couvrant les murs de « *P.P.F. vaincra* ». Elle est à la fois plus instinctive et beaucoup plus courageuse. C'est-à-dire plus sotte. C'est le puceron blotti dans la feuille et que le premier insecte peut broyer, mais qui, envers et contre tous insectes, demeurera puceron puceronnant à la face des arbres.

Ma montre indique onze heures et demie. Rien ne me permet de la contredire. J'aurai dormi, rêvassé, sur mon journal. Je suis lamentable. Depuis deux heures je devrais être au lit... Ah ! trop bête ! Je puis user et abuser de ma vie sans que nul y trouve à redire, non, pas même ce Renaut de la Motte numéro 2 qui prend conseil, si souvent, de la sagesse — de la veulerie — publique. Ma solitude fonde elle-même ses lois et ses mœurs, il faut laisser la bride à sa liberté sauvage.

Lundi.

Reproches de Simone : et notre pieux rendez-vous ? Je lui lance des sarcasmes et, du tac au tac, pour se mettre à mon école, elle me raconte que, sortie désemparée, au hasard, dans les rues, elle a fait la connaissance d'un jeune homme et l'a suivi dans un hôtel.

« Très intéressant », dis-je et je me frotte les mains. Le jeune homme ne lui plaisait guère, elle ne souhaitait que me tromper. Et se payer une expérience. « Allez, allez, plus vite, ça m'intéresse beaucoup, tout ça. On réclame le détail... »

Elle fond en larmes. Elle annule ses déclarations. Non, elle n'a pas suivi de jeune homme dans un hôtel — me tromper par vengeance, une chose pareille, quelle ignominie ! Voilà. Elle est tout bonnement une pauvre fille qui, hier, a vécu des heures affreuses.

Je la force à me montrer ses yeux. Pourquoi ces larmes ? Elle aurait mille fois dû, en effet, se payer une expérience ! Combien je regrette qu'elle n'en ait pas eu le courage : « Je ne sais plus à quel saint me vouer près de toi », dit Simone, et je me rebiffe. Moi ? Un être tellement simple, le plus simple du monde.

J'aurais peut-être dû, ce matin, poser un jalon dans mon affaire Bourciez et, tandis que Simone pleurait, me fendre d'un discours sentimental. Je vois d'ici ma petite histoire. Ah ! certes, il n'avait pas dépendu de mon amour que... mais une chose me tarabustait, que je voulais et n'osais lui demander, une vilaine chose, ou, plutôt, une chose tenue pour vilaine, et cependant... hier, à deux heures, je me demandais si... Et, là-dessus, mille phrases politiques...

Oui, j'étais en mesure de tâter le terrain, mais au diable ces facilités et ces approches. Le projet grandiose que j'ai conçu, je ne dois pas l'avilir. Supplier, chercher à convaincre, foutaises. Parlons plutôt de séduire, ordonner, effrayer.

Deux nouvelles, ce matin, ont troublé mon service. Le frère d'une dactylo, pour aller du moins bruyant au plus bruyant, serait à Fresnes. Les Allemands l'ont coffré samedi. Naturellement, s'il faut en croire la brave sœur, ils ont fait comme toujours une victime innocente. Pauvre agneau, pauvre agneau. Un gosse... Selon des rumeurs qui semblent fondées, Mauléon saute la semaine prochaine. Motif : tiédeur dans la collaboration. De Brinon l'aurait dans le nez et cet animal-là possède un sacré blair. Mauléon, un jour, dans une antichambre, se serait amusé à dire que les histoires de politique européenne, c'était une grosse rigolade. Il rigolera moins la semaine prochaine. Tant mieux, j'ignorais Mauléon cette imprudente petite folle. Comme on se trompe.

Ces nouvelles ne laissent pas d'être, si l'on peut dire, à double tranchant. Je les accueille avec joie et j'en frémis. Et c'est aussi d'en frémir qui me fait les accueillir avec joie. Elles sentent la mort. Elle ne s'éloigne plus jamais, la garce. La vie, désormais, apparaît comme un objet de vaudeville (« Non seulement les chemises coûtent un prix fou, mais encore il n'en reste plus »), non seulement la vie est une absurde farce, mais encore elle possède une brièveté insensée, mais encore elle s'achève dans la mort, qui attend à la porte, les dents avides, la gueule sinistre.

Mardi.

Quelle surprise. Lhomme. Lhomme de Marseille, Lhomme, l'homme au bouquet de fleurs, Lhomme l'homme qui connaît les femmes ! Noblesse oblige, j'ai commencé par lui infliger vingt minutes d'attente. Il porte beau toujours et mon petit doigt me dit qu'il pourrait être ici en bonne fortune. L'air de Paris, ou la séparation d'avec sa noble épouse, semble lui taquiner le corps. Il vous lorgne les dactylos — impayable ! Il donne comme raison à son voyage la nécessité où il se trouve de prendre le vent. A Marseille on ne sait rien de rien. A Vichy on sait peut-être quelque chose, mais on ne veut rien dire. On se retranche derrière Paris. Va pour Paris. Selon son énergique expression, Lhomme continue de « penser dans la ligne du Maréchal ». Il me cite la fameuse histoire des quatre grands motifs pourquoi les Allemands perdront la guerre — l'industrie américaine, ceci, cela et « la comédie française ». Il tient aussi d'un général la phrase dite par un officier allemand à un capitaine français : « Qui gagnera la guerre ? Mais votre vieux saligaud dans son fauteuil. »

Je ne déclenche pas une controverse. Moi, je m'en fous et m'en surfous de cette guerre qui n'a rien d'un accident, rien d'un aposthume, et qui constitue seulement l'image la plus caractéristique de la puissante astuce des hommes. Gagner la guerre — insensé. Comme on gagne une porte de sortie, peut-être, mais pas davantage. Gagner la guerre, gagner la guerre. Maman, je veux gagner la guerre.

Lhomme prolonge la visite. Il se répète et, dans les vastes formules que je lui reconnais de Marseille, « Les gens trop intelligents, c'est de ça que nous avons crevé », l'accent lui manque... Il éclaire enfin sa lanterne : pour les œuvres de Lhomme, n'y aurait-il pas moyen de... ? Oui, pour monter un atelier, donner des outils aux jeunes, il ne faut pas seulement des bons-matière, il faudrait de bons petits écus. La Jeunesse ne pourrait-elle... ? Mais si, la Jeunesse peut très bien. Je suis dans les meilleurs termes avec Carbonnel, le porteur d'écus, qui, je n'en doute pas, saura dépanner notre Lhomme.

En effet, Carbonnel acquiesce. Cela représente des astuces d'écriture, enfance de l'art. Des fonds seront virés d'un chapitre à un autre. Un peu d'initiative, que diable. Lhomme sourit. En l'honneur de Carbonnel et de sa gentillesse il y va de sa formule : « L'initiative, ah ! le manque d'initiative, tenez, vous allez trouver que je radote, mais, dans vingt, dix ans, vous direz que le père Lhomme avait raison, le manque d'initiative, c'est de ça que nous avons crevé... — Combien vous faut-il ? demande Carbonnel. — Il faudrait deux cents billets. » Carbonnel propose cent billets, après discusion ces Messieurs transigent. Moitié-moitié, 150 000 balles. La somme sera imputée à mon Centre de Rééducation professionnelle en Seine-et-Oise et me sera payée par chèque à moi-même, qui la remettrai ensuite, de la main à la main, à notre sémillant personnage.

J'aime cette douce cascade. Et je n'ignore pas qu'il me faut en tirer profit. Il vit de sales ambitieux par le monde qui songent à cet énorme dessein — gagner la guerre — des gens qui croient que c'est arrivé. Mes vues à moi sont tellement plus modestes ! Prendre au passage un peu d'argent, de l'argent qui se balance sous mon nez...

« Frédéric Bourciez n'a toujours pas écrit à la Kommandantur...

— Et néanmoins (par ce « Et néanmoins » je veux dire « Toutes choses égales d'ailleurs », « *Mutatis mutandis* » etc.,) et néanmoins le bruit de l'ascenseur, dans le silence nocturne, me donne la chair de poule. Cette puissance qui monte du sol, ce fredon grave qui se rapproche, apparaissent comme chargés de mal. Un mal fixé par le destin. C'est le bruit de coulisse, obligatoire, qui précède le malheur. « *Cri de chouette dans le jardin.* » « *On marche dans la pièce voisine.* » Ce n'est que le bruit de l'ascenseur, bruit qui devrait sembler familier, honnête, monotone, eh bien, non, il reste acide et devient tragique. L'ascenseur monte, chargé d'unités humaines comme le présent de menaces et l'avenir de périls. S'arrêtera-t-il au cinquième ou au sixième étage ? Il s'arrête au cinquième. Gestapo. Une main fait jouer le déclic de la porte de fer, je reconnais ce déclic, je reconnais cette main. On est un homme ou on ne l'est pas. On a lu tout de même ses romans policiers. Le silence qui s'établit en moi est celui qui précède les catastrophes. Puisque je me mets en position de catastrophe, en vérité la catastrophe va fondre. Puisque je guette les bruits du dehors, les bruits du dehors vont justifier mon angoisse. Loi de l'offre et du crédit, du besoin et de la demande. Un jour, ce gros pas honnête redescendra jusqu'à ma porte. Ce qui avait commencé par être un employé du sixième sentira trop mon épouvante franchir les murs et, après réflexion, se transformera en soldat boche, en soudard qui se jettera sur ma porte. Et le bruit de la sonnette, injecté dans mes oreilles, se répandra dans mon sang.

CHAPITRE VIII

Mercredi.

Je garde pour moi, je veux dire pour mes œuvres, vingt-cinq mille balles. Je raconte une histoire : au dernier moment, Carbonnel n'a pu virer la somme entière — exercice, cahier des charges et tout le bataclan. Lhomme, déçu, ne songe pas à remarquer mon bafouillage et sa déception elle-même s'évanouit à une certaine parole que je lâche. « Un reçu est inutile. » Il en rirait tout seul. Avec mollesse, il me propose d'en signer un tout de même, d'un geste et d'une phrase noble je m'étonne. Il rengaine son stylographe. Il se lève. Il craint, sans doute, que je ne change d'opinion. Moi, je ne le retiens pas. Ce serait une malchance inouïe que Carbonnel ouvrît la porte et tombât sur Lhomme, mais, enfin, cela reste possible. Qu'il s'en aille, le Marseillais. Il se confond en remerciements, me déclare « très Maréchal » et m'invite à dîner pour ce soir. Nous parlerons de Rataud, de M. de Maumond, de la sardine du Vieux-Port. Il me donnera un coup de fil l'après-midi, foi de Lhomme... Pas plus de coup de fil que de beurre en branche. Ce n'est pas bien, monsieur Lhomme, pas bien du tout. Voyez-vous, les invitations promises que l'on ne tient pas, c'est de ça que nous avons crevé.

Le père Lhomme, je suppose, est en train de prendre

ce soir une précaution que je n'hésite pas à écrire indispensable, j'en appelle à tous les connaisseurs. Il vérifie, quelque part dans Montmartre ou Montparnasse, la valeur des billets de banque reçus à la Jeunesse. Si, par hasard, tout de même, Renaut de la Motte lui avait collé de faux billets ? Ça se rencontre, ces choses-là, et notre Lhomme n'est pas né du dernier mistral. Vérifions les billets. Pour ce travail, rien de mieux qu'un établissement de plaisir. Merveilleux, quand on y songe, l'habileté avec laquelle une petite femme ou un groom repère un faux billet. Ils ont une expérience cruciale. Une fois dépensées quelques coupures, une misérable somme de quatre à cinq mille francs, pour le reste on peut dormir tranquille.

Renaut de la Motte aurait-il dû prendre la précaution qu'il signale ? Eh eh, je ne dis pas non... J'ai encore besoin de la somme totale. Je veux, pour accomplir une certaine affaire, montrer toute la somme à une certaine fille... Qu'en termes mystérieux... Mais un esprit averti ne doit-il pas se ranger à l'évidence ? Nous assistons à une hypertrophie de la glande policière : rien d'étonnant si mon journal, ouvert aux quatre vents de la civilisation européenne — surtout « le vent » par excellence, celui qui souffle dans la « bonne » direction — se laisse contaminer. Je m'ébahirais du contraire. Une certaine affaire, une certaine fille. Vocabulaire des plus normaux...

Une chose m'amuse. J'ai manifesté, je crois, un jour, des craintes pour la lettre de Frédéric Bourciez à la Kommandantur. Il ne ferait pas bon, disais-je, qu'elle traînât... Et mon journal ? Depuis plusieurs mois, il traîne, le gros bavard, il commère, il colporte les secrets. Et, pas une minute, je n'en ai frémi. Si un flot de peur rétrospective m'envahit, je ne puis pas non plus m'empêcher de rire. Novice ! Catéchumène ! Je mérite des insultes... Quoi ! dans ce gros agenda aux pages numérotées, à la couverture épaisse, je n'aurai pas flairé, dès le premier instant, une pièce à conviction ? Que me fallait-il donc ? Je ne saurais imaginer à une chose — est-ce « chose » qu'il faut dire — un aspect plus fuyant, plus faux témoin. J'ai un ennemi dans la place : il est là, repose sous ma main, et je m'entretiens avec lui. Oui, j'ai introduit chez moi un agent double. C'est mon ami, enfin, ce cahier qui, le jour venu, me tirerait dans les pattes. Encore un de ces cahiers russes, polyglottes, ultra-fins et sournois. Il joue le confident dévoué, s'offre à me suivre dans toutes les nuances de mon caractère et, au besoin, il me fournit les mots. Je ne connais pas d'autre fidélité que la sienne à me plaire... Mais, que s'engouffre ici une patrouille, adieu les Terreneuves. Il lâcherait tout dès la première question. Fameux, le dialogue qui s'engagerait entre lui et la police... Mon grand ami me renierait.

Je devrais cacher mon journal. Outre qu'il ne serait pas veule de cacher cet explosif, la veulerie n'aurait rien pour me déplaire. Et puis motus. Je suppose que je tiens encore à la vie pour au moins un ou deux jours. Le temps d'accomplir, avec une certaine personne, une certaine affaire.

Je ne demande même pas à vivre « jusqu'à samedi ». Une autre fois, je pense, le billet que j'ai trouvé sous la porte m'eût séduit par son ânerie, mais, ce soir, il ne m'excite pas. Je ne suis nullement dans l'impatience du plaisir idiot qu'il annonce en termes idiots, ma fièvre possède ailleurs un bel aliment et se déclare satisfaite... Sous la porte, une petite feuille blanche écrite à la main — une main de femme :

« SWING-CLUB DE L'AVENUE DES GOBELINS

« Vous êtes prié d'honorer de votre présence swing la séance que donnera le swing-club de l'avenue des

Gobelins, dans la nuit du samedi swing au dimanche swing. Une tenue correcte, mais swing, est de rigueur. On peut apporter de quoi manger et on doit apporter de quoi boire. Tous chez Lucette samedi soir. Le temps swing que nous vivons et le froid swing de l'hiver doivent nous mettre dans la tête qu'il faut danser, danser, danser.

N.B. — Prière de ne pas crier : « Ta gueule », dans l'escalier, même si un locataire antiswing proteste... Tous chez Lucette samedi soir.

Ouverture des portes du swing-club à 21 heures 30. »

Oh ! oh ! ils se seront mis à deux, bien sûr, un homme et une femme, pour ciseler ce texte. A deux, sinon à trois. Jean-Paul, Titine, Lucette... Si je ne meurs par d'ici samedi, eh bien, je les rejoindrai. Je tremperai dans leur potin, dans leur agitation vulgaire ! Quel excellent alibi. Quelle excellente occasion de brouiller les cartes. Je n'ai plus, un jour, qu'à vouloir me connaître, à poser la question : « Qui est Renaut de la Motte ? » et à me chercher sous les traits d'un penseur ? Dérobons-nous à l'avance, prenons des gages.

Jeudi.

« Certaine » affaire est en marche, « certaine » personne obéit. De merveilleuses jouissances m'ont payé de cette peine que, déjà, je fournissais dans les délices. J'ai tenu dans les mains mon empire. Cet aguet devant la liberté d'une âme. Ces moments où je surveillais, circonvenais une âme. Où je me préparais au meurtre et à la mort. Lorsque je redoutais je possédais un avant-goût de ces minutes merveilleuses, mais, pouah ! cette anxiété-là, maintenant, me paraît de chétive nature.

Rien de commun avec notre long, truculent et terrible spasme.

Avant de partir, je convoque Simone. Une lettre à dicter, pour une machine à écrire qui ne soit pas la sienne. Ni celle d'Armande. Il faut dénicher l'oiseau sans se faire voir, dans un autre service. Besogne de confiance. Voilà notre Simone, exaltée, qui secoue joyeusement la tête, s'empresse, furète, rapporte une Underwood. Elle sourit. Je m'en vais détruire ce sourire ! Elle se tient là, docile, dans le monde clos et lumineux de la pièce, en proie à une espérance indéfinie, heureuse, heureuse devant le trésor protéiforme qui s'appelle ma pensée. Elle songe à une lettre différente de toutes les autres, une lettre si belle, si loyale, si utile aux hommes.

Sortant de ma poche la lettre de Frédéric Bourciez à la Kommandantur, je déchire l'enveloppe, tire le papier, et, après avoir noté, d'un regard fidèlement sournois, la surprise de la gosse, attaque. Ma voix porte net : « A Monsieur le Général commandant la subdivision du Gross-Paris. » L'autre lâche le clavier. Je relis ma phrase et, d'un ton posé, je précise « Gross avec deux s ». Elle tape, mais présente ses observations. « Quelle drôle de lettre tu me dictes ! — Vous ferez vos remarques après. Vous êtes ici pour prendre ce qu'on vous dicte. — Pas dans ces conditions-là. — Simone, nous allons nous fâcher ! Vous n'avez pas vu ça encore, je vous fiche mon billet que, quand je me mets en colère, je me mets en colère... Vous ne connaissez rien à rien, ma petite, ne vous mêlez pas de juger... Je dicte...

« Monsieur le Général,

« Je soussigné, Frédéric Bourciez, représentant de commerce, ai l'honneur de vous informer que... »

Elle pouffe, ses doigts cabriolent. Elle ne doute pas que je ne commette une bonne plaisanterie. Certaines expressions l'étonnent, l'effraient un peu, même, et puis, aussitôt, un terme l'amuse encore. Pour obtenir une couleur locale très « représentant de commerce », j'ai parsemé mon texte de formules maladroites et emphatiques. Quand je dicte les derniers mots : « Frédéric Bourciez, représentant de commerce et vieil européen », elle tape à toute allure, les yeux levés sur moi, très souriante. Elle recule sa chaise : « Ce que tu es drôle. Non, vrai, quand tu veux t'en donner la peine, ce que tu peux être drôle. — Tu trouves ? dis-je. Moi je ne sais pas. J'aurais cru que non. Passe-moi la lettre, que je la signe. » Elle rit de me voir contourner mon écriture et accoucher d'un magnifique et serein « Frédéric Bourciez » mais, lorsque je la prie de taper sur une enveloppe « Monsieur le Général, etc., du Gross-Paris », elle tique légèrement. Elle remue sa chaise. Inquiétude pour moi si merveilleuse.

Une risée blafarde lui prend le visage, les yeux lui courent dans les orbites. Elle tape l'adresse, je timbre la lettre. Elle respire vite et fort. Elle craint, n'est-ce pas, de sembler ridicule en exprimant une idée... fausse, bien sûr ! et n'arrive pas à rompre le silence. Un silence pour moi tellement merveilleux. Je lui frappe sur l'épaule : « Allez, grouille, ramène cette machine où tu l'as trouvée, habille-toi et reviens ici. Je t'attends. »

Je m'offre une Celtic du marché noir et me figure, pour le plaisir, que ma victime ne reviendra pas. Qu'elle cherche en vain à qui elle pourrait téléphoner. La police ? Trop dangereux. Je la vois qui fuit dans l'escalier, dans la rue, dans le métro... Non : elle revient. Quoiqu'elle ne le sache pas encore, déjà elle est ma chose. Devant moi et mon caprice elle ne vit plus qu'en liberté provisoire. Un instant, et je ferai sauter l'indépendance de ce visage ! Ma cinquième colonne, tapie au fond de ce corps et de cette âme, guette le signal. Un instant et il n'y aura plus de Simone Béal, mais une Simone Seyss-Inquart, une Simone Quisling. Je la connais, la musique, non seulement je la connais et je la pratique, mais je l'apprécie...

Nous sortons : « Qu'est-ce que c'est que cette lettre ? demande-t-elle dès que la nuit nous assaille. — Comment ? Tu ne comprends pas encore ? — Si, bien sûr — une plaisanterie. — Que veux-tu dire ? — Une blague, quoi. — Ce n'est pas du tout une blague, ma petite Simone, et, d'ailleurs, je t'offre le moyen de t'en assurer par toi-même, puisque tu vas m'accompagner rue des Fêtes, jusqu'à une poste que j'ai choisie. » Sans me croire, elle tremble. Elle proteste aussi. Quel garçon, quel chef bizarres. En vérité, on ne peut jamais être tranquille avec moi. On ne peut jamais dire si je parle sérieusement ou si je plaisante. Nous voilà qui plongeons dans le métro...

J'en écrirais des pages et des pages, si je m'abandonnais, des pages et encore des pages, de ma merveilleuse petite écriture de gredin, et certes, à revenir sur mes jouissances, je sens que je n'en détruirais pas le charme. Je leur conférerais un caractère scientifique de chose vécue, d'expérience dangereuse, qui ne serait pas cochon du tout... Pour une fois, peut-être, il faut dormir, car, là gît le plus merveilleux de l'histoire, l'aventure n'est pas finie. Pour trancher à la Edmond Rostand, l'aventure commence ! Une belle journée s'achève, une belle nuit glisse, qui auront de poignants et beaux lendemains. Je marche. Je vis. Je vis ! J'accomplis des actions. Le désordre même et la folie ne sauraient s'opposer là-contre. Dans le désordre, dans la folie, dans l'inconnu et dans le mal, je crée. De merveilleuses sales petites actions, à l'image des lettres de mon écriture, tout un grouillement de méfaits qui portent ma pittoresque livrée noire. Je suis un, je suis multiple, je suis fou, intelligent, vivant, paisible. Je ruse et je ne ruse pas. J'ouvre les yeux et je les ferme. A moi les poignants lendemains que me promet ma suave imprudence.

J'entends la voix balnéolaise de Simone, rue des Fêtes, lorsque j'eus posté ma lettre. Je l'avais prise à témoin, lentement, que nous avions affaire à la même lettre — elle ne se trouvait pas la force de me l'arracher ni de la déchirer : « Salaud ! Salaud ! » Ayant lâché mon bras, elle courait dans la nuit. Je la rattrapai. Elle poussait des cris, mais sans conviction — dans la peur d'un scandale. Je lui tords le poignet : si elle ne s'était tue, je lui aurais peut-être cassé le bras. Je la tenais ferme contre un mur, dans l'ombre, et lui répétais et répétais sa bêtise. Elle ne connaissait rien à rien ! Elle n'avait jamais réfléchi ! Elle ignorait les motifs de mon geste ! Pour toute réponse, elle me cracha dessus. (Très cinéma. Seulement, dans l'ombre, nous n'aurions guère pu servir à un gros plan.)

Je la giflai à la volée, gifle à droite, gifle à gauche, selon la meilleure tradition d'Harry Baur. Elle s'effondra. Elle s'était couvert le visage de ses mains et pleurait comme une Madeleine. Ah ! nous allions bien. Les gars de Belleville n'auraient plus rien à nous apprendre. « Brute, sale brute », gémissait-elle. Je finis par lui saisir les mains. Ouste ! Nous partions ! Elle me suivit humblement, s'arrêta quelques secondes pour se tamponner les yeux et se moucher et, dans le métro, pas une fois n'osa lever le regard sur ma personne. Nous avons dîné dans une petite boîte, discrète et chère, où je lui expliquai mille choses. Les Allemands gagneraient la guerre et il fallait s'entendre avec eux. Les Fouilloux n'étaient que des gens ignobles. Les Allemands ne commettaient pas les atrocités dont on les accusait tous les jours : propagande anglo-américaine. Les prisonniers depuis longtemps auraient regagné la France sans les intrigues de Vichy. Moi, j'entretenais avec les Allemands d'excellentes relations et, si je leur recommandais un prisonnier, ils consentiraient peut-être à le libérer tout de suite. Il fallait voir la chose. Ne pas s'obstiner dans une répugnance archaïque. Causer, gentiment, avec des hommes comme les autres, des hommes comme nous.

« Oui, si tu veux... Oui, tu as raison... » disait-elle, de temps en temps, et d'une voix sans timbre. J'aurais désiré que, la première, elle parlât de son frère, mais, sur ce point, mes efforts n'ont obtenu aucun succès. Je tournais autour du pot. Balivernes sur balivernes. Peine perdue ! Simone disait : « Oui... oui... tu as raison » mais conservait pour elle, pour son bon petit restant de liberté intérieure, la pensée du frère prisonnier. Une telle obstination ne me gênait pas. Elle signifiait que je ne me faisais pas encore obéir d'une esclave, mais d'une jeune fille précise, bornée, dure. A la fin je demandai : « J'y pense brusquement — et mieux vaut tard que jamais — tu n'as pas un frère prisonnier ? » Elle devint rouge jusqu'à la racine des cheveux, balbutia, baissa le nez vers son assiette. Moi, je donnai sur la table un coup de poing triomphal : « C'est ce qu'il me semblait. Vraiment, ma chère, ta délicatesse va trop loin. Tu n'es pas une vraie sœur. Tu as eu peur, hein, de me déranger. Me déranger ! Eh bien, malgré tout, nous sauverons ton frère. » Je tendis les mains par-dessus la table et m'emparai des siennes. « Veux-tu, Simone, nous le sauverons. »

Elle tremblait et lâcha un « oui » larmoyant, tandis que je me lançais dans un dévergondage de phrases sentimentales — retour du frère, le premier baiser aux vieux, le premier coup de vin, le premier coup de bêche sur le carré de tomates — je crois pouvoir dire que j'étais en grande forme.

Sous prétexte de remonter Simone, je demandai du champagne et en dédiai la première coupe, d'une voix émue : « Au frangin ! » O délicieuse soirée, pleine de ruses, tout entière dans un climat de tromperie. Le champagne ne m'empêchait pas de bien regarder Simone et de songer : « Voici la petite garce qui m'a craché dessus et à qui j'ai flanqué deux gifles », et tous mes sourires, quand je lui souriais, n'étaient que sourires de plaisir devant ces complications et ténèbres. Plus tard, je sortis mon portefeuille et, du portefeuille, les vingt-cinq mille francs. L'autre n'en revenait pas. Je pris son sac et fourrai dedans cinq billets avec, pour tout commentaire : « Quand il n'y en a plus, il y en a encore », puis le reposai sur la table. Elle ne me remerciait pas, elle ne me jetait pas l'argent à la tête : « Tu vas peut-être t'acheter une provision de bas de soie ? » Elle fit un sourire contraint. — « Oh ! tu sais, ce ne sont pas les occasions de dépenser qui manquent — mais cet argent-là, moi, je ne comprends pas si c'est un argent trop catholique. » La petite garce. Elle manœuvrait. Elle demandait qu'on lui mâchât la besogne. Bravo !... Georges, à perte de vue, se mit à discourir. Un argent des plus catholiques, bien sûr ! Un argent Boche, donné par les Boches, pour récompenser les artisans de la future entente France-Allemagne. Un brave argent léger de propagande et de combat, pour une vie, dure peut-être, mais propre, et pour le retour des prisonniers.

Elle me supplia, une fois dehors, de l'accompagner dans sa chambre. Elle prétendait qu'elle avait peur, que les émotions l'avaient brisée. Je levai la main comme pour la gifler encore. Ce n'était rien ! Un peu de champagne ! Non, non, une grande fille de son espèce regagnerait sa maison toute seule.

Bravo, Georges. Je te décerne d'enthousiastes félicitations. Dans le détail, dans l'ensemble, j'appelle cette soirée quasi parfaite. Combien je t'approuve d'avoir plaqué la petite garce tout à l'heure et de l'avoir renvoyée pour la nuit à ses chères études en vie célibataire. Entre nous, tu devais te reprendre. Tu devais confier tes histoires au journal. Voilà, mon cher, une grande interview du Destin. Il fallait nous en assurer l'exclusivité toute chaude. Il fallait te ruer sur les presses.

L'autre, là-bas, ou il n'y a plus de bon Dieu, ou elle passera une mauvaise nuit. L'étrange pouvoir que je lui laisse devra la briser. Je ne l'ai pas encore toute convertie au mal. Elle peut déblatérer contre moi, m'accuser, écrire des lettres anonymes, elle peut tout cela, mais 1°) elle n'est pas sûre de le vouloir, 2°) elle patauge, ne sait comment s'y prendre. A cette heure, où frapperait-elle ? Dans un pays occupé par les Boches, à qui dénoncer le proboche ? Elle n'a jamais dû se mêler de politique et ne possède aucune adresse utile. Non, je ne la crains pas et je m'abandonne à la joie de sa pagaïe intérieure. Ça doit tanguer, dans ce petit crâne, ça doit être mignon au possible... Là-haut, après avoir consciencieusement ressassé les fadaises de leur T.S.F., dorment les Fouilloux. *Ici, Londres. Les Français parlent aux Français.* La belle invention que la T.S.F., a pu dire, ce soir encore, le père Fouilloux. Et la mère Fouilloux d'approuver. On n'y pense plus mais, vrai de vrai, c'est une chose extraordinaire que la radio... Peut-être, constate Georges. Et il ajoute « Peuh ! » La radio anglaise, dans ses dernières nouvelles, n'aura pas introduit un événement que tout le monde connaît dans la pièce où je veille cent pour cent, familier aux êtres humains présents dans cette pièce, des êtres chauds et vivants. A savoir que, rue des Fêtes, repose une certaine lettre. Qui fera peut-être, un jour prochain, l'effet d'une bombe. Dans les conditions les plus modernes. Avec le concours de la Gestapo. Pauvres cons de Fouilloux.

Si je méritais une critique, ce serait sans doute de prêter une consistance à des êtres qui s'en trouvaient dénués. Faire l'honneur à Simone d'une soirée presque tragique; aux Fouilloux, d'une dénonciation. J'entraîne dans le sillage de ma liberté, à des souffrances que ne comportait pas leur génie, des larves. Tant pis. Moi je fonce. Un vent glacé, puis brûlant, me réjouit la face.

Vendredi.

Les poignants et beaux lendemains commencent. Je ne subis pas encore, dans la gorge, ce poids de satiété dont les brochures pieuses comblent les criminels — je suis heureux, je suis heureux. J'écris dans ma chambre. Sur ce divan, là-bas, j'ai couché Simone, qui repose, la tête vers le mur. Je puis croire, vraiment, que j'ai traîné ici un cadavre...

Ce matin, notre rencontre. Mademoiselle frappe : « Entrez ! » Elle apporte le courrier de Monsieur et comme, les yeux baissés, elle joue les figures dignes, je cherche à lui déplaire. Je lance le jeu de mots dont elle conserve une sainte horreur : « C'est vous ? Venez donc un peu par ici que je vous enlève votre *chemise.* » La douce victime approche : « Alors, on rend l'argent du crime ? » Elle ne répond rien. Ses cils, affolés, battent et rebattent. « Tu t'es bien amusée hier soir, Simone ? » La bouche se contracte, les épaules se rentrent. « Hein ! petite cachottière, on ne veut pas dire à Georges toute la bonne ribouldingue de cette nuit ? »

Les yeux secs, persuadée que je crois dans mes paroles, elle se redresse. « Moi ? Moi ? » Je secoue la tête. Qu'allais-je imaginer là ? J'oubliais que Simone a sucé le patriotisme et l'amour du devoir avec le lait maternel ! Et puis on est une fille d'initiative ou on ne l'est pas. Elle se sera précipitée place des Fêtes, elle aura couru, loué une bicyclette, tenté n'importe quoi, pour atteindre la poste et la lettre fatales. Avec des histoires de haine des Boches elle se sera fait donner la lettre par un veilleur, par un trieur — au besoin, s'il le fallait, elle se sera promise à lui. France d'abord. Simone écoute, médusée. Je savoure mon triomphe et je continue. Non, peut-être Simone se sera-t-elle rabattue sur une tactique de secours. En cachette de moi, elle aura surgi avenue des Gobelins, dans ma propre maison, pour alerter les Fouilloux. Ce bruit d'ascenseur, hier soir, cela signifiait sa présence. Et ce toctoc discret au sixième étage. Ah ! pour une fille d'initiative, c'est une fille d'initiative, une vraie girl-scout.

Je la regarde, elle me regarde — toujours plus ahurie que haineuse. Je feins de lire sur son visage qu'elle n'a choisi aucune des méthodes que j'indique et je me frappe les cuisses. Simone n'a pas bougé ? Simone a couché dans sa petite chambre ? Eh bien, je ne perds rien pour attendre. Familiarisée avec les lettres anonymes, quelle belle lettre anonyme elle va écrire, à la pause du déjeuner, pour me dénoncer aux Fouilloux. Signée : « Une Française patriote », « Une jeune fille qui déteste les Boches » ou encore d'une devise « Honneur et patrie », « La solidarité des patriotes sauvera la France »... Je m'esclaffe et, cette fois, tout de même, elle fond en larmes.

« Toi ! Toi ! », me dit-elle. Je la raille encore. Je l'engage à ne pas faire son actrice. « Ah ! on peut bien, continue-t-elle... ah ! oui... ah ! pour toi, tu as le génie du mal... — Tu vas m'enlever ma modestie, dis-je, cette salace modestie, un des attraits les plus piquants de ma personne... »

En effet, pas trop n'en faut. Le génie du mal ? Pas même le talent. Je cherche, tente, m'efforce. Je compte déjà quelques réussites, mais qui ne suffisent pas. Je ne cède à personne, en la matière, le droit de me vaincre, seulement il y aurait encore beaucoup à dire...

Bonheur d'un tel dialogue. Il me semblait commettre sur Simone un viol continu, la forcener d'un de ces baisers à pleine bouche qui n'en finissent pas sur les écrans. Je pénétrais dans les régions interdites. Donc, j'étais libre. Je créais. Sans cesse elle s'abattait sur moi, la fatigue de l'inconnu, de la création, par moi, de l'inconnu, de la résistance par moi à l'inconnu, sans cesse je courais en avant de moi pour grimacer devant moi-même et me repliais sur moi pour m'encourager à briser les obstacles. Je vivais, agissais, utilisais les apparences.

Simone dort. Sa dernière parole aura été : « Tu ne vas pas éteindre ? » Suave. Si je la tuais en ce moment, si mes mains, au lieu de caresser la table et de guider ce stylo, allaient lui serrer le cou, voilà le message humain qu'elle laisserait au monde : « Tu ne vas pas éteindre ? » Goethe, mourant, réclamait de la lumière... C'est une larve qui dort dans cette chambre : aucune pitié pour elle.

Ma plume court, silencieuse comme une bonne automobile américaine. Mon métier se confond avec la nuit. Je brasse le temps. Je cherche à connaître. Qui est Laval ? Qui est Fouilloux ? Qui est Renaut de la Motte ? La médecine a progressé par la guerre et la démolition des corps, ma science progressera dans la surprise et la conquête, la souffrance, le deuil et l'irruption violente. Il me faut écorcher et ouvrir. Sacré visage de l'homme, sacrée boîte sans serrure, par où te juger ? Par où te juger, corpulence de l'homme, balle chargée de sang et de chair, par quel bout te prendre, sous quel angle te saisir ? par où te juger, force de l'homme, et toi, grotesque de l'homme ? Je suis affreusement, délicieusement seul. Autour de moi, à quelques mètres, commence et se développe un étrange, terrible et luxuriant inconnu. De temps en temps, le long des ruisselets que je remonte, je lance des pointes à droite et à gauche et je rencontre un village, ou des hommes viennent à moi, des rumeurs, des livres, des nourritures, et me décrivent les pays. Je les en crois, mais cette croyance, je ne l'introduis pas dans le sanctuaire, elle dort dans le vestibule, tout près du seuil. Je ne puis me confier que dans moi-même et dans la sûreté d'armes qui ne sont merveilleuses que parce qu'elles sont miennes. Ah ! lourde vie, combien tu pèses contre mes épaules.

Mais je ne puis croire, dans ce monde, qu'à une paire d'épaules, à une paire d'yeux et de mains, et, tous les témoignages que me portent les autres, je les accepte sous caution. Je suis à moi-même toute ma troupe d'assistants, tout mon conseil de Régence, toute ma foule de domestiques. « *En marge des bons vieux livres* », dit l'un, « *En marge des beaux vieux livres* », dit l'autre. Eux et moi, nous ne parlons pas le même langage et, si je devais chercher formule, je dirais : « *En marge de la jeune folie.* » Je sais où habite la folie. Je sais par quelle série de fatigues je me hisserais droit sur ce pic glorieux ou plongerais dans ces sourdes crevasses. Je compose avec elle, fraie avec elle. Tel le Rrrépublicain qui ne veut pas d'ennemis à gauche, je ne veux pas d'ennemis chez elle.

Samedi.

J'ai posté dans l'après-midi une nouvelle lettre pour la Kommandantur, signée Gustave Legrand, artiste-peintre-sculpteur-graveur. J'y proteste, avec trois ou quatre bonnes raisons, contre l'usage — attribué faussement, je désire le croire, à certaines administrations boches — de jeter à la corbeille ou au feu les lettres anonymes ou signées de noms qui sonnent l'emprunt. Je les mets en garde contre un sentiment excessif de la dignité humaine et plaide pour l'honnêteté scientifique : on peut glaner partout. « L'ordure même, écris-je textuellement, l'ordure même, aux yeux du chercheur, n'est qu'un fécond terrain d'expériences... »

Cette lettre ne me réjouit pas outre mesure. Non que je la trouve inutile : j'aurais désiré seulement lancer un cri plus neuf et plus clairement nuisible.

Neuf heures. Je ne veux pas arriver trop tôt chez Lucette, que j'entends aller et venir sur ses semelles de bois tandis que sa radio baragouine. Nuit toute bête que celle où je me prépare, et nuit toute mienne aussi. Je pourrais témoigner devant moi-même de la bêtise de cette nuit. J'aurais le droit de garder la main posée sur elle, comme les généraux, dans les anciens portraits, sur la carte des provinces conquises. A bon droit j'argumenterais de la bêtise de cette nuit. « *Quidquid stulte et insane Georgius cum Titina fecerit* » ou « *De lamentabili nocte...* » Et puis mon esprit fureteur, dont la présence, en un lieu unique, repose sur une équivoque, suivra de loin les nuits de ses cobayes. La nuit de Simone, en banlieue, dans le pavillon gothique et familial, dans la chambre qui dissipera ou augmentera sa honte. La nuit du ménage Fouilloux, dont la sécurité, maintenant, repose sur une équivoque. Mes bons petits cobayes... Quelqu'un, là-haut, frappe chez Lucette. Les semelles de bois se hâtent, une porte s'ouvre. Bruit de voix féminines, semelles de bois. Rires.

Dimanche.

Stupide et mienne en effet, cette nuit. Elle a tenu ce que j'en espérais. Les « Whoopee », les « Swing », les *Bei mir bist du Schön,* les apéritifs saccharinés, les croix entre les seins, l'odeur de jeune et frais bordel, puis l'odeur de tabagie, les rides qui sortent, les bouches qui écument, les yeux qui clignotent. Et la fausse langueur et la fausse ardeur et la fausse joie de la musique. Vingt pour cent de mélancolie nègre dans quatre-vingts pour cent de bêtise parisienne. Et les frotti-frotta. Et la coucherie avec Titine. Ce grand corps bête. Ces vêtements épars. Ces phrases insipides.

La garce, à dix heures, ne voulait pas se mettre debout. « J'y suis, j'y reste. » Elle prétendait me faire parler de Simone, la petite amie dont Lucette lui avait signalé le nom, et ses gros yeux brillaient de curiosité naïve : « Raconte... Il n'y aurait pas moyen, des fois, de la connaître ? » A onze heures, enfin, elle commençait le rhabillage. Avec des bâillements, des *Bei mir bist du Schön*... et des appels à mon goût pour le choix d'une croix byzantine...

L'après-midi, queue de cinéma. *Le Baron Fantôme*. Douloureuse impression de mauvais théâtre. Trop de répétitions, pas assez de répétitions. Aucun rapport avec l'existence que nous menons. Cette reconstitution historique, alors que nous nageons dans l'histoire, que nous brassons l'histoire, que nous sommes naturellement, et sans nous y forcer, des personnages historiques, me reste sur l'estomac. Le vrai cinéma déserte l'écran. Il a passé dans la rue. Dans ces troupes d'uniformes, ces queues, ces foules, ces angoisses. Dans la rue et dans nos chambres. Moi, je cache mon journal et ma chambre en est devenue l'île au journal, le refuge mystérieux de mes luttes. D'autres cachent des tracts, d'autres écoutent des voix interdites. Nous avons installé le merveilleux dans notre vie, nous possédons le merveilleux — celui qu'on nous propose dans les films, ersatz !

Toute la soirée, je me suis répété — maintenant je me le répète encore — un cri du film, stupide et qui me blesse les oreilles : « Elfy ? Hou hou ! » Ainsi nous appelions-nous autrefois de loin entre gosses, quand nous jouions à la petite guerre dans un bois. Cette angoisse pour boys-scouts me paraît une insulte à Georges Renaut de la Motte.

CHAPITRE IX

Lundi.

De moi à moi, cette nuit, je m'étais promis de bouder mon journal tant que les Fouilloux n'auraient pas eu sur les doigts pour leurs prétentions singulières : « Elfy ? Hou hou ! » D'informes cris d'angoisse triomphaient dans les cinémas : dans mon journal, me disais-je, ne triomphera que de l'angoisse pure; je ne recommencerai pas à écrire avant que le destin, alerté par mes soins, ne frappe là-haut, au-dessus de ma tête, tout près, chez mes larves... Mais je ne puis attendre. De la véritable angoisse, j'en ai rencontré de nouveau. Oui, de l'angoisse. Mon cœur, là-dessus, ne saurait me tromper. Cette Simone bizarre, pomponnée, souriante, chantonnante. Elle m'a fichu froid dans le dos :

« Mon chéri, tu te portes bien ? » Et ce faux baiser et ce rire trop long... « Et toi ? — Oh ! moi, je suis toujours la gaieté même... »

J'ai feint de rire, j'ai sifflé, je me suis ébroué, puis, tout à coup, j'ai bloqué la jeune fille contre la table et lui ai, comme dans un jeu, renversé la tête. Je savais que je lui faisais mal, mais je n'en montrais rien et elle ne voulait pas se plaindre non plus. « Alors, ma petite, ce dimanche ? » Elle suffoquait, rougissait, mais ne se plaignait toujours pas. « Je pense à une chose. Tu habites sur le même palier qu'un certain petit jeune homme à col dur. Un petit jeune homme qui ne me revient pas. M'est avis que tu pourrais tromper avec lui ton brave Georges... » Je lui ai poussé encore, d'un coup nerveux, la tête plus bas, puis je l'ai libérée. Cramoisie, pleurante, elle titubait et, des yeux, cherchait

une glace. « N'est-ce pas, Simone ? » J'ai dû répéter ma question et alors, avec un naturel des moins naturels, elle a fini par me répondre : « Je crois t'avoir dit, une fois, que tu avais le génie du mal. On ne peut rien te cacher. Tu es l'homme le plus perspicace du monde...
— N'en jetez plus. »

Elle se disposait à quitter la pièce, je lui ai barré le passage pour lui coller sur les joues deux grands baisers fraternels et la remercier de son obéissance. Une bonne fille, c'était une bonne fille. Et qui ne me trahissait pas car elle savait trop qu'il ne fallait pas me trahir. On ne trahissait pas un Renaut de la Motte. Un Renaut de la Motte posséderait mille vengeurs. Une chance pour la petite Simone, vraiment, qu'elle évitât des machinations si dangereuses et, naturellement, une chance pour le brave Georges d'avoir une amie aussi franche. Elle a ri, m'a rendu mes baisers, puis est sortie sur une pirouette. Bizarre, bizarre... Tête de Georges en gros plan... Il s'inquiète. Il se tourmente... Pourquoi cette lumière divine, d'un coup, lui éclaire-t-elle le front et le sourire lui remue-t-il le visage ? Outre qu'il possédera toujours matière à bonheur par le tourment même, il a songé, il s'est permis de songer, qu'une hostie d'aspirine, dans un instant, consommera sa délivrance.

Jeudi.

Pour la première fois depuis le début de nos relations, c'est moi qui relance Maurice. Trop d'inquiétudes habitent mon petit cœur. La vie solitaire m'accable et j'aurais besoin, follement besoin, de Simone : seulement je me fais peur à moi-même. Je ne suis pas sûr de mes gestes. Il me semble que je pourrais tuer cette fille. Je l'ai convoquée aujourd'hui, dès la première heure, avant le courrier, pour lui offrir deux mille francs :

elle a fort bien pris l'argent, je le reconnais, mais, quand je lui ai parlé de mes démarches pour son frère, inventant coups de téléphone et rauques entrevues, elle ne m'a remercié que du bout des lèvres. Que combine-t-elle contre moi ? Oserait-elle combiner quoi que ce fût ?

Hier, donc, j'ai relancé Maurice et, le soir, je l'ai retrouvé toujours gracieusement grassouillet, avec sa tentative d'amertume dans un visage poudré et trop bien nourri. « Quoi de neuf ? » a-t-il demandé, puis, sans attendre une réponse, il m'a tapé dans le dos et a voulu savoir si je m'habituais — clignement d'œil — à la verdure. A quoi j'ai riposté — clignement d'œil — que j'aimais la verdure, mais que les doryphores, sans parti pris, je les trouvais assommants. « C'est comme moi pour les Chleuhs », a dit Maurice. « Comme moi pour ces Messieurs », a répondu Georges. Toujours avec clignements d'œil. Nous buvons et fumons. « Tu sais, Maurice, qu'il y a des salauds qui écrivent des lettres anonymes pour dénoncer les gens ? »

L'autre ricane. Je découvre l'Amérique ! Eh oui, il se propage des individus assez moches, par amour de l'argent, désir de vengeance, pour dénoncer des compatriotes. Des pourris, qu'on finira tout de même par repérer et à qui, plus tard, on fera leur affaire. J'interromps Maurice : croit-il impossible qu'un Français en dénonce un autre uniquement pour l'amour du sport ? Je ne veux pas dire « dans une bonne intention » — Maurice a oublié une telle catégorie, mais reconnaîtrait, bien sûr, qu'elle existe — je veux dire « pour l'amour du vice ». Faire le mal pour le mal, comme des nigauds ont parlé d'art pour l'art. Maurice secoue la tête. Epoque trop grave ! Finis ces petits jeux ! Il envoie dans la direction du plafond une longue et lente odorante fumée. Ça se produisait en temps de paix, ces foutaises-là, mais plus maintenant.

Et notre psychologue, saisissant un biscuit, d'entreprendre un éloge du vrai bon peuple de France. C'est fou comme le peuple de France déteste les Boches. Fou comme il est bourré de patriotisme et d'honneur. Plein les mains, plein les poches, plein les maisons et les caves. Ça pleut, ça grêle, ça tonne, le patriotisme en France. Pas un ouvrier qui ne se sente Français jusqu'à la moelle des os, pas un cultivateur qui ne se targue de sa race. Bravo. C'est par eux que nous serons sauvés, par leur instinctive pureté.

« Dis-moi, Georges, demande Maurice avec un tremblement d'émotion, tu n'as pas remarqué une chose ? On n'a jamais rencontré autant de femmes enceintes. Formidable, mon cher. Dans les rues, dans le métro, au théâtre, partout. Sais-tu qu'il y a là, tout de même, quelque chose de changé ? Mais qu'il n'aille pas chanter victoire, notre grand nigaud national, la plus immonde crapule que nous ayons eue, et de longtemps, à souffrir. Il n'y est pour rien. « Travail, famille, patrie », les gens ne l'écoutent pas. S'ils aiment leur pays, s'ils font des gosses, c'est d'eux-mêmes. Regarde, mon cher, et tu le remarqueras aussi, c'est étonnant le nombre des femmes enceintes qu'on peut voir. »

La force me manque, même pour approuver. Un homosexuel prononçant l'éloge des femmes enceintes, beau spectacle. Excellent gag. Sur moi, malheureusement, ça tombait comme une douche et, à tant faire que de choisir, je préfère encore, j'imagine, les messages personnels. — « *La cigale a chanté tout l'été... Pierre, Etienne, Josette, Fernande se sont réunis hier soir dans la maison du Chat qui Pelote... A bon chat bon rat je dis sept fois... Il n'est bon bec que de Paris je dis sept fois... Le cigare a brûlé la forêt... Laissez-nous savourer les rapides délices de Sceaux et de Limours...* »

Comment ne serais-je pas inquiet ? Pauvre gros stupide Maurice. Et les Boches, à quoi pensent-ils donc ?

Les imbéciles, les salauds. Voudraient-ils laisser leur chance à mes voisins ? Leur permettre de gagner le large ? Ce ne serait pas très élégant. Lorsque des amis risquent leur peau, cent fois, en leur écrivant des lettres anonymes.

Entre tous les canards du jour, celui que je méprise le moins, c'est encore *Je suis partout* et à cause du mépris que j'y sens, précisément, entre les lignes, à l'égard de l'espèce humaine. Son directeur se bat les flancs pour parler au nom de la Jeunesse et de la France — il m'amuse.

Vendredi.

Toute une histoire. Et dont je ne me vante pas. Fameux cobaye. J'avais tort : comme psychologue, Maurice peut s'aligner avec Georges...

Armande Besson, notre dactylo numéro un, est renvoyée. Motif : se livrait à la prostitution. Cette personne que moi je croyais modestement vicieuse fréquentait le Café de la Paix et autres endroits, où la police a fini par poser sur elle le doux regard de ses grands yeux. Enquête, coup de fil à Rigaud — le successeur de Mauléon — et voilà notre Armande écartée de la Jeunesse. L'archange Rigaud, de son épée de feu, lui en a interdit le seuil. Ah ! mais... Je tiens mes renseignements de M. Rigaud en personne, très fier de son coup. La Jeunesse n'est tout de même pas une porcherie ! Armande élevait deux gosses naturels. Par crainte de sembler la dernière des dernières, elle ne les déclarait pas et, ne touchant pour eux aucune espèce de secours, trafiquait de ses charmes. Voyez-vous ça. Comme c'est suave. Délicatement humain. Midinette et Dame aux Camélias et tout et tout. Cris de gosses dans la coulisse. « Je viens mon chéri ! » dit la mère, qui repasse la blouse du crime. Et, parfois, une larme perle à ces beaux cils dont la débauche n'a pu flétrir toute la vibrante mélancolie. Ah ! ces layettes, ces bouillies, ces gardes payées sur l'argent des soudards et margoulins, que c'est beau, que c'est beau. Et Maurice qui me racontait l'autre jour : « C'est formidable, mon cher, toutes les femmes enceintes qu'on peut voir... ! » J'ai mieux à offrir, moi : des enfants complets, tout faits, tout vivants.

Romanino me propose une dangereuse combinaison. D'entrer en même temps au P.P.F. et dans un groupement « *Les Jeunes Forces Nouvelles* », chargé, en dessous, de recruter pour la L.V.F. (beaucoup de F làdedans.) Traitement : dix mille balles par mois. Plus les primes. Bureau, carte de presse, etc. Le boulot ? Dire un mot, en passant, à des J.F.D. — jeunes Français désorientés —, composer des articles sous tel et tel pseudonymes de mon choix, participer à des réunions, prononcer des laïus. Oh ! oh ! Ouais ouais. Je me tâte. J'hésite encore et encore. Le gars Romanino prétend que, si je donne satisfaction, j'obtiendrai sans peine une double identité. Le rêve de mes jours. De pâles crétins offrent à l'ouvrier, en suprême désir, l'idéal suivant : s'établir à son compte. S'établir à un autre compte, voilà qui serait merveilleux... Mais il faut que je me mouille, et un peu beaucoup... Un peu trop, sans doute. Romanino, pourvu que je lui laisse carte blanche, se fait fort de me convertir. Pauvre minus. On ne convertit pas un Renaut de la Motte.

Samedi après-midi.

Bonne journée en avant et en arrière. Le Hans de Lucie Romanino s'est fait casser la gueule du côté de Moscou et, si je ne nourris plus de mauvaises intentions sur le cœur de notre jeune fofolle — un cœur trop voyant, trop brun — du moins trouvé-je matière à joie dans la désagrégation de son fiancé. Un couillon de moins.

Pour ce soir, tout un programme. Je m'en vais agir, tirer de nouveaux plans. Je ne laisse pas d'éprouver le cafard. Ce salaud de Maurice ! La faute lui en incombe, si je remue des idées noires au lieu de m'exalter. Nous n'avons plus décidément de liberté en France, je ne puis plus faire ce que je veux, décidément, dans mon propre pays, et, à tous ces manques, une seule explication : Maurice, Maurice, encore Maurice. *I killed her because she interfered with me.* Dénoncer les Fouilloux, bon, bien, bonne histoire. Mais dénoncer Maurice, ce serait mille fois plus beau ! J'ai l'impression, et je commence à m'y connaître, que j'accomplirais là un geste neuf et de nature à éclairer l'évolution des mœurs parisiennes « *dans cette malheureuse période où les esprits, désaxés, ballottés entre diverses propagandes etc.* » Dénoncer Maurice par amour, justement, du sport dénonciateur. S'il n'interfère guère avec moi, le pauvre type, je ne serais pas mécontent du tout de flanquer une nasarde sur sa sécurité morale et matérielle. Oh ! oh ! en cas de besoin, les arguments foisonnent. Je m'en passe, mais ne trouve aucun désagrément à voir frémir cette foule. Ça lui ferait du bien, à ce Maurice, de prendre contact avec le réel, et notre grand phraseur, dans les soupes de Fresnes et les dysenteries y afférentes, renouvellerait son stock d'images. Il est un peu gros, ça l'embellirait. Et il la dénicherait peut-être, enfin, cette brave expression d'amertume après laquelle il court...

Je ne dis pas tout. Qui sait si une bonne petite exécution à l'aube ne nous le hisserait pas jusqu'au tragique ? ou, simplement, une petite question préparatoire ?... En vérité, ce serait fameux de dénoncer Maurice. Cela nous servirait à tous deux. Et il faut qu'il empêche le geste ! Quel odieux maître chanteur. Je me rappelle sa formule : « S'il m'arrivait quoi que ce fût... » Salaud. Décidément, en France, nous ne connaissons pas la liberté. Les braves gens y sont obligés de compter avec des risques stupides.

Dimanche.

Nuit poignante. Oui, je crois que je pourrais tuer Simone et, cette fois, parce qu'elle interfère avec mon double personnage. Je finirais par m'y attacher, à cette garce, ce qui serait purement et simplement odieux. J'ai besoin de son visage, alors que je ne dois sentir le besoin d'aucun visage. J'ai besoin d'effrayer ce visage, de le salir, de le meurtrir, de le blesser et d'en percevoir soudain la révolte. De le précipiter dans la souffrance et dans la haine. De n'y laisser vivre qu'une toute petite flamme... La solidarité du bourreau et de la victime figure dans la catégorie des attachements et je ne saurais la prolonger davantage. Si toutefois je veux garder ma dignité devant moi-même. Ah ! je suis fou. Je me déteste.

J'ai entraîné Simone à Montmartre. Une fille lasse, nerveuse, un peu fiévreuse. La garce. Elle se met à devenir jolie. Il rôde certaines ombres sous ses pommettes, certaines langueurs sous ses paupières.

« Tes beaux yeux sont las, pauvre amante... »

Ah ! je ricane. Elle n'en est pas encore là. Elle n'en viendra jamais là, nous en sommes convaincus. L'éclairage et les « carences alimentaires » changent notre Simone. Et aussi, je le suppose, certaine bonne volonté, certain bon caprice dans le regard de Georges. Il flanche, notre homme — c'est même pour cette raison que je lui conseillerais un meurtre, si je ne soupçonnais, dans sa nouvelle attitude, la présence d'un sentiment remarquable. Le sentiment de la mort. Je ne dis pas la peur de la mort ni le désir de la mort, mais bien « le sentiment » de la mort. A la fois la certitude que la mort existe et approche et plusieurs transformations physiques dues à cette certitude.

Pour rattraper Simone, j'ai souligné ma belle intervention de l'autre jour, après le renvoi d'Armande, lorsque j'ai répondu à mon chef de la correction parfaite de mon autre dactylo, sollicitant pour elle une prime de cinq mille francs. « Il me semble, ai-je dit, que tu devrais me remercier. » Elle a ri sans répondre. J'ai insisté, elle a bafouillé une vague insulte — que cet argent-là ne me coûtait guère.

« Et l'argent que je t'ai donné ? — Celui-là non plus... Ne fais pas cette tête-là, je me mets à ton école. — Que veux-tu dire ? — Tu sais très bien ce que je veux dire. Je suis seulement quelqu'un qui commence à comprendre. Je te vois et cela me suffit. »

Si nous ne nous étions trouvés dans une boîte publique, je lui eusse collé deux gifles pour la remercier de sa phrase. Celles de la rue des Fêtes, selon Harry Baur, n'ayant pas donné toute satisfaction, j'aurais adopté la forte manière de Jean Gabin, sur Pierre Brasseur, dans *Quai des Brumes*. Le sourire aux lèvres, j'avalai ma colère, parlai en long et en large d'une visite imaginaire à la Kommandantur pour hâter le retour du « frangin », inventai des sticks, des monocles, des officiers courtois mais intraitables, des officiers bougons mais au cœur d'or. Je reréclamai du champagne. Et des éclairs au café, puisqu'ils avaient l'heur de plaire à mon amie. Je lui servais et reservais à boire et, quand elle en vint à rire de n'importe quoi, que ses yeux chavirèrent aux anges et qu'elle voulut lancer des boulettes sur un gros monsieur, tentai mon coup.

Je baissai la voix et annonçai la révélation de choses tout à fait secrètes. Elle rit. « Je serais content, dis-je, que tu me connaisses mieux. » Elle rit. Elle ne voyait rien de secret là-dedans ! Je la priai d'être sérieuse, si elle pouvait, et, le geste et le visage dramatiques, j'ai foncé contre Romanino. J'ai livré Romanino. Un salaud qui travaillait, non plus avec les Boches, mais pour les Boches. Car il fallait s'entendre : moi, je collaborais parce que j'estimais la collaboration nécessaire à mon pays, je ne collaborais que dans son intérêt seul. Romanino, lui, pensait Allemagne et intérêts allemands. Un salaud, qui livrait les patriotes à la police allemande. Ecrivait des lettres de dénonciation. Possédait deux cartes d'identité... Ma voix, tour à tour, sonnait mélodieuse ou brutale et, la main sur le cœur, je jouais pêle-mêle les grands ingénus et les « durs ». Simone avait cessé de rire. Le champagne avait beau la disposer à la confiance, elle n'oubliait pas. « Comprends-tu maintenant, demandai-je, qu'on peut agir comme je le fais et demeurer bon patriote ? » Elle se passa la main sur le front. « Je comprends que Romanino est un salaud. Mais toi, toi tout de même tu es un salaud tout pareil. Ta lettre à la Kommandantur, je ne l'ai pas rêvée ? »

Je lui servis du champagne, qu'elle but d'un trait, et ses yeux vacillèrent davantage. Je profitai de son trouble pour essayer une thèse invraisemblable d'agent secret, d'affaire combinée avec les Fouilloux, mais sans même découvrir les contradictions entre eux de mes systèmes, elle n'arrivait pas à me croire. Situation dramatique pour Georges, délicieusement. Je pèse mes mots : « Elle n'arrivait pas à me croire. » Car, en elle, toutes les forces de la lâcheté naturelle et de l'ivresse militaient pour ma charmante personne. Le mépris, seulement, cet étrange mépris en quoi se mue une part de son amour, la tenait trop ferme.

J'y allai de ma dernière manœuvre : nouer avec Simone la solidarité du vice. Sur un bon gros rire paysan j'ai proclamé venu le temps de la réjouissance. Nous ne nous trouvions pas à Montmartre pour étudier la forme des bouchons. Allez, allez, Montmartre, Gay Paris, petites femmes et youp-ala ! Plus on est de fous, plus on rit ! Je ferais téléphoner de nous rejoindre à quelque brave citoyenne, à quelque demoiselle solitaire. N'est-ce pas, Simone ? Une brave putain du pays...

L'autre folle se rengorgea dans sa dignité bourgeoise. Pour rien au monde elle n'accepterait une telle compagnie. Oui, elle avait trop bu, mais voyait clair. Je la traitais comme une garce ! Elle ne resterait pas une minute de plus si je persistais dans mon dessein. De sang-froid, peut-être aurais-je louvoyé, modifié mon programme — excité par le champagne, je me sentais trop sûr de moi-même, décidé à bannir les compromis. J'insistais sur le mot de « putain ». Je demandais à Simone de me dire ce qu'elle reprochait aux putains, de bonnes filles comme les autres, elle rougissait, frémissait. Je lâchai un grand éclat de rire, appelai le groom et le priai, en clignant de l'œil, de nous avoir une petite femme. A peine s'éloignait-il que Simone, d'un coup violent, repoussait la table et se ruait vers le bar. J'hésitai et, finalement, je ne bougeai pas. J'entendis claquer la porte de la rue.

« Madame est malade », dis-je au groom. Il ronchonna qu'elle allait lui causer des histoires avec les Fridolins en sortant dans la rue après le couvre-feu et il m'engageait vivement à la rappeler, la dame du vestiaire la remettrait d'aplomb s'il le fallait — mais, d'un billet de cent balles, j'éclairai sa religion et le priai, dare-dare, de convoquer la petite femme. Après tout, si une petite femme trouvait le moyen de marcher dans les rues après le couvre-feu, mon amie pouvait prendre l'air devant la porte ! Il m'expliqua, en souriant, la différence des choses. La petite femme était connue des patrouilles, mon amie, non. Par acquit de conscience dramatique, et ne pas me montrer une chiffe à tout un public trop curieux, je voulus bien aller dans la rue.

Fraîcheur de l'air. Naturellement, pas de Simone. Un clair de lune illuminait d'enfilade la rue déserte et tapageuse. Une catastrophe semblait avoir emmuré les hommes dans leurs maisons, d'où, par mille instruments bizarres et violents, ils eussent cherché à se frayer une issue. Les maisons recevaient de grands coups, de grands chocs de musique. Des enseignes au néon, irréellement pâles, attendaient la mort. Fraîcheur de l'air. Cela commençait à sentir autre chose que la ville, s'efforçait de sentir autre chose que la ville — jusqu'où irait la pauvre tentative ? Il eût été bon, me répétais-je, de descendre la rue pour heurter du pied les trottoirs clairs, de les faire sonner comme la cuirasse du monde, mais cette solitude, également, prêtait à méfiance. A regarder ainsi je ne devais guère me féliciter d'un privilège — plutôt je devais craindre. Un vélotaxi dévala brusquement, chargé d'un couple oscillant et vague, et plongea dans la rue lunaire. Mon cœur battit d'angoisse. J'allais entendre, n'est-ce pas, au premier carrefour, un coup de sifflet boche ? Tout l'appareil du mélodrame nocturne allait quand même fonctionner ? Le vélotaxi franchit une rue, deux rues, s'estompa (très *Maison dans la dune :* l'automobile des fraudeurs), s'estompa, fut invisible...

Fin de nuit moite et poignante. Petite femme aux ongles roses et à la peau usée. Conversation bête. Où serait allée Simone ? Quelle gourde. Sans chapeau, sans manteau, fuir de la sorte. Mais oui, bien sûr, le marché noir est indispensable. Oui oui, les sous-vêtements Rasurel sont les meilleurs. Oui oui, le Maréchal est encore vert. Oui oui, la peau de crocodile... Où serait-elle allée ?

Laissant la petite femme pantoise, je me sauvai de très bonne heure et, par le métro, mon cher métro, gagnai le quartier de Simone. Le chapeau et le manteau féminins que je tenais dans les bras me donnaient l'air d'un noceur provincial et m'énervaient par les souvenirs innombrables qui montaient de leur toucher et de leurs odeurs — faisant de moi un être qui n'existait que comme l'être de Simone, l'être qui vivait dans les odeurs et des odeurs de Simone, un pauvre mâle grotesque, bon à prendre le métro avant l'heure des premières messes chargé comme un fripier. Les barres de cuivre étaient toutes fraîches, les couloirs sentaient le renfermé nouveau. Nées de la nuit, des croix de Lorraine, tracées à la diable, voisinaient avec des croix gammées et des francisques. Une affiche sur le règlement du métro portait, au crayon, d'une écriture myope : « Boches, Assassins ! »

Deux voix chez Simone. Je frappe. C'est le jeune homme à col dur qui m'ouvre — il me jette un regard torve. Ne va-t-il pas se retirer ? Je touche la main de Simone, j'attends, j'attends, ne va-t-elle pas le congédier ? D'inouïs désirs de violence m'attaquent les membres. Mes bras se crispent. Il me semble, même, que mon cerveau se crispe. Les deux autres m'ont une allure complice. Que se trame-t-il ? A la volée, enfin, je flanque sur le divan le chapeau et le manteau de Simone.

« Merci, me dit-elle, tu es un amour. Jean, rentrez chez vous et faites-nous un petit peu de café. Vous serez gentil. » Regard torve du jeune homme à col dur, qui s'éclipse. Simone me tombe dans les bras. « Mon chéri ! » Crise de larmes. Nous nous allongeons sur le divan, elle se blottit contre mon épaule. « Mon chéri ! » Quelle nuit affreuse elle aura passée. En vérité, depuis qu'elle est au monde, jamais elle n'a éprouvé autant de peur. Ah ! ces rues de Paris, sous le clair de lune, sous l'interdiction de circuler, quelle angoisse. Au bout d'une course folle notre bécasse a pu se réfugier dans un commissariat, où elle a veillé, au chaud, jusqu'à cinq heures. Elle n'en revient pas d'être saine et sauve. Elle m'aime follement. Elle n'aurait jamais dû me fausser compagnie. Je l'engageais dans une vilaine histoire, mais quelle bêtise de se cabrer au lieu de me résister en finesse. « Mon chéri ! »

« Mon chéri » ne se montre pas en veine d'éloquence. Il demande si le jeune homme à col dur ne serait pas au courant de l'affaire. On me caresse les joues. Mes sales joues de fêtard, qu'une putain vient de caresser avec ses grandes mains poisseuses, mes joues rêches et pâles, hérissées de poils brutaux. Je repose ma question, on me caresse toujours, on s'étonne de ma curiosité naïve. Jean ? Un ami. Un puits de discrétion. Je repousse la main de Simone et, d'une voix paisible, réitère mes anciennes déclarations et menaces : si jamais par sa faute, il m'arrivait malheur...

Nous nous sommes réconciliés : je ne crois pas à cette réconciliation. Moi, du premier instant, faut-il le rappeler, je joue la comédie, mais il se pourrait que ma collègue d'amour voulût se mettre à mon école. Au début de notre nuit, il me semble qu'elle faisait la cynique, et il se pourrait qu'elle eût été sincère. Nous verrons. La garce. M'en aura-t-elle valu de belles heures. Je veux, je veux de toutes mes forces lui nuire. Lui faire payer ses vanités et tendresses féminines, ses ruses féminines, son corps féminin. Lui refouler dans la gorge toutes ses fanfaronnades. Lui ôter ces langueurs dans les yeux, ces ombres sur les joues, qui adoucissent le plein merveilleusement réel de son visage — tous ces affûtiaux, ces pièges à hommes, ces faux mystères.

Je vais dormir. Onze heures du matin. La rue bruit à peine.

Vers six heures, même jour.

Etrange sommeil que celui dont je sors, tout fulgurant de rêves. Sommeil à peine sous la conscience, piqueté d'affirmations comme « Il fait jour », « Il fait dimanche » ou « Je dois me rappeler que je suis heureux », « Je dois me rappeler d'où vient ma souffrance », troué de noms hurleurs « Simone ! Romanino ! Simone ! Mireille ! Daraut ! Fontanges ! », traversé d'images dont m'éberluait l'exactitude, le groom de cette nuit, Armande donnant le sein à un gosse, Lucie Romanino négociant la paix avec Hitler — tohubohu dont je me figurais à chaque instant sur le point de prendre congé, mais où je replongeais du même coup — série endiablée de gags, de malheurs et de triomphes. Je me réveille, la gorge embarrassée, la poitrine rapetissée, pesante. Dehors la vue et la nuit coulent. J'ai « fait ma Défense passive ». Je me sens tout au fond d'une ville. J'ai dormi sur un lit, mais j'éprouve que ce lit ne possède une existence et une signification que comme un lit parisien, tourné face à un trou par où l'on domine une rue parisienne. Je me sens rencogné, oublié tout au fond d'une ville. Je porte au cou ma solitude comme le chien qui va être noyé sa pierre. Je puis crever. Une phrase se promène dans mon ciel, à la manière des affirmations de mon rêve ou de ces annonces lumineuses, jadis, lentement créées sur la nuit au dernier étage des maisons. « Maintenant que tu as fait ta Défense passive, tu peux crever. » Je ne comprends pas. Aucune raison ne peut rendre compte de cette netteté, de cette cruauté avec quoi la phrase magique insulte à mon ciel...

J'ai interrompu mon journal pour « lâcher la soupape ». Une idée, une folle idée. Envers Simone je me suis conduit comme un gosse et, loin de la précipiter dans le mal et de la lier à moi, pour longtemps, pour toujours, par un pacte de crime et de volupté, lui ai donné barre sur moi par des actes et des phrases. Elle peut beaucoup contre moi. La sérénité de ma chambre actuelle doit lui rendre grâces, non moins qu'à la police, dont elle constitue, en fait, désormais, sans le savoir, un élément. J'ai fourré Simone dans la police secrète. Si j'écris, au lieu de me trouver, le nez sur ces planches, un couteau entre les épaules, je dois l'en remercier. Envers elle je ne suis plus libre. Mon cobaye possède le moyen de jouer de moi... De me traiter en cobaye... Ne craignons pas les gestes idiots puisque nos grandes résolutions aboutissent à des résultats aussi piètres.

J'écris à Maurice. Je veux, au moins une fois, railler cette gueule où se niche une tentative d'amertume. Oh ! bien sûr, comparée à une lettre de dénonciation, ma bafouille ne vaut pas mieux qu'un mélange de pois chiches — orge mondée — maltofruit — gravier de jardin — et, même, pois lupin — comparé à du café de Haïti, — je m'en moque. Je n'ai pas le choix.

« Mon cher Maurice,

« J'ai beaucoup réfléchi, tu sais, à notre dernière conversation. Ta gravité, je puis dire ta solennité, pour m'évoquer la grandeur du peuple parisien, je ne puis m'en détacher comme cela. Tu es bon, Maurice, tu es un homme bon, un homme de grand cœur, et je ne sais ce qu'il faut le plus louer en toi de cette acuité de méditation et d'observation qui te montre dans les choses exactement le fait nouveau, brut, remarquable — acuité d'observation servie, cela va sans dire, cela va mieux encore en le disant, par une acuité d'expression d'une force rare — ou de cette tendresse avec laquelle tu suis les pauvres hommes, leurs pauvres joies, leurs pauvres souffrances, leurs pauvres erreurs.

« Deux êtres en un. Il y en a (ils te connaîtraient mal !) qui verraient dans ta tendresse comme une excuse de ton intellectualité, un regret pudique de savoir juger les hommes et la vie. Alors que ton intellectualité, non moins que ta tendresse, est la fleur de ton génie et qu'une tendresse te semblerait larmoyante qui ne serait pas épaulée, et comme redressée, par une intellectualité. Πάντ' ἐστιν'' εν τῳ'' ἀνθρωπῳ. Je ne dis pas Ανθρωπος μέτρον απάντων. Tu me comprends, n'est-ce pas.

« Puis-je faire appel à ton grand cœur et te signaler une de ces misères discrètes, une de ces détresses cachées, volontairement cachées et d'autant plus poignantes, comme Paris, hélas ! sait trop en contenir ? Tu m'as parlé l'autre jour des femmes enceintes et j'ai admiré ton admiration. Il ne s'agit pas, cette fois, d'une femme enceinte. Il s'agit d'une pauvre fille-mère, une de ces créatures mal armées pour la vie, et que la vie, tout de suite — *e dura la vita,* comme disent les Italiens, mieux inspirés alors qu'en telle autre proclamation — que la vie, dis-je, a vaincues. Une certaine Armande Besson, 34, rue Vieille-du-Temple. Une enquête discrète près de la concierge te révélerait les choses les plus poignantes et comme quoi, par honte, cette pauvre fille-mère ne touche des autorités aucune espèce de secours... Mais ces phrases suffisent. Insister serait odieux. Je te connais, tu me connais, j'en ai assez dit.

« Au revoir, donc, mon cher Maurice. J'aurais pu te téléphoner, seulement il fallait tout de même que certaines choses, une fois, fussent écrites.

« ton

« GEORGES. »

Je ne suis ni trop content, ni trop mécontent. J'aurais pu mieux réussir, mais, parbleu, le crâne me pèse. *E dura la vita,* comme disent mes Italiens...

Sus au cinéma. Je me sens aujourd'hui de plain-pied

avec ce monde nerveux et musical, ce luxe affriolant et cette théâtrale misère. N'importe quoi, n'importe quoi, mais du cinéma. J'opte pour le *Colibri*. Titine me dénichera deux places en retrait où nous serons à l'aise. Il faudra poser mes conditions. Après la séance, adieu, paniers, vendanges sont faites ! Je la laisse tomber. Je rentre seul.

Hélas ! Ce mot de « seul » me rend à ma colère sauvage. Une solitude sous la protection de Simone... Cette fille, un jour, il lui arrivera malheur.

Lundi.

Une chose m'étonne ou, plus exactement, me frappe. Je me mêle à peine dans ce journal de chercher à décrire Paris, comme je m'amusais à décrire Marseille. Je ne connais guère Paris, cependant, si je m'interroge, et son esprit, ses apparences, en nos temps moroses mériteraient d'être fixés. Pourquoi me détourner de Paris ? Peut-être l'illusion de le connaître m'empêche-t-elle de le voir. Et cette impression d'une ville abstraite, d'une ville cent pour cent idée de ville, cette impression que la réalité devrait chasser, l'emporte néanmoins sans cesse. Paris, ville gigantesquement anonyme, gigantesquement disponible. Tel le vestibule des tragédies, surtout des raciniennes. Paris, le lieu des rencontres et dialogues... Alors que Paris, c'est tout autre chose encore. Quand ce ne serait que le lieu des meurtres. Le pêle-mêle d'innombrables coulisses, tumultueuses et bigarrées, où les hommes, aussi, les hommes tombent...

(Réveillé dans la nuit.)

Je ne dormais qu'à fleur de peau. Etrange sensation d'un charme stupide — les coups de canon et les bruits de moteur, qui restent lointains et frêles, possèdent une couleur de poésie racinienne. On dirait des périphrases et des ritournelles de bruits. Cela suggère des fêtes galantes dans un décor de pierres et de fleurs et de clair de lune sur des eaux mortes. J'attends en vain le coup de canon proche qui écarte les danseurs...

Ce soir — avec quelle douceur bête se dressa dans l'ombre, après les maisons éclairées et la nuit massive, un METRO, d'un bleu d'aquarelle infiniment léger, enseigne délicieuse d'un bar souterrain... Mais, pour répondre à la franche inquiétude que ce réveil, peu à peu, glisse dans mes membres, à ce sentiment de nudité harassante et de prochaine comparution devant un tribunal, devant des chirurgiens masqués, n'évoquons plus ces fleurs grêles dans la nuit parisienne, ou ne les concevons que comme des lettres niaises de couronne mortuaire : le dernier mot — niaisement protégé de la mort — d'une inscription ridicule... La même lourdeur qui frappe mon corps insomnieux, cet homme la subissait. Je revois, dans le métro, un officier allemand tout gonflé d'épaules, de thorax et de cuisses, tout pesant sous l'uniforme, avec une grosse tête finie par un gros nez, quarante ans, je suppose, de grandes rides à forme de cicatrice, une peau couleur de sol, de larges yeux brun-noir. Le désir l'enveloppait de son aura poisseuse et frémissante. Une femme aux cheveux blonds oxygénés, un peu jolie et un peu jeune, se tenait en effet plus loin, qui ne cessait de regarder, par la vitre, le trouble déroulement des couloirs... C'est la première fois que je rencontre une telle expression du désir, cette pauvre intensité grave dans sa proclamation sinistre.

CHAPITRE X

Dimanche le 31 janvier 1943.

Non, non ! je suis dans la bonne voie ! Positivement, comme dirait Noël-Noël. Négativement aussi. Je suis dans la bonne voie et salue le joyeux carillon de tremblements qui accepte, parfois, de m'ébranler encore. C'est moi qui vis, non ces larves inférieures... A trois heures, cette nuit, « ils » sont venus prendre le Fouilloux. « Ils » la connaissent et « ils » la pratiquent. Ils possèdent, fichtre oui, la technique des arrestations et, en quelques instants, à haute dose, nous ont servi leur drame. Je ne me doutais de rien. Je n'avais pas entendu monter l'ascenseur ni grincer les bottes. Seulement, soudain, de grands coups là-haut. Un bruit de voix rauques.

Et alors j'ai frémi de bonheur, car je reconnaissais. La réminiscence platonicienne le faisait au charme sur tous mes membres. Je reconnaissais, je devenais l'ancien élu qui perçoit le message de l'ancien paradis. Dans un autre monde, ou j'avais entendu ces voix et ces coups à la volée dans une porte, ou ils m'avaient été annoncés. Prophétisés. Dans quel monde ? Il y avait celui des théâtres et des cinémas avant-hier soir, j'y découvrais encore une terreur de lumières crues, de planchers grinçants, de cris lugubres, mais ce n'était là pour ce que j'éprouvais soudain qu'un marchepied lamentable ! Comme un chien fou, je me mis à battre la pièce. J'étais au comble de l'excitation heureuse — avec, tout de même, la poignante sensation de subir un vol. Mon œuvre se dérobait à moi, glissait de mes mains. Il fallait que cela fût et cela était, merveilleusement semblable à ce que cela devait être, seulement, une autre fois, cela ne serait plus ! Il fallait me jeter à la gorge des choses pour les ralentir, mais je heurterais alors un ordre sans défaut...

Les instants jouissaient d'une extraordinaire densité d'action. Et de bruit. Les voix ne se laissaient pas distraire par le silence ni, on pouvait le supposer, les gestes par la fatigue. Au-dessus de ma tête, maintenant, Lucette et son sigisbée marchaient à leur tour. Des portes s'ouvraient, des portes battaient, des voix plus brutales luisaient çà et là. Et, bientôt, je reconnus, je reconnus, dans le détail des événements, le bruit merveilleux des sanglots d'une femme, un peu semblables, à cette distance, aux sanglots d'un gosse — mais sanglots d'une femme, je n'en pouvais douter, et d'une femme partagée entre la honte de pleurer et le désir d'apitoyer. Le cœur battant, je gagnai le vestibule. Il me semblait que, dehors, contre ma porte, un guerrier se tenait debout. Il me semblait que, d'une seconde à l'autre, j'allais entendre son souffle, l'aboiement de sa voix. Et je reconnaissais mon angoisse et l'encensais de tous les battements de mon cœur et de toutes les crispations, sur le plancher, de mes pieds nus.

J'entrouvris. Un bruit réel de voix et de sanglots, la fade lumière de la minuterie, une odeur de cuir, me tombèrent dessus en même temps. Il y avait là-haut, je m'en assurais, une dizaine d'êtres humains qui veillaient et marchaient. On s'embrassa. Une voix d'une dignité ridicule, après une toux, déclara : « T'en fais pas. Ils me relâcheront vite. » Les portes de l'ascenseur battirent et, bientôt, je vis glisser à ma hauteur, puis s'enfoncer, la cage dramatique. Je la reconnaissais du Grand-Guignol idéal dans lequel il m'avait été donné de la voir ou de m'en instruire. La petite lampe du plafond y était éclairée, heurtant à plein le front chauve du bonhomme Fouilloux, Louis XVI de Priminime, pauvre type fuyant vers son destin. Et j'avais reconnu la silhouette pacifique et dangereuse de son compagnon, le civil idéal, le *particulier* idéal. Des bottes grincèrent. « Ils » descendaient de là-haut. Une voix de femme gémit : « Mon mari, mon mari ! » et je fermai la porte.

J'étais toujours dans l'éblouissement de cette cage bien éclairée, descendant selon un rythme monotone, anodine et cependant tragique, tel le couperet de guillotine dont le bourreau vérifie au ralenti le fonctionnement. Mon cœur battait à se rompre. Des gens passèrent tout contre ma porte, des gens silencieux et forts et qui, d'une pression d'épaules, l'eussent jetée bas pour crever le secret de mon existence. Que c'était beau. Toutes ces puissances humaines tournant en colimaçon, tout cet assemblage de muscles bêtes et de poings lourds. Là-haut une femme pleurait. Lucette et le sigisbée entrouvraient leur porte.

J'aurais pu monter aux renseignements et présenter de fausses condoléances, mais, en vérité, mon œuvre atteignait la perfection. Que m'eût-on appris ? Je savais tout. C'était à moi d'instruire les autres. Je me précipitai dans mon lit. Devant la maison une automobile avait démarré. Je me tournai vers le mur et, poussant mon oreiller sur lui, me collant le nez contre lui, l'imaginai un instant comme un mur mystique, non plus des Lamentations, mais des Joies, auquel raconter ma gloire. Cela ne dura pas. Je me remuais sans cesse. Je cherchais dans tout le lit une place fraîche pour mes jambes et ne trouvais que des zones souillées par la chaleur. Je me sentais dans le dos un boisseau de puces. Mes épaules se recroquevillaient. J'abandonnais le mur pour me tourner vers le vide, écraser mon cœur sous le poids de mon corps, je revenais au mur, je me dressais le cœur tout en haut du corps pour qu'il fît la leçon à mon énervement stupide, en vain, en vain. Je m'étais mis à transpirer. Mon cœur, l'idiot, battait la chamade. L'idiot, oui : car, si j'aime la fièvre, celle-là ressemblait à du remords et je récuse le remords.

Je veux être à même de déclarer orgueilleusement : « Le remords ? Connais pas... » La fièvre passait au service de la médiocrité. Quand elle devrait donner toujours le spectacle des brutales ardeurs... Je suais comme un grand veau, frissonnais et, cette fois, ne reconnaissais ni ma sueur ni mes frissons. J'avais chu de la vie antérieure, du drame jadis contemplé ou révélé, pour me débattre dans l'obscurité la plus gluante. Je souhaiterais pouvoir écrire « la plus gluante absence de routes », mais, à la lettre, cela ne serait pas juste. Une route menait dans une direction, route invisible — route que je savais exister — une route vers le remords. Non mais chez qui ? Je suis tout de même un grand garçon ! Je n'ai pas besoin d'un directeur de conscience, je connais mes actes et mes actes me connaissent. Je n'allais pas me croire obligé de regretter quoi que ce fût. De la plus humble pellicule de mon crâne à mon nerf le plus lointain, tout moi-même, pieds, mains, cœur, salive, devait cent fois, mille fois, me rendre grâces, et voilà que ces gaillards me cherchaient querelle, me rouaient de sueur et de frissons.

Il ne faut pas déguiser les choses : ma nuit fut très mauvaise et l'offensive contre les merveilleuses minutes que j'avais su créer, menée supérieurement. On ne tendait à rien moins qu'à détruire mon œuvre. A me faire dire : « Je n'ai pas voulu cela. » Quand j'avais si bien voulu cela, si bien reconnu dans les événements le devis scrupuleux de l'ancienne création, et comme la marque de mes doigts ou la chaleur de mon esprit, secourus par l'idéal ! Nuit odieuse, nuit traîtresse, nuit de conspiration et de révolution. « Tu ne peux pas être aussi méchant. Tu te trompes sur toi-même. Ce n'est pas cela que tu as voulu. » Je finis par dormir, d'un sommeil hagard. Une fois, je me suis dressé.

J'avais dû crier à tue-tête ! Dans la gorge je souffrais d'une piqûre.

Le matin me trouva brisé comme si je m'étais battu avec l'ange — en vérité, je ne m'étais battu qu'avec la faiblesse humaine. Mais quel épuisement. Je m'habillai vite et, moite, secoué de frissons, m'élançai dehors. Je n'eus pas de peine à lâcher le concierge qui, d'une part, voulait des renseignements, d'autre part, se montrait plein de crainte et de méfiance. Je rejoignis la rue. A la fois je me traînais et je volais. Mon cerveau bâillait comme une semelle. A la fois, je me sentais hors de mon élément et je me sentais un homme sauvé, ce qui s'appelle un « homme qui revient de loin ». Le jour m'aveuglait. Je baissais les yeux et les moindres couleurs du sol, les débris les plus minces, je les notais, les énumérais. Un paquet de cigarettes vide. Un porte-cartes démoli. Une épingle. Un morceau de verre. O douceur ! Je n'étais donc pas mort. L'aube ne m'avait donc pas détruit comme le général du film. Une vraie rue vivante m'enveloppait, me protégeait. Il existait, en dehors de moi, sinon pour moi, des devantures sans pièges, des enseignes, des arbres, des chiens.

J'avais envie d'une douche. Mais il faudrait attendre une cabine dans le vestibule de l'établissement parmi une cohue de gens à effluves, sales — puisqu'ils désiraient se laver, — torves, godiches, bruyants ou mous, des gens à petite valise, à gomina, à sac de marché, brrr ! des êtres humains cent pour cent espèce humaine, de la sorte qui bave, crie, chante, crache, veut faire une grande toilette le dimanche matin, de la sorte que je dénonce, de la sorte qui fournit les Simone et les petits amis à col dur, de la sorte qui donne les Fouilloux. Non. Je voulais du silence. Je ne voulais pas m'infliger le cilice d'une eau brûlante, un parmi vingt autres, dans le désordre de la fumée et de l'eau qui bruit, des voix qui se hèlent d'une cabine à l'autre et du savon qui échappe des mains. Car il faudrait bouger, bouger sans cesse, lever, laver, frotter — quand je n'aspirais plus qu'à m'allonger dans le repos... Foin des douches.

J'optai, comme un famélique pour un beefsteack, j'optai pour un bain, un bain dans une baignoire, pour quelques malheureux francs de plus je coupais à l'attente. « Un bain complet ? » précisa une voix. Quelle gaffe elle m'empêchait de commettre. S'il n'avait tenu qu'à moi j'aurais donc pu demander un bain incomplet ? Une vieille femme bruyante et les bras nus, la peau à jour comme du vieux linge, me livra une pièce où je devais être fort bien — ce qui s'entendait, je le compris plus tard, comme un éloge relatif — et, bientôt, je me trouvai nu au milieu d'une brume chaude que les parois se renvoyaient de l'une à l'autre, qui embuait les glaces et se transformait, peu à peu, en une pluie de gouttes épaisses chutant du vasistas. J'entrai dans l'eau, qui me brûla les jambes. Une hésitation, un coup d'eau froide, et je me plongeai le corps jusqu'à la tête.

Je crus m'évanouir et il me sembla que mon cœur se détachait par grands lambeaux. J'adhérais, brûlant, à une baignoire et à une eau brûlantes. Ma peau flambait. Mon souffle se précipitait. Pourtant, si je cherchais, d'instinct, à me soulever, par volonté je me maintenais dans l'eau jusqu'à la tête, la nuque appuyée contre la paroi du fond. Et je finis par connaître un délicieux malaise. Mon cœur lançait dans ma poitrine des battements fades et sans épaisseur et ma bouche sentait fade, mais un repos, celui-là même que j'avais désiré, m'étreignait le corps. Cette moiteur, cette sueur excessive que j'avais désiré perdre, tombaient de moi par tranches. Un corps idéal, un corps astral, montait et se dégageait de mon corps. Je n'étais plus si ridicule au fond de ma baignoire. Je devenais le philosophe

Georges de la Motte dans une de ses poses favorites, symbole de la pensée victorieuse, tel Job sur son fumier ou le fakir sur son lit de pointes : l'épreuve m'avait rendu grand; j'allais pouvoir vaticiner.

Je fermai les yeux et, alors, je fus en proie à un vertige. La baignoire, la pièce, les mots, les pensées, vacillèrent. Une coupure se fit entre l'homme plongé dans l'eau et qui souffrait, et l' « homme de cette nuit », l'homme de la dénonciation et de l'arrestation. Une extraordinaire, et extraordinairement sotte, humilité — une pusillanimité, devrais-je dire — envahit l'homme de l'instant présent. A cette bouche qui sentait fade et à ce cœur saumâtre et plat il parut que l'ancienne vie, celle de la première jeunesse, n'avait pas été sans éclat ni mérite. Je me rappelai mes solennelles premières attitudes envers les hommes et la vie. Par lâcheté, je contemplais, j'examinais de tout près, ces pauvres choses. Un grotesque chantage s'exerçait sur ma personne : si je refusais l'examen, me répétait une force inconnue, alors disparaîtrait l'homme de cette nuit. Et moi, cependant, d'obéir à ce chantage... Tout cela, bien sûr, a duré seulement quelques minutes, mais, pour prévenir un retour de telles bêtises, je dois m'y arrêter.

Un Renaut ancienne manière barbotait maintenant dans la baignoire. Voyons, murmurait cet homme ridicule, tu es en dehors du jeu. Hors de la voie, de la vérité, de la vie. Ton égoïsme insensé, ton esprit de recherche et de haine, ont limité à l'excès ton esprit et ton cœur. Tu as monté en toi d'excellents mécanismes, par malheur ils ne travaillent que du vide. Rentre en toi-même, Georges Renaut. Sois un homme pour qui existe le monde de la bonté du cœur. Qui ne saurait nier l'amour des frères entre eux, des sœurs entre elles. Pour qui, à toutes les mesquineries et vilenies, innombrables et d'une variété innombrable, des puretés, des générosités, des douceurs, répondent. Jadis, tu aurais cru n'exprimer que la moitié des choses en qualifiant de mauvais ce monde, et de farce la vie. La moitié des choses. Ainsi écrivais-tu, dans des notes, aujourd'hui brûlées, ainsi disais-tu à des amis qui pensaient de même dans leur cœur et dans leurs paroles et qui, eux, n'ont pas changé.

Rentre en toi-même. Ou devons-nous prêter l'oreille à des racontars. Nous pourrions insinuer que tu fais le mal par désespoir d'amour et que la pauvre petite défaillance, à un pauvre moment précis, d'une femme, explique ton ardente sérénité dans le vice... Oui, nu immobile dans ma baignoire, brûlé jusqu'aux os, débarrassé de la terrible moiteur qui, tout en étant mon ennemie, ne laissait pas de me protéger, je subissais, à la hâte, un flot de reproches. De sales petits adroits reproches. Avec trémolos à l'orchestre. On ne me jetait pas : « Honte à la fripouille de cette nuit. Caïn, qu'as-tu fait de ton frère ? », on me chuchotait gentiment : « *Souviens-toi du passé, quand, sous l'aile des anges...* »

Minute ! Je n'allais pas me laisser enjôler. Pour avoir plongé dans une baignoire, on ne m'aurait pas au sentiment ! D'abord, je résistai par le vide. Les reproches m'envahirent et ne rencontrèrent personne. Je vivais hors de moi. Je promenais mes yeux dans la pièce, émerveillé par sa laideur anonyme et chiche : chaise bancale, fragment de glace piquée, portemanteau dont la patère ne tenait plus, caillebotis fangeux. Les murs pleuraient de grosses larmes théâtrales, genre sueur de traître... Puis j'ai attaqué, de quel droit ce rappel à la douceur ? Je ne me conduisais ni plus ni moins mal que les autres. Ce n'étaient sur le monde que sang et massacres, cadavres, barbelés, morts de gosses, tortures, faims, rapines, horreur des combats dans la nuit et dans la pluie, boue, merde, formol, camions bousillés, membres arrachés, fatigue et goût du néant, fatigue et injustice, fatigue et cruauté, fatigue, fatigue, fatigue. De toutes parts, sous l'excessive usure, grinçaient les ressorts. Les corps ni les esprits n'en pouvaient plus. « Grâce ! » demandaient-ils. A quoi les chefs, sur un bon ricanement, de répondre : « *Je fais la guerre.* » Et, quand ils avaient répondu, il s'élevait à leurs entours un concert de louanges. Quelle maxime lapidaire. Quelle morale de la cité. Voilà qui clouait le bec au scepticisme. Ces cadavres pourris sur place — je fais la guerre ! Ces gosses qui crèvent de faim — je fais la guerre !

Eh bien, moi aussi, morbleu, je faisais la guerre et je n'entendais pas que la pitié voulût me traiter moins bien que les sacro-saints gouvernements. A la gare le respect, l'amour des hommes, à la gare la douceur, la pureté, la franchise. Je faisais la guerre, la guerre au monde, à la monstrueuse bêtise du monde par quoi un rocher ne me tombait pas sur la tête, à moi, pauvre type nu dans ma baignoire, pour écraser un salaud. Je faisais la guerre à cette monstrueuse liberté par quoi, justement, j'abusais de la liberté.

Et puis je me suis trouvé bon de plaider ma cause. Je ne connaissais qu'une loi, mon caprice. Comme j'avais plongé dans l'eau brûlante au risque de me nuire, je me colletais avec les êtres et la vie, je me dé-menais à ma guise. Il arriverait ce qui arriverait. *Mek-toub.* Je semais et récoltais ce que j'avais semé. Il aurait existé la lettre de dénonciation Fouilloux, la nuit de l'arrestation Fouilloux, cercle parfait d'angoisse. Ton corps est à toi, dit l'autre. Mes actes étaient à moi et leurs grouillantes conséquences. Justifier le passé, besogne futile. Il importait plutôt de créer un avenir qui fût digne du passé en se montrant plus beau que lui. Je devais créer un avenir moderne. Mes dénonciations portaient la marque de la médiocrité française, cette horrible tare, et je n'avais pas encore accusé dans le vide. Je me contentais d'une broderie sur des faits réels. Eh bien, désormais, je nagerais tout seul dans le vice. Je me passerais de faits réels comme ceinture de sauvetage. Je frapperais où je voudrais. Je sécréterais en même temps mes armes et mon crime. En avant ! En avant ! Et que Simone payât la première ! Il y aurait toujours, dans Paris, assez de baignoires d'eau brûlante pour calmer ensuite mes frissons et ma sueur.

Lundi.

J'espérais confier à mon journal un lapidaire bulletin de victoire qui eût clos ma longue note précédente. Je lui confierai une tuile. Une très grosse tuile. Lhomme, qui prend goût aux milliers de francs, ne s'est-il pas avisé de mendier encore ? Cette fois, le petit futé, il monte droit jusqu'à la source et il écrit directement à Carbonnel. Les cent vingt-cinq mille francs lui ont rendu un signalé service, mais, quoi, la matière est la matière ? N'avait-il pas dit qu'il lui fallait deux cent mille francs ? Il a eu beau comprimer ses dépenses, il s'est engagé pour cent quatre-vingt-deux mille. Cinquante-sept mille de déficit. La Jeunesse ne pourrait-elle ?...

Aujourd'hui, la Jeunesse, ce n'était plus Georges Renaut de la Motte ni sa haute compétence financière, mais Carbonnel, sale petit bonhomme de mauvais poil. On l'accuse de tripoter, le Carbonnel, et moi, ô mon cher journal, je te le dirai net : il tripote. Je sais cela, mon cher journal, comme les hommes de qualité, sans l'avoir appris. Je *sais* cela. Entends-tu ce langage ? J'ai vécu, figure-toi, dans un monde idéal, et demeure tout éclairé de ma céleste expérience. Crois-moi, je suis infaillible. Carbonnel tripote. Je connais le mécanisme de son corps...

Irruption du Carbonnel. « Que signifie ? Cent cinquante mille, cent vingt-cinq mille... Voyons, je vous ai bien remis cent cinquante mille ? » Je soutiens mordicus que j'ai reçu cent vingt-cinq mille et, comme il s'emporte, je monte sur mes grands chevaux. Je prononce un serment sur la France et le Maréchal. Moi, raconter des histoires ? Moi, vouloir soutirer de l'argent ? Mais je ne suis qu'un pauvre petit, un pauvre piteux idéaliste ! On me placerait dans les mains vingt mille, cent mille francs, je prierais les gens de me les enlever, car je ne saurais seulement pas qu'en faire... En dessous j'examine mon type. Je cherche en vain à déceler sur cette bobine rageuse la moindre fissure. A guetter le bon moment pour cligner de l'œil. Pour introduire une question finaude sur les vrais motifs de cette colère. Rien. Il s'éloigne, mais en bougonnant que ce n'est pas fini, cette histoire, et que j'apprendrai de quel bois il se chauffe...

Comme ce n'est pas joli d'ennuyer quelqu'un pour de l'argent !

Tout l'après-midi, j'ai attendu mon Carbonnel. Personne... Il se trouve, malheureusement, qu'il a raison : ce n'est pas fini, cette histoire, et je dois veiller au grain. J'ai signé le fameux chèque et, ce qui me gêne davantage, la boîte, depuis quelques jours, est sens dessus dessous avec des histoires d'argent. Du concierge au Grand Patron chacun porte, ou endosse, des accusations extravagantes. La presse, cette idiote, a tenu à déclencher une campagne. Sus à la Jeunesse ! Le scandale de la Jeunesse ! Eh oui, il y a un scandale de la Jeunesse — mais il n'entre pas en ligne, fichtre, loin de là, avec le scandale de la presse... A quoi bon troubler notre maison. Ça ne changera rien à rien. Ça ne servira peut-être qu'à empoisonner Renaut de la Motte. A quoi bon.

Mardi.

Je n'ai pas revu Carbonnel. Je n'aime pas cela, je n'aime pas cela... Du moins ne vais-je pas attendre indéfiniment le caprice d'un crétin et, l'esprit libre ou non, je suis mon plan. Ce matin, déblayage. J'ai raconté à Simone l'arrestation du Fouilloux. Avec mille détails plus faux les uns que les autres et destinés à noircir la scène. Pour moi, bien sûr, elle est assez noire, elle est d'une noirceur sublime, mais je ne saurais communiquer à un être, surtout à une femme, cette impression de reconnaître, de revivre, qui m'a tellement secoué cette nuit-là... Simone tremblait. Je suis assez content de moi-même, je crois que « j'ai été bon », comme disent les acteurs.

Dans la Wehrmacht figurent aussi de pauvres couillons sans race précise — très humains, certes, et, si l'on veut, de la grande race des sots. A la station Concorde, dans un escalier, fonctionnait aujourd'hui un mendiant. Un de ces mendiants latins, malins en diable, faux jeton depuis la pointe des chaussures jusqu'au plus soigneusement bouleversé des tifs. Marmonnant quelque chose, qui peut être un juron ou une vacherie autant qu'un appel. Et doué d'admirables regards luisants, qui expriment la réserve, la résignation, l'ancien orgueil déchu, le « Je n'ai pas toujours vécu dans la débine », le « Je sais très bien comme la vie est dure... » Passent deux Fridolins. Lourds et sans armes, des paquets sous le bras. Au bas des marches ils s'arrêtent et les voilà qui dégoisent. L'un des deux, enfin, remonte l'escalier et, rouge, ému comme une garce qui va briser la bouteille du lancement sur la coque d'un navire, dépose quarante sous dans l'humble casquette. Imbécile, va. Et nos deux Fridolins, la conscience plus sereine, d'affronter les couloirs. L'autre n'en revenait pas. Son admirable regard n'arrivait plus à garder son sérieux. Nous nous sommes souri.

Mercredi.

Toujours pas de Carbonnel. Mais je continue à *savoir*. Cette histoire n'est pas finie. Je sais, je *sais* que le bonhomme trame son affaire et met en péril notre sécurité.

J'ai signé le chèque mais il y a autre chose. Mon journal. J'ai tout confié à l'agent double. Déchirer ma note ? Il me faudrait brûler tout mon journal. Je m'y refuse. Ce journal peut être découvert — je lui accorde le droit de me trahir. A lui seul.

J'ai été nigaud, sans doute, de montrer à Simone les fameux vingt-cinq mille francs. J'en ai retiré une furieuse et délicieuse fièvre, mais ne suis-je pas en train de faire contre mauvaise fortune bon cœur ? Simone, du moins — je m'y refuse — ne me trahira pas. Je la tuerais ou je mourrais auparavant.

Tandis que j'écris mes petites affaires, notre sotte, couchée dans mon lit, feuillette *Signal*. Je connais des précédents à une semblable scène. Je me rappelle ce soir où elle me dit, en dernière parole : « Tu ne vas pas éteindre ? », je me rappelle encore la chambre marseillaise où, Rataud et moi, nous rêvassions de compagnie. Haute valeur tonique de ces instants. En face de moi cette pauvre chose représente l'ensemble des êtres qui ne sont pas moi, toute l'humanité, et moi, en opposition, avec mon cahier, mon silence et ma plume, je représente l'esprit. Cette pauvre chose. Je la force à marcher comme une bourrique.

J'ai eu le toupet de monter avec elle chez les Fouilloux et, sous mon regard, de l'obliger à plaindre et à se plaindre. « Mon pauvre mari, disait l'autre, pourquoi qu'on l'a donc pris ? Il achetait bien et vendait bien un peu au marché noir, comme tout le monde — tout de même c'est dur après toute une vie d'honnêteté... » Je l'ai interrompue. « Pour moi, quelqu'un a dénoncé votre mari. » Elle n'en voulait rien croire, l'idiote. Pourquoi dénoncer M. Fouilloux, pourquoi donc ? J'aurais pu m'obstiner et sortir deux ou trois motifs plausibles, je préférai hocher la tête et me laisser convaincre. La petite mère se délectait de mon attitude. Elle en remettait sans cesse. Non, non, personne n'eût trouvé une ombre de motif pour dénoncer le Fouilloux... Après ça, moi, je m'en fiche. J'accepte. Ce n'est pas moi qui ai inventé, un soir, le personnage de Frédéric Bourciez, ni moi, sous ce nom, qui ai écrit à la Kommandantur, ni moi qui me suis rendu rue des Fêtes, un soir en vain, un autre soir triomphalement, ce n'est pas moi, non ce n'est pas moi, et les gens qui le disent en ont menti. Ragots et calomnies.

Comme tout devient facile selon cette méthode. La Fouilloux supporte allégrement la comparaison avec mes Allemands d'hier. Comme tout devient lumineux. Ce n'est pas moi non plus qui, ce soir, ai précisément écrit à la Kommandantur. Ce n'est pas moi qui ai décidé de frapper le petit ami à col dur avant de frapper Simone. Elle n'est pas de moi, cette lettre qui gonfle mon cahier. Quel motif, je vous le demande, quelle ombre de motif aurais-je pu alléguer ? Un bon petit jeune homme et qui, un matin, m'a préparé et servi du café bien chaud, bien national, avec tout un morceau de sucre. Vous voyez.

Jeudi.

Carbonnel est venu. Je l'ai reconnu, non seulement du Carbonnel physique à l'air fouinasse qui me cherchait des ennuis l'autre jour, mais du Carbonnel idéal dont je possède l'image. Il ne m'a pas serré la main. Il en avait soupé, dans la maison, de payer les pots cassés ! Les services financiers, ils avaient bon dos, les services financiers, mais, à la fin, zut et flûte, ils se révoltaient les services financiers, ils ne voulaient plus prendre pour les autres !

« Si vous ne me rendez pas les vingt-cinq mille francs, je vous fais une histoire du tonnerre de Dieu. »

Je l'ai prié de laisser là le tonnerre de Dieu et de me dire, gentiment, en quoi il courait un ennui. Avec son « astuce » d'écritures il m'en avait jeté plein la vue ! « Une chose si simple. » Ainsi avait-il parlé sans que nul l'y obligeât. Il aurait dû réfléchir... Après un silence, il émet des phrases plus raisonnables. Ce monsieur Lhomme ne prêtait-il pas le flanc à une accusation ? N'eût-il pas empoché la somme défaillante ? Je déclare, d'un mot, que je n'en crois rien. Carbonnel marchait de long en large. Quel pépin. Un gros ponte lui avait soutiré la lettre de Lhomme et, pour peu qu'on se mêlât de vérifier, ce serait le gâchis. Lui, Carbonnel, imaginerait bien ceci et cela, mais, quand il se serait cassé la tête, il manquerait toujours les vingt-cinq mille balles. Hum hum.

Ces brusques perplexités me semblaient drôles. Je me demandais si le Carbonnel ne me montait pas un bateau. Il inventait peut-être le gros ponte, la lettre de Lhomme, que sais-je ?... Il gémissait toujours. On n'en était plus, hélas ! aux premiers temps, ces beaux premiers temps où les pires bévues se commettaient sans le moindre risque et où l'on rattrapait une erreur de dix millions, par exemple, dans un total. C'était devenu autrement dur. Et de soupirer. On ne gardait même plus le droit de se tromper de mille francs. Aussi, quant à lui, avait-il pris sa décision. Il raconterait tout. Je ricanai. S'il racontait tout, le patron le ficherait dehors. Un truqueur d'écritures. Il ricane. Le patron le ficherait dehors (encore était-ce à voir), moi aussi il me ficherait dehors. Bref, Carbonnel exigeait quinze mille dans les huit jours. Passé le délai, Monsieur porterait plainte...

Nous nous trouvions seuls dans la pièce et, pour autant que je fusse en mesure de le savoir, il ne rôdait par là aucun microphone. Seuls : lui, qui n'est pas né de la dernière pluie, et moi. J'ai donc déclaré tout haut que j'avais carotté les vingt-cinq mille balles et, doucement, je clignai de l'œil. Comme il se doit, sans familiarité aucune, par franchise de technicien. Il ne m'eut pas l'air de tomber de la lune. Un gaillard. Je le pressais de dire s'il ne me traitait pas comme un enfant de chœur et ce que valaient ses racontars de lettre Lhomme, il ne consentit pas à entrer dans mon jeu et, utilisant le moins de mots possible, prétendit maintenir sa ligne de conduite : quinze mille dans les huit jours, sinon la plainte. Nous discutons. Posément, entre collègues. Il finit par en rabattre de cinq mille. Quel ahuri, ce Lhomme ! Le Carbonnel me serre la main avec un bon et ironique sourire. Il ne doute pas de mon esprit. Il sait trop bien que, le jour voulu, je lui remettrai ces dix mille francs dont j'affirme ne pas avoir le premier sou. Le salaud. Je relève le défi ! Je crois qu'il me reste dans les huit mille francs et, par voie d'emprunt, je serais arrivé à compléter la somme, seulement, mes huit mille francs, moi je les nomme sacrés. Je n'y porterai pas la main pour une déplorable opération de remboursement. Les dix mille francs Carbonnel, il faut que la société me les fournisse d'un bout à l'autre.

En chasse. Bon sang marseillais refuse de mentir. Je repique dans mon ancienne atmosphère.

J'ai déjà trouvé un truc, mais je l'écarte sur-le-champ. Ecrire à Madame ma mère et lui signaler mon embarras. Outre que je ne puis me garantir, nullement me garantir, une réponse favorable, et qu'un échec cuirait à mon amour-propre, je proclame les intérêts de Madame ma mère, sur ce point, solidaires des miens entièrement. Il n'est pas exclu qu'un jour je ne vole Madame ma mère. Pour le plaisir, pour le sport, pour connaître. Mais de quoi s'agit-il aujourd'hui ? De restituer à un infect petit voyou, à un pauvre sournois qui demande sa part du gâteau, dix mille francs sur les vingt-cinq mille que je lui ai filoutés à son insu. A Dieu ne plaise que servent ici les écus maternels. Si je dois voler un jour Madame ma mère, que cela se produise alors que le besoin d'argent ne me talonnera pas. Je volerai pour connaître les sensations de l'homme qui vole sa mère, après quoi je ferai la noce pour connaître les sensations du noceur et, en particulier, *rarior avis*, du noceur qui dilapide un argent maternel volé de ses propres mains.

La nuit porte conseil. Dormons. Sur l'étagère, prêt à l'acte, je disposerai mon tube de cachets. Une méchante insomnie me provoquerait-elle par son flux d'images et de suggestions, je prendrai une, deux hosties d'aspirine, et foncerai dans un repos comateux et luisant, aux lendemains créateurs.

CHAPITRE XI

Samedi.

Ecartant l'hypothèse de voler Simone, je retiens celle de taper Romanino. Je ne suis pas mécontent de moi-même. Je persévère dans l'être. Je « me défends » !

Voui, je pense avoir trouvé le bon truc : mettre la Fouilloux dans le bain. J'ai posé mes batteries. J'ai couché Simone pour monter là-haut où notre mémère préparait des conserves de lapin aux sons d'une Marche lorraine, que beuglait la radio. Je présente, avec circonlocutions, mes offres de service. Et que ça devait être si dur de vivre toute seule, après tant d'années en commun. (Longue contemplation de la photographie des époux, qu'on essuie dans un tablier avant de me la montrer.) Et qu'on ne devait plus garder de goût à grand-chose. Pleurs de la Fouilloux. Ah ! c'était seulement pour s'occuper, empêcher le lapin de se perdre, qu'elle préparait des conserves ! Sûr qu'elle n'avait plus de goût à rien ! La bouchère, par son entrée particulière, ne lui avait-elle pas cédé l'autre jour un ris de veau — oh ! un peu de ris de veau — son morceau favori, eh bien, triste à dire, elle l'avait mangé sans plaisir. Grave, j'écoutais les balivernes et, quand elles s'arrêtaient, j'en déclenchais de nouvelles. Et, soudain, comme si vraiment je le découvrais, je m'aperçus qu'au fait ?...

Au fait, peut-être y aurait-il moyen, sinon de libérer le Fouilloux, au moins d'entrer en rapport avec lui et d'améliorer sa situation présente. Par le P.P.F. Grimaces de la mère Fouilloux. Le P.P.F., c'est-il pas le sale groupement de Doriot, des trucs aux Boches. Jus Renaut de la Motte. Le P.P.F. n'est pas ce qu'un vain peuple pense. Une grande machine, le P.P.F., de braves gens, le P.P.F. Et puis quoi, chacun sert son pays selon ses idées. Pas vrai madame Fouilloux ? Peut-être bien, peut-être bien. Si des P.P.F. amélioraient le sort d'un détenu, cela ne voudrait pas dire que cet homme fût P.P.F., mais qu'à l'occasion les Français rendent service aux Français. En France, on se casse du sucre sur le dos, on blague sur les partis adverses, mais, dans le malheur, minute ! la solidarité nationale joue à plein. Après tout, ce que j'en racontais, c'était pour obliger la mère Fouilloux. Moi, je n'adhérais pas au P.P.F. J'estimais heureux qu'il existât des P.P.F. pour protéger les Français près des Allemands mais, en ce qui me concernait, je gardais mon indépendance...

Elle céda. J'étais un brave jeune homme. Tous les amis de Mlle Lucette étaient de si braves jeunes gens. M. Jean-Paul, hier soir, qui lui avait réparé sa T.S.F. Elle se moucha : « T.S.F., P.P.F. dis-je, cela se ressemble. » Elle fit un sort à ma pauvre bêtise et, à défaut de cognac, m'offrit des cigarettes. Je dois commencer les démarches. Je n'ai pas caché qu'il faudrait peut-être payer gros — tant pis ! Ils avaient mis de côté quelque argent pour s'acheter un pavillon dans la banlieue, les bombardements s'acharnaient trop sur les banlieues, l'argent servirait à libérer le pauvre gars Fouilloux.

Dimanche.

En vérité, je reste le même, je persévère dans l'être. Le bon petit jeune homme et vaurien aux abois que j'incarnais à Marseille, une fois parvenu aux honneurs je me suis gardé de le désavouer. Mon habileté première à me retourner dans les situations délicates, je la possède encore. Je suis toujours l'homme de la Canebière, des de Maumond, des Silvestre et de Marie-Louise. O ma jeunesse avide et paresseuse, combien je me réjouis de marcher sur vos traces et combien vous pouvez vous enorgueillir de moi !

J'ai renouvelé aujourd'hui, pour le sport, mon histoire de Rataud et des chronomètres.

Nous avions, Simone et moi, déjeuné ensemble. Au camembert maigre, un instant, je m'esquive. « Un coup de téléphone qui t'intéresse », dis-je, un doigt sur les lèvres. (J'appelais Gaston et lui confirmais un rendez-vous.) Je reviens, la figure lasse, m'asseoir près de Simone et, d'une voix sombre, je demande une fine.

« Ah ! ce sera dur ! ce sera dur ! » Je me mets, du bout des doigts, à tambouriner sur la table. « Qu'est-ce qui sera dur ? » Je hausse les épaules. « Que veux-tu que ce soit ? Pas de tuer ta mère, bien sûr ! Non, d'obtenir pour ton frère un congé de captivité. — Je croyais que... — Tu croyais, tu croyais !... »

Je lui présente un tableau sinistre. L'âge. La classe La trahison de Giraud et de Darlan. Il existait ur moyen, certes, un moyen efficace, même — quel ennui d'aboutir là ! De cracher la forte somme. J'étais déjà dans le coup, moi, pour une vingtaine ou une trentaine de billets, et que je ne regrettais pas ! Fichtre non ! je ne les regrettais pas. Seulement je ne pouvais continuer ainsi. Les larmes montaient aux yeux de Simone. « Mon chéri ! Tu as fait ça ! Et moi qui croyais... — Tu crois ! tu crois tout le temps... » Simone, sur-le-champ, voulait partir pour Le Perreux et saigner sa famille d'une cinquantaine de mille balles — plus, même, si je l'estimais nécessaire.

Mon œuvre atteignant sa perfection, j'ai prié la pauvre folle de ne pas bouger. Demain, après une nouvelle mienne tentative, il serait assez tôt pour collecter l'argent. Quelle pauvre folle. J'avais désiré connaître, tout bonnement, si je gardais le don de persuasion; si les femmes avaient progressé en astuce.

Passons à des tâches plus sérieuses...

Le destin, l'après-midi, m'octroyait une récompense, me donnant la preuve que je marchais dans la bonne voie. Rue Saint-Denis, dans une vitrine de mercerie-papeterie, *Les Fleurs du Mal* me sont tombées sous les yeux. J'ai compris ce message. Il y avait *correspondance* entre le quartier et le livre et, d'autre part, le mystère attaché à la présence des poèmes n'en subsistait pas moins...

Simone se demandait pourquoi je contemplais la vitrine. Sur un morceau de papier qui buvait l'encre, un détatoueur affichait sa réclame. Elle aura cru que le boniment m'intéressait. Quand, doucement, saintement recouvertes de poussière comme une statue de sable, tachées de moisissures pustuleuses, *Les Fleurs du Mal* reposaient là, au fond de ce quartier morose, par un dimanche fade, dans la rue dont les rares mouvements humains respectaient le rythme antique. Vieillesse et misère, crasse et vice, exposaient çà et là leurs ornements rococos — un ventre de maison pâteux et bombé, une putain noire, une devanture de bar toute sonore de gros métal blanc, un cageot moisi... Avec ce livre et ce quartier j'étais au centre du monde, dans le noyau, mou de pourriture, de ce fruit aplati qu'on appelle la terre...

« Les amants des prostituées
sont heureux, dispos et repus... »

Le soir je monte chez la Fouilloux. Ça biche, ça boume, notre combine, mère Fouilloux. Je pense que votre homme s'en tirera vite. Il faudra compter combien, cher monsieur Renaut de la Motte ? (Oh ! Oui, je suis « cher », vous avez raison.) Pas moins de vingt-cinq mille. C'est cher ! A qui le dites-vous ? Voyez vous-même, il faut « arroser » une dizaine de personnes. On n'a plus rien pour rien... La Fouilloux, après maints soupirs, trifouille dans des coins et m'aligne quinze mille francs en billets de cent et de dix. Je m'en rapporte à elle pour l'exactitude de la somme... Quand ceux-là n'existeront plus, je monterai le dire. Fort bien.

Lundi.

Chaude entrevue avec le Romanino. La politique de la Jeunesse n'aura guère avancé, ce matin, de notre fait, mais la Jeunesse, encore une fois, peut attendre ! Si crétin que demeure le petit crétin de Romanino, il arrive des moments, des heures, même, où il est vivable. Convivable, aurait dit Leibnitz. J'aime, j'aime à la folie ce petit fricotage. Toutes ces connexions et interconnexions d'affaires. Ça se brouille, ça se multiplie et ça grince et ça s'enfièvre, foule merveilleuse, et, un jour, tout saute et cela donne un néant merveilleux...

Romanino prend l'initiative. Cartes sur table. Il sait — lui du moins, pauvre apparence, il sait de science tout humaine, de science Carbonnel, non de science idéale — il sait que je me trouve en péril d'argent et propose de me tirer de là. Trente mille francs dès demain si je m'engage à la L.V.F. Il se fait fort de tailler dans ma personne l'étoffe d'un lieutenant boche. Lieutenant Georges Renaut de la Motte, Légion des Volontaires français sur le front de l'Est, c'est ça qui la foutra bien. Comme marraine, pas d'hésitation, pas d'histoires, un seul nom, une seule adresse : Lucie Romanino. A qui les bons foulards de soie ? A « *noi* » ! A qui les mocassins ? A « *noi* » ! A qui l'Armagnac de la vallée de la Midouze ? A « *noi* », toujours à « *noi* » !

« Tu oublies, dis-je, que je suis réformé. » Il demande cinq minutes pour rire. Réformé ou non, je tiens le coup dans la guerre et puis, s'il le faut, je ne combattrai pas. Je serai lieutenant de bureau, de caserne, de propagande. On se servira de mon nom et de ma prestance en uniforme... Tout cela ne me sourit pas encore. Merci quand même, monsieur Romanino ! Tout cela me semble dangereux. J'arriverai à m'en sortir, allons donc, sans recourir à une solution voyante...

C'est moi qui interroge. N'y aurait-il pas moyen, par le Grand Jacques ou ses amis, d'obtenir la libération d'un pauvre couillon, un nommé Fouilloux, auditeur de la radio anglaise ? « On peut essayer. Ça peut se faire », répond l'autre. Déranger le grand Jacques l'intimide, mais il ne serait pas fâché de montrer qu'il possède l'oreille des puissances. Je parle d'argent, il commence par dire qu'il n'en veut pas, puis se pose un doigt sur le nez. Si, de l'argent ne fera pas mal dans le tableau. J'offre cinq mille.

« Tu dirais deux fois plus que tu me paraîtrais deux fois plus raisonnable. Cinq mille, fétu de paille. — Ce sont de pauvres bougres. — Il ne fallait pas se faire prendre. » J'hésite. « Romanino, et si je te livrais un bougre en échange, tu ne crois pas qu'ils lâcheraient le Fouilloux pour rien ? Réfléchis. Ils changent une crapule contre un pauvre type. Primo, tout rentre dans l'ordre. Secundo, ils y gagnent... Ils devraient le lâcher gratis. — Tu ne connais rien de rien à la vie politique, tranche Gaston. Tu es l'homme le plus intelligent du monde, fantastique dans les questions amoureuses, mais tu ignores deux ou trois petites choses. Ils te lâcheront « peut-être » ton pauvre type, ils te coffreront « certainement » ta crapule et, de l'argent, ils en prendront « certainement. »...

Comme il reste intraitable, j'ouvre mon portefeuille, je compte dix mille balles. « Eh eh ! ricane-t-il, pour un homme ruiné tu te défends encore assez bien ! — On a aussi sa petite astuce. — Je vois. » Sans transition, et comme si la vue et le don des dix mille francs l'y incitaient il me prie à dîner demain chez lui. Lucie désire follement me connaître mieux : « Renaut de la Motte, ça, c'est un chic type ! » répéterait-elle sans cesse. Elle me juge intéressant comme un Boche. Il claque des talons, gueule « *Heil Hitler !* » et marche vers la porte, quand je le rappelle. Petit étourdi ! Alors on s'en va et l'on ne réclame pas à l'ami Georges le nom et l'adresse de la crapule ? Jean Malcurat, 68, avenue Emile-Zola. Zola, hein ! Qui se ressemble s'assemble. Je demande à Gaston s'il se croit mon ami — il proteste. Eh bien, il doit écrire à la Gestapo. Il racontera ce qu'il voudra, ce sera toujours exact. Qu'il ne confie pas sa lettre au P.P.F. Qu'il envoie une bonne lettre anonyme, jetée dans une grosse boîte bleue anonyme ou dans le ventre d'un bureau de poste, de manière à laisser une chance à la crapule. Il ne faut pas l'écraser sous tout le poids du P.P.F. Il faut étudier seulement si le nom de Frédéric Bourciez, par exemple (Je dis citer le nom par hasard), ou celui d'Isidore Lefèvre, ou celui d'Albert Rogomme, ou tel autre, jouiront d'une suffisante énergie coercitive. « D'accord », répond-il. Il reclaque des talons, crie de nouveau « *Heil Hitler !* » et, cette fois, je le laisse partir.

Soirée délicieuse. Le corps aurait pu, d'une manière assez légitime, se plaindre, mais l'esprit, que diable ! se trouvait si heureux qu'il emportait la décision. A la triste Simone — triste parce que j'entretiens dans son brave petit cœur la pensée de son frère prisonnier et de ses devoirs envers lui — nous avions proposé de dîner avec elle dans sa chambre. Elle se plaignait que nous mangerions trop mal, tant pis pour les fins gueuletons ! Je n'en voulais pas ce soir ! Je l'ai plus ou moins contrainte à inviter son jeune homme au col dur et, dans une installation de camp volant, sous une ampoule trop faible, et sans abat-jour, qui fatigue les yeux, nous avons dîné de soupe à la mie de pain, de pommes de terre et de yaourt. Grosse chose, le yaourt. Gros de conciliabules et d'évincements de priorités. Le tout arrosé de flotte et terminé par un coup de national. Comme souper fin, les grands-ducs faisaient mieux.

Seulement, ce dont manquaient sans doute les grands-ducs, moi je l'avais dans la présence de ce Jean Malcurat, laissé par la vie en liberté provisoire, ce Jean Malcurat, aujourd'hui ici, demain en prison, après-demain peut-être à la fosse commune, pantin dont je tirais au moins l'une des ficelles. Je m'amusais à le lancer pour m'extasier sur ses jugements sommaires. Comme tout, chez lui, à m'en croire, devenait intéressant ! Il était de Cahors. Cahors, les Cadurtiens, très drôle. « Jolie ville, proclamais-je, jolie ville. — Vous la connaissez ? — Non. Mais des amis m'ont tellement répété quelle ville attachante ce peut être. » Je lui demandais le métier de son père. Le père tenait un garage, c'est ça qui devait être poignant ! Et, à brûle-pourpoint, je voulais savoir pour quelle raison il préférait les cols durs aux cols souples, la « brosse ronde » aux cheveux en arrière. Je l'ahurissais. Parfois je lui donnais une bourrade et l'incitais à rire. Il se méfiait. Mon audace le surprenait trop, il gardait une lourde réserve. Je jouissais comme une petite folle.

O délicieuse ampoule trop faible, me murmurais-je à moi-même. Je me sentais me confondre avec Michel Simon, qui eût possédé ce soir le rôle de sa vie. Avec quelle finesse il eût obtenu de sa voix les inflexions, la pateline et la brutale, dont je cherchais à orner la mienne tour à tour. J'ai tenté une incursion du côté de la jalousie. J'embrassais et réembrassais notre petite garce. Le Malcurat détournait les yeux. « Vous ne trouvez pas Simone une gosse épatante ? Bien moulée, docile, épatante vraiment. J'aurais une critique à faire, peut-être dirais-je que le sein devrait pointer, légèrement, quelques millimètres, plus haut; notez, et je suis le premier à l'admettre, que je peux lâcher une erreur... » Simone murmurait. « Allons ! Allons ! Taistoi ! » Je tombai de mon haut. Avais-je sorti la moindre chose grossière ? L'amitié ne purifiait-elle pensées et paroles ? « Jean, ton avis, un avis sincère ? » Ebahi par le tutoiement, l'autre ne pipait mot. Je lui lançai une bourrade et partis d'un éclat de rire.

Mardi.

— Dehors, nuit noire. Présomption d'alerte. De temps en temps un couple d'agents de la Défense passive, dont les brassards clairs flottent sur tout ce sombre, se détache d'une porte. Une cigarette brille. Des menaces travaillent la nuit. La nuit est au crime, à la bataille, à la révolution...

Tout cela, misère. Misère pour moi, qui me sens toujours en avant du monde. J'ai vécu une journée dense et nerveuse.

Les citoyens clandestins ont devant eux un homme dans la fraîcheur de la joie et de l'audace...

Une lettre illumine ma table. Elle se passe de commentaires.

« Cher Monsieur, cher ami,

« Nous n'aurions pas dû nous quitter de la manière que nous nous sommes quittés l'autre nuit. C'est à moi la faute. Si si ne dites pas le contraire. J'espère que vous n'avez pas attrapé de rhume sur les marches de mon escalier et que vous ne me gardez pas une dent...

« J'aurai besoin de vous et j'ai quelque chose pour vous. Gaston, qui ne sait rien cacher, m'a raconté que vous aviez des ennuis d'argent. C'était donc vrai l'autre nuit. Peut-être que vous êtes un panier percé, mais, en tout cas, vous savez plaire aux femmes. Mon ami, M. X..., dont je vous ai causé un peu, voudrait me lancer dans un cabaret de nuit. C'est moi qui serais la directrice. J'ai changé d'idée. Je suis mieux faite pour le cabaret de nuit que le théâtre. Alors j'aurai besoin de quelqu'un pour s'occuper avec moi pour les programmes, mettre la salle en train, chanter un peu quand il faut, un copain, quoi, et qui s'intéresse au métier. J'ai pensé à vous. Je me suis dit que vous sauriez y faire. Je viens d'apprendre des textes d'Apollinaire, de Jules Supervielle et de Géo Mathis-Delagarde — vous connaissez tout ça, vous. Deux cent mille balles par an, plus des primes, par exemple un tant pour cent sur les bouteilles de Champagne, ça vous irait ? Naturellement bien sûr, pas de relève. Mon ami le Doktor H... vous arrangera ça. C'est lui aussi qui nous amènerait de la clientèle. Il faudrait peut-être le prendre dans l'affaire, mais on verra ça. En tout cas il faudra être gentil pour lui.

« Dites, si vous aviez trop besoin d'argent, donnez-moi un coup de fil à Ménilmontant 45-37. Qu'est-ce que nous avons été fous l'autre soir. Vous êtes un drôle de type, mais un type. Je voudrais bien le revoir et travailler avec. Tenez, je ne suis pas méchante, je vous embrasse.

« Votre bonne copine,

« ARLETTE. »

« Je vous envoie des photos pour commencer à s'y mettre. Dites, je suis tout de même mieux que Gina Dorian et que Lili Moreno, peut-être qu'elles ont l'air plus fatal mais je crois que, pour les yeux, pour la bouche, elles font moins star. Elles n'ont pas cet air de gitanes qui regardent la mer comme dit le journaliste des *Nouveaux Temps,* ce n'est pas elles, comme il dit après, qui sauraient navrer les pauvres cœurs modernes. J'ai appris une chanson :

« Quelque part dans les banlieues,
dans le pays de l'horrible mystère... »

vous savez, une chanson très chic. Si vous aimez pas les chansons réalistes peut-être vous la goberez pas. Mon ami trouve que je la chante très bien. »

— J'ai dîné chez les Romanino. Papa et maman, après les liqueurs, se sont éclipsés — Gaston, au bout d'un quart d'heure, a suivi leur exemple — et Lucie la franciscaine, non sans minauder : « Décidément c'est une conspiration ! » m'a demandé si je verrais un inconvénient à l'accompagner dans sa chambre. Nous discuterions dans un cadre plus intime et un radiateur parabolique nous tiendrait lieu de foyer. Elle a une tête fameuse, cette Lucie, et des jambes à l'avenant, elle ressemble à Simone Simon, mais aussi à Françoise Rosay et à Greta Garbo, seulement, avec ça, c'est une folle. Elle marche de long en large. Ah ! dit-elle, nous vivons une triste époque, où les meilleurs se laissent contaminer. Quand donc l'Europe ouvrira-t-elle ses fenêtres sur un air pur.

Les gens déclarent : « Les Romanino ? une famille très bien ! » Quelle bêtise. Maman dépense un argent inouï pour ses fourrures au lieu de soutenir le P.P.F., papa conserve des relations, par en dessous, avec les banques américaines, Gaston sort une danseuse et fait du marché noir : n'eût-il pas dû cent fois « partir à l'Est » et risquer sa peau dans la défense de l'Europe contre la barbarie ? Cependant que l'élite de la jeunesse européenne verse, sans compter, le sang le plus généreux du monde, la France, triste France, écoute la radio anglaise en faisant du marché noir. Quelle pitié. La Finlande, la Roumanie, la Hongrie, la Bulgarie, tous ces pays avaient si bien compris la guerre.

D'un classeur elle tire une photographie, elle la contemple et me la passe. « Il était beau, n'est-ce pas, il était beau ? » J'ai sous les yeux un lieutenant boche, la tête régulière mais inexpressive, l'air content de soi et de la vie. « Ça date de leur victoire — ma foi, on peut dire de la victoire. Hans était parmi les troupes qui ont pénétré les premières dans la capitale. » Je veux bien déclarer beau ce pauvre couillon qui est allé faire don de sa personne au sol russe, elle aurait souhaité d'autres louanges et m'arrache une photo que je ne défendais pas. « Il était splendide, oui, splendide ! Pauvre Hans. » Et de me lire une lettre de Frau Hagenberg où la douleur maternelle la plus sublime le dispute à la résignation patriotique la plus admirable, de me montrer un exaltant petit poignard nazi, un morceau de bombe anglaise ramassé dans l'Operakroll, une signature autographe du Doktor Goebbels.

Ses yeux brillent. Tant pis pour les railleurs et les prudents, tant pis pour les bourgeois. Les Allemands de Stalingrad peuvent se suicider en musique ou même se rendre, Rostov, sinon Kharkov, peut tomber demain, la foi européenne de Lucie est restée, reste et restera intacte. L'Angleterre, comme Carthage, sera détruite. Que demain le travail des femmes soit véritablement obligatoire, que demain maman Romanino ne puisse plus arguer de son autorité maternelle, Lucie partira pour le front russe, comme infirmière Waffen S.S., dans une ambulance. Elle prononce les mots allemands à l'allemande, j'en grince des dents. Le désir me prend de jeter que demain je m'engage moi aussi dans la « *N.S.K.K. Motorgrüppe-Lutfwaffe* » — uniquement par souci de l'équilibre, et pour heurter mots allemands à mots allemands. Je me contente, en termes choisis et mous, de louer son intention : « Ne saviez-vous pas, me dit-elle, que je suis donneuse de sang universelle ? » En effet j'ignorais ce charmant détail. Notre cinglée me raconte qu'elle n'imagine pas une plus grande joie que de donner son sang pour ranimer, sauver un jeune Aryen.

« On me complimente sur ma beauté. J'accepte, je suis tout de même une jeune fille ! Mais je suis au désespoir d'être brune. L'autre jour, dans une réunion P.P.F., Jeunes du Maréchal, Jeunesses européennes, Jacques Brémond, qui devait prononcer un discours très remarquable, m'a parlé de la pureté inouïe de mon ovale. Vous ne me trouvez pas trop bête de vous confier cela. La pureté inouïe de mon ovale... J'ai tout de même l'impression d'être une métèque ! Je sais, je pourrais me teindre les cheveux. Blonde, et les yeux noirs, il y a beaucoup d'hommes qui aiment cela et avec ma peau foncée je ne risquerais pas de passer inaperçue, mais non, je ne veux pas. Je veux lutter comme je suis. La nature m'a faite brune, j'aimerais cent fois mieux être blonde, une aryenne aux yeux bleus, tant pis ! Ah ! les blonds et les blondes ils ne savent pas leur bonheur. Hans, s'il était beau ! Et vous-même, vous savez, vous avez le type aryen, le type aryen très pur !... »

L'homme au type aryen remercie. Il s'ennuie un peu, l'homme au type aryen, car il juge qu'un garçon et une fille ne doivent pas se bloquer dans une chambre pour parler politique. Impossible de confier cette opinion très simple. Il se rabat sur un long éloge, physique et moral, de Lucie, avec deux ou trois allusions scabreuses, et qui passent comme des lettres à la poste, au bonheur du S.S. ou du S.A. qui recevra le sang de la jeune fille. L'autre imbécile s'assied sur la table, juste devant moi, ses belles jambes à la hauteur de mes yeux. « Vous me plaisez beaucoup. Il faut qu'on se revoie, Georges. Vous êtes tout à fait des nôtres. Il faut que vous connaissiez Fred et Jack. Je vous ferai poster une invitation, pour samedi en huit, à la Maison de la Chimie. La conférence du Doktor Gebirge, vous savez ? l'ancien gauleiter pour la Thuringe. » Je ne sais rien du tout, mais, bien sûr, je hoche la tête. « Ce sera merveilleux. *« La nouvelle Europe aux portes de son destin.* » Cette fois, il faudra bien que Déat comprenne. Fini de jouer au petit soldat. » J'ignore ce qu'elle veut dire, je hoche la tête. Et puis mes nerfs se mettent en boule. Peut-être faut-il que Déat comprenne, mais moi, il faut que je remue. Au diable les aryennes ! Vivent les brunes, surtout quand, après leurs flèches contre les bourgeois, elles sont doucement parfumées, souplement coiffées, habillées sobrement dans une robe de huit mille balles. Je me lève.

« Et si je vous embrassais, dis-je, qu'en penseriez-vous ? » Elle ne semble pas satisfaite. « Rassurez-vous, je veux vous embrasser comme une chic fille, une Française comme il en faudrait plusieurs autres, je ne dis pas des milliers d'autres, car, plusieurs comme vous, ça soulèverait des montagnes. Vous êtes une jeune fille d'acier pur, un beau diamant français, je me trompe, un beau diamant européen. » Elle sourit. « Alors oui, comme ça je comprends. » Je l'embrasse. D'abord deux baisers sur les joues, genre président de la République à la Semaine vinicole, puis un baiser sur la bouche, un second, un troisième. Je lui caresse les cheveux. Le « diamant européen » n'a pas l'air de détester mes approches. Sa peau frémit de frissons joyeux, ses yeux ne regardent plus ni Georges ni rien qui soit dans la pièce, ses yeux se fixent sur le vide, je peux nommer ces yeux-là, des yeux qui reconnaissent. Des yeux qui ont vu, jadis, dans un autre monde et, soudain, reconnaissent leur vision, connaissant en même temps qu'ils ont vu et qu'ils revoient. L'amour. Je me rappelle notre Marie-Louise. Marie-Louise, je lui aurais collé un baiser en pleine bouche, la face de notre vie en eût été changée. Cette pauvre gourde P.P.F., un baiser, et voilà ses yeux qui s'élèvent jusqu'à en devenir platoniciens. Des yeux qui *reconnaissent !*

Attention ! Les querelles Georges I et Georges II vont recommencer ! Je ne veux tout de même pas insinuer un compliment de l'amour, simple gag à l'intérieur d'une farce.

Mercredi.

Gaston Romanino a reçu un de ces petits cercueils que les gars de la « Résistance »(?) ont la réputation d'envoyer aux collabos. Il l'a reçu de Sillé-le-Guillaume, en colis agricole. Il feint de rire. Les bougres avaient écrit sur le cartonnage, à la grosse naïve sergent-major : « Contenu de l'envoi : Œufs : trois douzaines. Carottes : deux kilos. Haricots : deux kilos. Volaille : une. » Pas mal. Je demande l'opinion de Lucie. Lucie ? Pffû ! Elle aurait haussé les épaules, déclaré que l'ennemi jetait le masque, et pris le cercueil dans sa chambre pour l'offrir plus tard à un musée européen... Gaston, lui, ne semble pas tellement fier. Où est le barbouilleur de façades, l'homme des « *Doriot... Doriot* » et des « *P.P.F. vaincra* »*!* Il sort des phrases comme : « C'est d'autant plus con, mon vieux, que j'ai l'intention de me faire incinérer », mais on ne me trompe pas sur l'angoisse. Gaston dans la même pièce que moi et me parlant à voix haute, je me dirigerais vers lui les yeux fermés et lui toucherais le corps à l'endroit précis où l'angoisse le travaille le plus, au centre de son angoisse, tout près du cœur. Pauvre minus. Je crois qu'il me soupçonnerait. Il cherche. Il n'a pas encore écrit à la Gestapo, de sorte que ma lettre seule menace encore le Jean Malcurat. Deux précautions pourtant valent mieux qu'une :

« Alors, quoi ! Tu faiblis, Gaston mon Gaston ! » Il cligne de l'œil, simulant la gaieté. « Et après on reçoit un cercueil. — Et en attendant c'est peut-être l'expéditeur que tu laisses libre de courir » Pour l'ébranler je raconte des histoires. Et moi, donc, mon vieux, je n'ai pas reçu deux cercueils ? Le premier, à Marseille, un énorme, presque grandeur nature, le second, ici, avenue des Gobelins, un minuscule. « Comme tu le vois, ai-je conclu, je ne m'en porte pas plus mal. — Tu ne m'avais jamais dit cela. — Je n'aime pas non plus me vanter. Tu n'avais pas remarqué, peut-être, encore, que je n'aimais pas me vanter ? — Si. » Je lui ai donné un coup dans le dos. « Allez, mon vieux, écris ta lettre, fais-moi une bonne noce, et tu n'y penseras plus, à ton cercueil. » Il est parti. Peu enthousiaste. Je me moque bien de son enthousiasme ! Qu'il ponde sa lettre, et voilà tout.

Chez la Fouilloux la radio anglaise dégoisait des messages personnels et, pour la première fois, je n'ai pas eu envie de rire. — « *L'arc-en-ciel brillera demain à dix-sept heures... Marie, Renée, Josette, Eliane ont bu ensemble l'eau de la Lys... de l'Aire... de l'Aisne... de la Meurthe... de la Moselle... et du Gange... Je répète... Le pilote a vu le chacal... Il n'est pas de milan qu'en Italie...* »

« On ne sait pas très bien ce que cela signifie, ces choses-là, disait la Fouilloux, un peu craintive, et qui n'en osait plus m'interroger. Paraît que ça leur sert à l'espionnage. Ah ! s'il faut qu'ils aient des têtes pour ne pas s'embrouiller là-dedans ! Moi qui m'y perdrais ! Moi qui me fais rouler à chaque fois par la boulangère pour mes tickets-lettres ! » — « *Chers amis ne pendez pas encore la crémaillère bleue... Où sont passés les bas du vicomte...* »

J'écoutais en silence. Pour la première fois j'admirais ce langage au grotesque facile. J'admirais ces mots qui avaient changé d'identité, qui avaient réalisé mon rêve : ils étaient devenus libres. Ils connaissaient la merveilleuse aventure que ce doit être, tous liens rompus avec le passé, d'inaugurer la vie et les choses, de se glisser dans les demeures comme des diables boiteux — opaques et libres au milieu de toutes choses claires et esclaves... « *C'est en forgeant qu'on devient président. Je dis trois fois. Emile André Henri...* »

Oui, peut-être écoutais-je, à mon insu, mon arrêt de mort. Ou peut-être l'avais-je écouté tout à l'heure. Chargés de terribles menaces les mots avaient défilé devant moi, doucement, régulièrement, l'un après l'autre, selon un rythme ironiquement monotone, à l'image de contrebandiers sous les yeux de douaniers culs-de-jatte. Encore une menace. Et celle-ci. Et celle-ci. Et celle-là, plus grande encore. O prophéties modernes, plus sinistres que les anciennes. « *Mane Thecel Pharès.*» Elles ne recouraient pas à des mots inconnus, mais prenaient les mots les plus simples, les plus bas, pour tracer sur les grandes murailles de l'espace les énigmes fragiles dont pas un homme sage, dans toute cette ville, ne m'eût donné l'explication.

Saigné la Fouilloux de dix mille francs.

Et les voleurs, qui n'ont ni trêve ni merci,
vont bientôt commencer leur travail, eux aussi,
et forcer doucement les portes et les caisses
pour vivre quelques jours...

Jeudi.

— Tout marche bien, tout marche très bien et, pour cette raison même, je m'inquiète. J'ai téléphoné à Louise-Arlette, nous nous sommes revus dans un café, j'ai palpé dix mille francs. Somme destinée, en principe, à quelques « sondages ». J'ai compris, aussi, que Louise fermerait les yeux, les fameux grands yeux qu'ombragent les faux cils.

— Simone, ce soir, a eu un mot troublant — mais qui m'autorise à quelque jactance. « Mon chéri, je voudrais te quitter que je ne le pourrais pas. » Eh eh ! Voyez-vous le Don Juan ! Je lui aurai tout de même fait baisser pavillon, à cette garce, depuis la nuit où elle s'enfuyait du *Fred's.* Si je ne l'ai pas encore précipitée dans le mal, nous avons le temps, cela peut venir à son heure. Tout doux, nous y arriverons.

— Il n'est bruit, à la Jeunesse, que des horreurs de province. Massacres et incendies. Ceux-ci accusent les Boches, ceux-là « les terroristes ». Plusieurs collègues me racontent de beaux événements pathétiques... Des fermiers brûlés dans leurs fermes. Maisons arrosées de pétrole, plaquettes incendiaires, cris et flammes. Quel cinéma. Les metteurs en scène, à l'avant-garde du progrès, ne reculent plus devant aucun sacrifice et ils tuent la figuration pour tourner un vrai massacre. Des gens se font tranquillement assassiner, en plein jour, dans les petites rues médiocres des villes. Le meurtre devient un acte naturel comme de se moucher, de passer à la Caisse d'Epargne... Dois-je incriminer la méfiance que provoque en moi une réussite facile, ces descriptions ne me comblent pas, ne me donnent même pas la sereine humeur sombre à quoi je pouvais m'attendre. Où sont les jouissances cérébrales. Ces gens-là se meuvent selon une psychologie trop simple et se débarrassent trop vite de leurs mauvais coups. Ils ne prennent pas le loisir de jouir pendant l'acte. Ils tuent comme ils respirent, et eux, précisément, déjà, ils respirent mal. Ils respirent bête, sain, brute. Quand il faudrait respirer sournois, lent, vilain. Pourquoi ne pas les encadrer d'intellectuels du crime. Une heure d'école de crime par jour. C'est si beau, un crime, ça ne se galvaude pas. Je suppose qu'un crime devrait suffire par existence, un crime infiniment mis au point, infiniment lâchement conçu et retardé, lentement accompli, discuté, savouré. Chaque être devrait s'accorder le droit de détruire un être, un seul, avec soin et patience.

Là-haut, à la sourdine, dégoise la radio anglaise. Lucette et le sigisbée chahutent de leurs semelles de bois et de leurs rires incessants. J'aurais dû garder Simone. Je puis le dire à mon journal bien qu'il soit un agent double, j'ai peur. J'ai peur et jouis de ma peur — mais foutre non ! cette jouissance ne m'empêche pas d'avoir peur. Je ne crois pas qu'elle contribue à la peur. Je ne m'amuse pas à m'effrayer davantage pour me procurer des sensations. J'ai simplement réalisé dans mon être (ce que des ignorants nomment une âme) une organisation quasi parfaite. La jouissance accompagne toujours, plus ou moins grande, selon les cas, mais toujours, les actes et les pensées de Georges. Vive et rare, ou maigre et commune, il y a en moi, sans arrêt, jouissance. Qu'on ne me dise pas que cela revient à aimer la vie. Moi ? Aimer la vie ? Je me prends si souvent en dégoût, si souvent en horreur. Je jouis de ce dégoût et de cette horreur non parce qu'ils représentent une victoire sur le néant, mais parce qu'ils doivent porter ma marque de fabrique. Sur tous mes sentiments je colle cette jouissance, une jouissance toujours, et au moins légèrement, furtive et sombre.

Donc, j'ai peur. Je trouve anormal — mes viscères trouvent anormal — qu'ayant eu besoin, pour demain, de dix mille francs, j'en détienne maintenant sur moi, entièrement disponibles, plus de vingt-cinq mille. Hier c'étaient les mots, les simples mots, les mots « bleu », « rivière », « oiseau », « papier », qui ricanaient à mes oreilles et me lançaient que je ne les avais jamais connus. Aujourd'hui toute cette horrible monnaie humaine, cette vomissure de la richesse humaine, m'écœure et, plus encore, m'épouvante. Qu'ai-je à faire de tant de choses extérieures. Pourquoi disperser ma réflexion sur des choses, pourquoi rapprocher de ma peau, séparés d'elle seulement par de légères étoffes, pourquoi rapprocher de ma chaleur et de mon odeur intimes ces objets étrangers ? Pourquoi, moi vibrant, nouveau et insurgé, recueillir sur moi ces paperasses laides, que « revêtent », comme un imbécile un lourd manteau, toutes ces signatures, « Le Contrôleur Général », « le Caissier Général », « le Secrétaire Général » ? En vérité je trahis et les choses me trahissent. Il apparaît, non seulement comme indésirable, mais comme impossible, qu'un être libre se prête à ces contacts qui ne méritent que le nom de souillures. Si je veux la liberté, je veux le néant. Pas de liberté hors du néant.

Vendredi.

Cela va mieux.

Je négocie un arrangement, sinon avec la vie, du moins avec certaines formes de l'être. La forme fiévreuse, aujourd'hui, me semble plus désirable que « l'état néant ». Il me semble, aussi, que dans le néant seul ne réside pas la liberté. Dans certaines attitudes saugrenues je m'assure que peut figurer une liberté... Ma tension ne diminue pas. Je me sens aux prises avec le menaçant inconnu... Carbonnel me fait la révérence. Sidéré par mes vingt-cinq mille balles il feint de vouloir me taper et, pour finir, le plus sérieusement du monde, il me propose sa place. C'est un gars de mon espèce qui tiendra le mieux les comptes. J'en flageole d'enthousiasme. Quelle farce. Mais aussi quelle foutaise. Et, peut-être, dangereuse... Romanino aurait vu le grand Jacques et mis en train la libération du Fouilloux. Il a écrit à la Gestapo. Sous le nom de Ludovic Paoli. Comme disent les militaires, les deux pinces de la tenaille se resserrent et, d'ores et déjà, pour se retirer sur des lignes plus favorables, le Malcurat ne contrôle plus qu'un étroit couloir.

Je finis sur le plus beau. Le Grand Patron me convoque et me signale diverses situations disponibles, où un jeune plein de dynamisme — il me tape sur l'épaule — rendrait de fameux services. Préfet, sous-préfet, hum, je suis peut-être bien jeune, mais pourquoi pas secrétaire de Préfecture, pour commencer ? Au premier mouvement qui suivrait je figurerais sur les rangs ! Commissaire au pouvoir, hum, gros morceau. Mais le Comité d'Organisation des confitures, pourquoi pas ?... Eh bien, non, moi je préfère mon poste à la Jeunesse. Le Grand Patron joue d'un hochement de tête navré — il n'est pas dans ma peau, ma peau ne le regarde pas.

CHAPITRE XII

Samedi.

Je retombe à nouveau dans mes inquiétudes. Je ne puis plus vivre seul, autrement dit je renonce à une liberté que je désire, cependant, que je désire. La solitude m'étouffe. « *Apprendre pour faire une omelette* » se plaignait Fantasio. Recevoir une amende si je laisse, face à la nuit, mes fenêtres éclairées. C'est trop de claustration ! Mes poings se serrent. Piètre, piètre personnage. Jeudi pessimiste. Vendredi courageux. Samedi navré. Simone, vendredi, m'accompagnait dans ma chambre : dois-je conclure que cette imbécile tient le mot de mon bonheur ? Est-ce que je désire, seulement, le bonheur ? Je suis fou. J'ai la fièvre. Ah ! pour la première fois, mais pour de bon, je m'en vais détester cette fièvre qui sert d'excuse à mon impuissance lorsque je cherche à voir clair en moi-même. Au diable la fièvre. Au diable la jouissance. Au diable l'insuffisance des mots. Ah ! que je crie, que je crie... Mais à un bonhomme de mon espèce ne suffit pas le coup de gueule, la vocifération purement physique — il me faut crier quelque chose, savoir ce que je crie. Ne l'improviserai-je donc un jour, ou jamais ne la construirai-je lentement, la chanson de mon mal ? qui l'exprimerait à la fois et le charmerait ? Littérature ! Et pourtant il est vrai que je souffre... Non, cela même n'est pas vrai. En tout cas, rien ne paraît moins sûr que l'importance de ma douleur.

Trouvé aujourd'hui, dans un tiroir que je n'ouvre guère, un entrefilet du *Petit Parisien*, souligné au crayon bleu et collé sur un carton. Il relate des escroqueries aux prisonniers, les exploits d'un malin notamment, un certain Garaude, qui a soutiré près d'un million à ses poires avant qu'on le pince. J'aperçois là-dedans, bien sûr, un coup de Simone. La garce, dont me désarme l'effronterie, aura voulu me montrer qu'elle ne me croyait plus. Peut-être, l'autre jour, ai-je péché par imprudence. J'aurai lâché de trop beaux mensonges. Raconter que j'y étais de ma poche pour vingt ou trente billets, j'allais fort. Le sale petit au col dur et à la brosse ronde, avec quelle vivacité il m'aura traité de menteur ! Il est temps qu'on l'enferme, celui-là... Simone joue l'ignorance. Je n'insiste pas, mais mon siège est fait. (Expression ridicule où je me vautre.)

Dans ces conditions, au lieu d'inviter Simone je suis allé au rendez-vous de Louise. (Louise-Arlette-Suzanne.) Promenade le long de la Seine, vers Auteuil. Des mouettes tournoyaient au-dessus du fleuve. Un vieux cherchait de l'herbe à lapins, un autre des mégots, un autre du bois. Cela marquait mal et je me suis senti moi-même, bientôt, à la recherche d'un trésor perdu, le voyage, les ailleurs, que me suggérait la route lente de l'eau avec ses airs de m'attendre... Le soir, *La Grande Tourmente*, pièce sans queue ni tête. J'y rencontre le margoulin de Louise, monsieur Jean Tapis. Au premier coup d'œil, à la première parole, je devine que ce n'a jamais été un industriel du Nord.

Dois-je dire que je le connaissais ? Dans un autre monde le secret de cette figure épaisse m'a été livré — ne serait-ce pas moi, ai-je même pensé, qui, dans un autre monde, en ai dessiné le plan ? Proportions, dimensions, couleurs et tics, j'ai tout *reconnu*. Il trafique chaussures, beurre, viande, étoffes, meubles prioritaires, autorisations de transports et de travaux — au besoin, certainement, il trafiquerait livres de droit, de chasse et de médecine et, si on l'obligeait, comme dans les anciens métiers, à exposer par chanson, le long des rues, les trafics qu'il exerce, la série n'en finirait pas. Il a bâillé une fois au premier acte, deux au second, trois au troisième. Néanmoins il soutenait la pièce, une belle pièce, prétendait-il, rudement bien bâtie et bien jouée. Une seule ombre au tableau : le gabarit insuffisant d'une femme de chambre. Celle-là il ne pouvait la souffrir, grognant dès qu'il la voyait paraître, et il trouvait, décidément, qu'elle offusquait le public, l'art et la vérité :

« Une femme de chambre aussi moche que cette poule, tranchait-il, ça n'existe pas. » Ou je m'abuse fort ou le bonhomme avait dans la pièce des intérêts sentimentaux. Il lorgnait l'actrice principale, qu'il désignait toujours par son prénom. Il la déclarait impayable. (Parce qu'il est seul, peut-être, à en savoir le prix.) Elle jouait un rôle extrêmement grave et digne, cela semblait le chatouiller au bon endroit. Petite salle comble, public ravi et qui cherche partout des allusions politiques. A l'entracte, bagarre pour les esquimaux.

De Gentien, pauvre sot, admire le succès du théâtre. Il considère que la France progresse. Les librairies, les théâtres font fortune, cela prouve que le public se cultive et que le goût devient meilleur. Oui-da. Les âneries triomphent. Un livre qui paraît, stupide ou non, s'achète. Qu'il commerce de bêtise, de pornographie ou de mysticisme, « l'auteur » se vend. Sur des textes emphatiques un illustrateur colle des images voyantes : une édition de luxe, une ! Cela flatte les sens, cela s'achète. Au théâtre il en va de même.

Pauvre soirée. Je refuse d'accompagner au Maxim's Louise et son gentleman, qui prennent un vélotaxi. J'aimais mieux ma chambre et ma tristesse. Je voulais étudier mon malaise. Tout le long de *La Grande Tourmente* j'attendais, je désirais, j'allais au-devant de la solitude. Le margoulin remuait sur son fauteuil de contempler une actrice, moi je remuais d'attendre la solitude. Je me figurais être l'imbécile qu'une puce gratte pendant une soirée mondaine et qui rêve à l'heure où il ôtera sa chemise. Maintenant je l'ai, la solitude. Tout autour de moi, glaciale, nocturne, épaisse. Elle stagne, elle pèse. Et moi je n'en puis plus. Devrais-je croire que l'absence de Simone et le geste de Simone expliquent ma misère ? Dans ce cas, quel pauvre type ! L'entrefilet du *Petit Parisien*, mais, si j'étais un homme, il m'irait droit au cœur ! Je le rangerais sur le même rayon que le cercueil reçu par l'ami Romanino et je poserais la formule mère de ma philosophie, une philosophie sereine, dans les termes suivants : « Je suis haï, donc j'existe. »

Car je la tiens enfin, cette haine après quoi je cours et que, trop souvent, je le sais, je me refuse ! Enfin elle brille, enfin je l'ai allumée chez un autre . L'amour, cette chose molle, ne garantirait pas l'existence. Il tendrait à me confondre. La haine me place et me délimite. J'aurai cessé de me prêter à une expansion vague, je prends lieu et m'enracine dans mon lieu. Et je vis. Une frontière sépare le sol et mes racines, l'air et mes feuilles — on ne passe plus de celles-ci à celui-là par insensibles dégradations : *Si on me presse de dire pourquoi je l'aimais je sens que cela ne se peut exprimer qu'en répondant : Parce que c'était lui, parce que c'était moi*. La haine, à ce langage amorphe, ne s'estime pas satisfaite. Elle veut ses motifs, que la raison peut ne pas connaître, mais qui sont. L'amour est aveugle, la haine clairvoyante. Il faut s'entendre. La haine est clairvoyante parce qu'à la lumière de la haine qu'un homme lui porte un autre homme peut se connaître. Moi, je commence à me connaître.

De cette haine, aujourd'hui, si je ne souffre pas encore, du moins n'arrivé-je pas à m'enorgueillir, ni à me réjouir. Cette haine, il faut que je l'écrive, m'épouvante. J'ai peur. Peur, très certainement, des résultats de cette haine. D'une fin blême. D'une vie inachevée.

Lundi.

Je n'en puis toujours plus. Que le destin s'accomplisse. Qu'un camion, à gazogène ou non, de la Wehrmacht, m'écrase si tel doit être mon lot. L'animal Georges Renaut de la Motte marche, mange, parle — l'animal seul. Le reste ne suit pas et se laisse véhiculer.

J'avais tenté, hier, de me reprendre en main par une journée solitaire. Epreuve de force. Je voulais mesurer mon désespoir pour lutter contre lui. Je me suis levé tard. J'ai travaillé un peu. Je réussis, pour le déjeuner, à me contenter d'un sale bistrot qui n'inflige pas à mes entrailles une trompeuse euphorie. O le beau cure-dent du patron. O la belle huile ersatz, fade et limpide, où ne nageaient pas les concombres. J'ai monté la rue Claude-Bernard, j'ai tourné par la rue Gay-Lussac, je suis tombé dans le Quartier latin. C'est là que je désirais aboutir et j'espérais, au moins un peu, d'une confrontation solitaire. Je n'ai rien retrouvé. Ni moi-même, ni les lieux, des lieux déjà revus depuis mon retour et qui n'ont guère changé d'avant 39.

Je devais me forcer pour me dire : « Voici le Départ, où j'ai volé des brioches. Le Ludo, où je me suis fait voler mon premier stylographe. Le Gibert, où j'ai volé des livres. La Boîte à Musique, où je venais me fendre le cœur sur l'ouverture de *Lohengrin*... » Je me sentais désemparé comme un gosse. Non pas d'émotion à considérer les lieux où j'ai accompli toutes les basses fonctions humaines, tousser, cracher, me promener avec des femmes, croire à la grandeur de la mélancolie, à la souffrance des mendiants, au charme d'un sourire et d'un premier soleil dans un premier vif azur — mais de solitude. Une solitude essentielle. Je détestais à la fois — et donc je le faisais vivre — et j'enviais le soldat qui gardait la Chope Latine. Il avait l'air de croire, tellement, à l'existence de son casque. Et à la valeur de son casque. J'ai marché dans les allées du Luxembourg. Quelle bêtise. La légume triomphe sur les anciennes pelouses. Ah ! ce serait le moment, comme un adolescent, de pondre ici un poème solennel, bâti sur la confrontation du paysage et du cœur : de même que la pomme de terre a détrôné le dahlia, ainsi, dans mon âme, ma belle âme si particulière, ta pensée, ô mon amour, gît sous de ternes ambitions...

Réalité stupide. Un immense drapeau allemand bombe la gorge, emplit l'espace. Les fils électriques s'imaginent contraints de foisonner sur le toit du palais. La fontaine d'Acis et Galathée, le bassin rectangulaire devant lequel jadis je béais aux feuilles mortes, figurent dans la zone « Chleuh », dans la zone rauque. Rauque, aussi, l'emplacement du d'Harcourt, où s'obstine la librairie *Rive gauche*. Les amis des collabos possèdent les honneurs de la vitrine. Et, pieux hommage qui ira droit au cœur des amateurs de peinture, une reproduction de Jean Van Eyck brille de toutes ses astucieuses petites teintes, royale dans un espace vide. Le dernier mot de la pensée de Goebbels et de Goering. Le secret de Hitler et de l'effort de guerre allemand. « Les roues tournent pour la victoire », dit le slogan des chemins de fer nazis, entendons-nous : elles tournent pour que la peinture de Jean Van Eyck reçoive les hommages qu'elle mérite !

Le soir, moins courageux, je fis un repas solide. Je m'offris du vin. Puis je regagnai ma chambre, avec ironie et colère, comme si c'eût été une prison et que je lui eusse dérobé une journée de grand air libre. Je me suis jeté dans mon roman. Il coula deux pages tristes et tristes pages. Au bruit des claquettes de Jean-Paul. Quand j'eus renoncé à écrire, je m'amusai à craquer une allumette et à brûler un billet de mille, un des petits nerfs de cette guerre, qui se laissa détruire sans protester. Assez bête et assez drôle, cette expérience.

Par le dernier métro je me suis rendu chez Maurice. Je jouais ma nuit. Car il se pouvait qu'il découchât. Tant pis, je désirais tellement lui forcer la main. Qu'il « eût du monde », ou non, qu'il voulût me recevoir, ou non, s'il était là j'entrerais et refuserais de déguerpir. A minuit moins une je sonnai chez lui : on ne chasse pas un homme après le couvre-feu ! Maurice était présent et seul. Chose extraordinaire, il se trouvait en train de dormir. « Franchement, ça m'étonne de toi », lui dis-je — il y gagnait d'être venu m'ouvrir dans son charmant pyjama pied-de-poule. Il faisait la grimace. Il pense, je suppose, que nous sommes un peu fâchés et les histoires de ma dernière lettre l'avaient ahuri. Enfin ça l'aguichait de me voir. Ça prouvait tout de même que nous interférions au moins un peu. Et, pour se montrer à la hauteur de ma visite loufoque, il alla dans sa cuisine me cuire deux œufs au bacon. Histoire de me suralimenter et d'étrenner un « colis familial » arrivé le jour même.

Conversation sur la guerre, comme faire se doit. Encore des atrocités allemandes, et des disparitions soudaines, et des histoires drôles. Et des bagarres entre Allemands du front de l'Est et Allemands du front de l'Ouest. A coups de mitraillette, presque à coups de canon. Et des phrases à double entente, par généraux compétents de la Wehrmacht, dans des banquets parisiens. Avec le petit frisson rétrospectif d'avoir osé vaincre la France et l'occuper. Et encore les communistes criant « Vive la France » face au peloton d'exécution, et les femmes qui cachent et sauvent leurs parachutistes. Brrr ! D'abord rien de tout cela n'est vrai. Et puis tout cela est idiot. Héroïsme, vieille lune.

Le désespoir et la folie, oui, cela existe. Pour mieux

en finir, un homme a le moyen, jusqu'à la mort, de simuler le courage...

Je n'en puis plus.

Mardi.

Somme toute la Fouilloux voyait clair l'autre jour et son mari, certainement, n'a été dénoncé par personne. Pour la raison que je n'existe pas. Je ne suis pas plus Renaut tout court que Renaut de la Motte. Je ne suis pas, je n'existe pas.

Quelquefois, aux yeux de la pensée — d'une pseudo-pensée qui ne vit que pour la circonstance — j'ai l'air d'être une immense forme d'esprit qui tente d'habiter un corps et des aventures et se perd, irrémédiablement, parmi des choses étouffantes et molles. Du temps que je croyais exister, je plaignais des formes que je nommais les acteurs. Des formes que je trouvais admirables. Elles dépensaient ce que j'appelais un talent fou pour agiter, animer, promener des baudruches, quand elles eussent mérité de se voir confier des vivants. Je figure dans la même catégorie. Parfois j'ai l'air d'être, mais le décalage demeure trop grand, de mes splendides exigences, appuyées sur mes splendides ressources, à mon lamentable destin.

Donc ce n'est pas moi qui me suis rendu ce soir chez Romanino. Ni moi qui me sens isolé, d'une femme couchée sur un lit et qui ressemble à Simone, par tout un espace de néant.

Jeudi.

Ça ne va guère plus fort. Je dois exister, cependant, puisque j'ai reçu de Madame ma mère un colis agricole. Et ce colis agricole ne m'apportait pas un cercueil, mais des carottes, des pommes de terre, deux choux, une tête d'ail, et une lettre de Madame ma mère. On me « fixe mon dû : cent cinquante-huit francs ». Oui, la chère petite s'est dit que je mourais de faim. Brave cœur. Elle ne m'envoie que des produits sains et frais. Pas de ces œufs qui encrassent le foie ni de ce beurre qui engraisse. Elle ne pourra, d'ailleurs, renouveler son geste d'ici longtemps... Oui, je dois exister, car on n'invente pas cette histoire. Ni ce colis ridicule, ni cette délicatesse de me réclamer cent cinquante-huit balles... Si cela m'arrive, cela qui est du tout vrai et du vrai qui sent le vrai, j'existe.

Elle existe, Lucie Romanino. Gaston, hier soir, un peu ahuri de me voir rappliquer pour la seconde fois en deux jours, a bien voulu souffler sur mes espérances. Lucie reverse dans le Boche. Elle a trouvé un Wilhelm pour succéder à son Hans. Toute papillotante et excitée, la Lucie. Et un peu moins européenne, dès lors qu'elle se figure tenir un fiancé en uniforme. Pas mécontente de courir dans mes prunelles. Avant de sortir elle se met au piano et, alors que je ne lui demandais rien, la voilà qui chante. Ma dernière journée avec Irène monta de l'oubli. Elle n'a pas une vilaine voix, l'idiote, et la musique me cloua sur place, dans mon fauteuil, comme ces nigauds d'insectes mâles que leurs femelles paralysent avant de les contraindre aux gestes de l'amour. Et je fus abandonné à l'émotion, livré aux signes de l'émotion. Mon front se serra, mes joues chavirèrent, une chaleur flatteuse m'envahit la tête. Ma parole, je crois qu'un désir de larmes erra vers mes yeux... Il en fut, de ce désir, comme des rezzous dans le désert, et je l'ai dispersé avant qu'il atteignît son but.

« Mes larmes font éclore
des fleurs, comme au doux renouveau.
Mes chants, avec l'aurore,
deviennent chants d'oiseau !... »

Un beau fatras romantique, digne de servir à des messages personnels... J'étais furieux. Il fallait qu'une Lucie Romanino, et sur un texte stupide, triomphât de ma raillerie. Ma parole, cette musique existait. Une musique gonflée de discrétion. Un dessin pur et qui ne s'achevait pas, se dérobant, d'un coup, aux hontes de la vie. Il emportait avec lui son mystère, sa simplicité et... son être. Car cette musique existait.

Je dois l'écrire pour consommer ma honte, si l'autre jour j'avais *reconnu* l'arrestation des Fouilloux, j'ai *reconnu*, et avec la même certitude, l'air de Schumann. Sur les murailles de ma mémoire, soudain l'émotion avait gratté la chaux. L'ancienne fresque, pleine de grâce et de vérité, jaillissait à la lumière. Oui, j'avais été une fois initié à ces harmonies, à cette mélodie, et, même, au désaccord — que j'osais trouver délicieusement naïf — entre des paroles mielleuses et un air candide.

En punition j'ai parachevé mon œuvre et, après avoir dénoncé Romanino à Simone, dénoncé Simone à Romanino. Je puis penser, c'est mon droit le plus strict, que j'ai commis deux saletés au lieu d'une, mais je vois très clairement un avocat, chargé de ma défense, raconter qu'en somme la conscience universelle ne me reproche plus rien. « Nous ne savions plus. Un jour nous dénonçons un ami à notre compagne et, le lendemain, saisi de remords, nous dénonçons notre compagne à cet ami. Nous annulons notre faute... » Quelle blague ! Je monte Romanino à bloc. Je lui suggère que Simone est femme à envoyer des cercueils aux gens qu'elle déteste. « Surveille-la et, le moment venu, frappe... »

En tout cas le jeune homme à col dur peut dormir tranquille — ou, si l'on préfère, car je tiendrai là exactement le même langage — il peut ne plus dormir que des nuits angoissées : on le coffrera d'abord, et d'urgence.

Vendredi.

« Mes larmes font éclore
des fleurs, comme au doux renouveau... »

Honteux, désolé. L'air et les mots me trottent par la tête. Il se crée dans mon pauvre petit individu un maquis sentimental. Avec ses moyens de transport, ses camps secrets, ses réserves. Gare ! Il faudra que j'opère une descente contre lui...

Pour le reste, journée suave. J'ai répondu à Madame ma mère, et de ma bonne plume :

« Mère,

« Je vous remercie pour les pommes de terre, les carottes, les choux et l'ail. Comme je ne vous avais jamais demandé de pommes de terre, de carottes, de choux, ni d'ail, vous voudrez bien reconnaître comme juste et équitable que je ne vous les paie pas. Au surplus vous me devez trois cents francs.

« Baisers,
« GEORGES. »

Elle peut s'estimer heureuse, la chère petite 1°) que je lui dise merci; 2°) que je ne lui révèle pas le sort subi par ses légumes. Voici quelques instants, en effet, je suis descendu vider le tout aux ordures. Brillante cérémonie. Parmi les personnalités présentes nous avons reconnu, au hasard, l'odeur de la cour, dans un charmant débraillé maison, les deux poubelles, un phonographe, une scène de ménage, le chat du concierge. C'est même en décoiffant la poubelle et en prenant dans les narines la remembrance des ordures passées par là depuis une dizaine d'années que l'air de Schumann m'a gratté la gorge et réclamé que je le fredonne. Ah ! Il a choisi son temps pour m'assaillir ! Comme quoi il n'y a pas d'heure pour les braves... De tout l'escalier il ne m'a pas lâché.

> « *Mes larmes font éclore*
> *des fleurs, comme au doux renouveau...* »

Et ta sœur? Il a la vie dure, ce bougre.

Un de ces messieurs de la presse m'avait fixé rendez-vous au Fouquet's, ce soir, pour l'apéritif. Il me réclamait des tuyaux sur la Jeunesse. De bons tuyaux, exacts de préférence, et de nature à empoisonner la Jeunesse. Je comptais n'offrir mes services que donnant donnant, mais, sous prétexte que la censure arrêtera peut-être mes informations, l'autre n'a rien versé encore. Ouiche. Une place gratuite pour *La Reine Morte,* deux pour *Clotilde du Mesnil.* Des broutilles. Tandis que moi, morbleu, j'ai révélé par le détail les dernières hésitations politiques du Grand Patron, sa phrase bizarre au sujet de Stalingrad, sa phrase trop peu bizarre au sujet de la relève — et puis les courses en automobile trop fréquentes du Grand Patron, le marché noir fait par un tel et un tel, le scandale des fournitures de bureau, l'affaire des zazous de Lyon, etc. Cela s'appelle de la matière première ou je ne m'y connais pas. Laval en aurait par-dessus la tête de la Jeunesse, m'a dit mon homme, et son désir le plus cher serait de la couler. Un beau scandale financier que la Jeunesse. Dans les huit cents millions de francs.

J'interromps : huit cents millions, une paille ! La dette quotidienne de la France envers l'Allemagne ! Un million, cela ne signifie plus rien. « Je l'aurais dans ma poche, a ricané le journaliste, je vous assure que cela signifierait quelque chose. — Pas pour moi. » Il a cru que je posais, nous en sommes restés là. Mon cahier, pourtant, qui me suit depuis de longs jours, ne mettra pas ma sincérité en doute. Chaque fois qu'il m'apparaît comme doux et indispensable d'amasser une fortune, je ne m'arrête pas à un million, dix millions, cent millions. La voyelle « o », dans million, me tape sur les nerfs. Je la trouve le symbole même du gonflement et de la bouffissure. Elle ne fait pas sérieux. Un million — le cœur, à ce mot, avec ses raisons que la raison ignore, mais auxquelles, plus tard, elle souscrit, le cœur ne se réjouit pas : il en sera d'un million comme de la fleur du coquelicot; une brise, tout s'envole. Un milliard, au contraire, cela pèse. La lettre « a » vous possède une brave mine mécontente, une gueule grave de maison dont vous pillez les biens immenses. On peut se confier dans un milliard. En route pour un milliard.

Ces Messieurs de la Wehrmacht ont reconnu Stalingrad. Entendons-nous, ils reconnaissent qu'il existe sans doute une ville de ce nom, quelque part en Russie, et que les Russes occupent. (Rien de plus normal ?) Sinon, dans l'histoire allemande, Stalingrad représente la victoire du guerrier d'élite contre le nombre grossier, la victoire de la cause juste contre les apparences. Les trois jours de deuil commémorent les soldats qui ont donné leur sang, et non un échec de pure forme. Pensez aussi : l'hiver, les hivers se montrent d'une rigueur exceptionnelle. Depuis plus d'un siècle les hommes, dans ces régions de Russie, n'avaient pas enregistré de températures aussi basses. Comment parler d'une guerre honnête, comment parler d'un échec ?...

Sacrés hommes. Alors qu'ils s'étripaillent et se dévertébraillent ils continuent d'ergoter. Ma parole, on dirait des philosophes. Chacun possède son vocabulaire, à quoi il faut toujours se référer pour le comprendre. « J'emploie le mot de volition au sens de... Qu'on enregistre bien : ce sont là des actes extracessifs non plus intracessifs... En ce cas nous nous servirons du terme d'abnégation fonctionnelle... » Ce n'est plus seulement avec ses armes, mais avec ses mots, que chaque peuple guerroie. Chargés de gaz divins, ils se répandent au-dessus des armées pour suspendre les retraites, anéantir l'assaut d'un ennemi vigoureux. Ils planent dans le ciel, ils se montrent en secret au guerrier qui allait fuir, ils créent des mirages fantastiques. Trois chars grillent, et alors ? Nos forces verbales demeurent intactes. Une seule phrase, les trois chars grillés se remettent en marche...

Je ne vois pas la guerre, avec tout cela, se terminer bien pour les Allemands. Ce serait peut-être le moment de miser.

Je m'en fiche. L'hostilité générale contre les Allemands me dispose en leur faveur. La vérité ne peut pas choisir platement le nombre. Au surplus, vérité ou non, je m'en fiche. Tâchons de sauver notre charmant petit corps, notre beau grand poste et, pour le reste, tâchons de nuire : en nous enrichissant, comme de bien entendu, l'esprit et le porte-monnaie.

Dimanche.

Hier, journée fébrile. Après une journée suave. Vers cinq heures, je me fais coincer par une souricière. Dans un couloir de la station Concorde, alors que ma valise contenait une livre de lard, j'aperçois un barrage et, saisi de vagues craintes, je me retourne. Je me trouvais loin encore du barrage, la circulation semblait active. A peine ai-je avancé d'un pas. Un être humain d'un naturel fou, une sorte d'ouvrier, se jeta sur moi. « Pourquoi ce demi-tour ? — Pour une idiotie ! Parce que j'ai dans ma valise un petit morceau de lard et que cela m'ennuyait de risquer un sermon... — Vos papiers ! » L'ouvrier considéra ma carte. Il jeta un coup d'œil sur mon journal, mon roman, mes cahiers. Pour marquer les pages du roman j'utilisais, sans le vouloir, la lettre de Madame ma mère, qui eut l'honneur d'un subtil examen. (Atrocité de la guerre que ne prévoyait pas Goya.) Monsieur fut satisfait et soupesa ma valise sans l'ouvrir : « Craignez rien pour votre lard. Vous pouvez passer. » Je repris ma route, le sourire aux lèvres, pas très fier. Je n'avais subi aucun dommage appréciable, mais quelle tenue piètre. La société, l'exécrable, m'assenait la preuve de ma lourdeur. En vain, une seconde, avais-je esquissé une défense : dans le piège qu'elle me dressait, au lieu de tomber la tête la première j'étais seulement tombé les pieds en avant. Ce qui ne valait guère mieux.

Comme je m'en revenais, le soir, avec Simone, des Ambassadeurs vers mes Gobelins — entre Hôtel de Ville et Bastille, dans le wagon de première, une bagarre éclata. De notre voiture nous entendions des cris et des bris de vitre. Tout cela sous les veilleuses dérisoires. Nous entendions des cris de femme, des voix allemandes hirsutes. En brûlant la pénombre déserte de la station Saint-Paul le métro lâcha un grand bruit de vitre cassée. Les cris montèrent. Simone se blottissait contre moi. Elle frissonnait. Il rôdait maintenant, dans l'atmosphère, un appel au vacarme et comme une aspiration du massacre. Les gens se préparaient à écouter jouer du revolver et, par là, imprudents malgré eux, créaient un climat favorable au revolver. Nul doute que, soudain, un coup de feu brisât notre angoisse comme une pipe de baraque foraine. Dans la voiture scandaleuse, inévitablement, si les porteurs de revolver se mettaient à contempler l'assistance ou, même, car cela suffirait, si, au hasard de leur dispute, leurs yeux accrochaient un moment l'assistance, ils ne verraient que des têtes hagardes. Une furieuse angoisse, déformée, ridiculisée, énervée par la lumière des veilleuses. Et ils penseraient à utiliser leurs armes, si même elles ne partaient pas toutes seules.

Bastille. Un panneau de ciel menaçant, piqueté de chétives étoiles, surgit à droite. Des lampes déversaient leurs feux sur des chapeaux et des crânes — des visages d'ombre couraient. La dispute ou bagarre poussa une clameur et dégringola sur le quai. Le bruit se répandait d'une querelle entre Allemands et Français pour une place libre, le convoi restait en gare, des gens commençaient à descendre. L'angoisse augmentait encore. L'imagination se rappelait de sinistres histoires. Toute la rivalité franco-allemande, d'un coup, resurgissait. Et, naturellement, la patrie manquait d'armes, une fois de plus, contre des gaillards armés jusqu'aux dents. « Qu'est-ce que tu crois qu'il va nous arriver », disait et répétait Simone. Enfin, ô délices, un coup de sifflet jaillit et qui n'était pas militaire. « Remontez dans les voitures », criait le chef de train. Les portes, enthousiastes, se fermèrent, la voiture s'ébranla et, un instant, nous avons dû voir sur le quai, au passage, deux hommes blessés tendre le poing... Fini le cauchemar des arrestations en masse, des otages.

Sur le trottoir de l'avenue, puis dans la chambre, où je me trouvais à merveille pour ce genre de sport, je n'ai cessé de tourmenter Simone. Et que nous n'en sortirions pas. Que les Anglais et les Allemands se réconcilieraient sur notre dos. Que les prisonniers ne reviendraient jamais. Qu'il n'y aurait pas plus pour nous de colonies que de beurre en branche, de retour du beurre que de résurrection des morts. La vie ? foutaise, foutaise, foutaise. Dieu ? foutaise. Le bien, le mal ? foutaise. Le seul moyen dont les hommes disposaient pour jouir, sans sottise excessive, de leur présence sur une terre idiote, était de vouloir gueuler, agir un peu. De vouloir en remontrer à un destin brutal par un coup de pied dans les mœurs et les usages, un abandon à la fantaisie, à la demi-folie.

Lentement, j'ai feint plusieurs grands frissons. Je plissais les yeux. Je ricanais. Je saisis le chapeau de Simone et, d'un coup de fourchette, je le crevai. « Si je te crevais l'œil ? » dis-je, l'air calme. Elle devint toute blanche et s'appuya contre le mur. Je la regardai. Le métro et son atmosphère tendue, et sa résignation sauvage, me dansaient dans la mémoire. Si cette garce, en vérité, se persuadait devant moi que j'allais lui crever l'œil, comment m'y déroberais-je ? Dans le métro, au bout de notre angoisse, nous n'avions pas entendu le coup de revolver — si la comparaison offrait un sens, je n'avais pas le droit de consommer mon œuvre. Mais, devant moi, devant cette garce, pouvais-je reculer. « Lâche, lâche, sept fois lâche », je sentais les injures s'accumuler dans ma gorge. Je fermai les yeux, je me jetai en avant.

Une seconde, je dois le dire, j'avais considéré Simone et conclu qu'en levant la main un peu davantage je ne lui atteindrais pas la tête : ai-je obéi à cette remarque dans le sens de la clémence, c'est possible, probable, même, hélas ! — heureusement, malgré tout, je ne saurais le préciser. Un cri jaillit. Et moi, dans mon brouillard volontaire, d'un autre monde je reconnus ce cri et, comme à l'audition de Schumann, ne m'en trouvai pas tellement fier ni heureux. Un corps tomba et je reconnus cette chute. Merveille, pensais-je, que ces chevauchements du réel par l'ancienne connaissance du réel, cet afflux dans mon être d'un second personnage. Mais aussi déplorable atteinte à ma liberté. Je devenais semblable au personnage de Labiche qui s'entend dire, chaque fois qu'il prononce un calembour : « Charmant ! Je l'avais déjà lu... » Pour interroger ma mémoire, la stimuler à la fois et l'humilier, je piquai dans le mur un grand coup naïf de fourchette. J'ouvris les yeux.

L'autre gisait, évanouie. Je la traînai par les mains jusqu'au divan, à tour de bras je la giflai, elle grogna tout de même. Elle s'était blessé la tête, du sang coulait sur l'oreiller. Mauvais. Je la giflai et regiflai, non sans âcre plaisir, et bondis au-dehors. Je heurte chez la Fouilloux et, de peur qu'elle aille croire à la Gestapo, je crie mon nom : Madame apparaît, en peignoir rose, couronnée de bigoudis, sentant le lit, mal éveillée, mais toute prête, dès les premiers mots, à flamber de curiosité, à enfiler un jupon, à me suivre... Tandis que je feins le désespoir et déambule en titubant, elle regarde la tête de Simone et, croyant mon amie incapable de l'entendre, me communique ses idées. Ce ne sera rien. Une petite bosse en sus d'un petit trou. La belle fille que cette fille. Tiens ? Que penserait Mlle Lucette ? Je l'invite à se taire, peine perdue, il faut que ça sorte. « Oh ! je vois bien des choses sans le montrer. Mlle Lucette et vous, ça biche bien, dites pas le contraire. Même que ça me fait plaisir... — Mais taisez-vous donc ! »

Simone, sans ouvrir les yeux, demande alors si Madame n'a pas eu son mari dénoncé aux Allemands par un individu ignoble... Je me mords les lèvres. Que devait-il se passer maintenant ? Ma mémoire était silencieuse. Je ne *reconnaissais* plus... La Fouilloux débagoulait son paquet de larmes et phrases tristes, avec brillant éloge de ma personne, quand Simone ouvrit les yeux. Un sourire moqueur, et pour lequel je regrettais de ne pas l'avoir tuée, se figeait sur son visage. « Il me faudrait de la teinture d'iode », murmura la Fouilloux. Elle me disait de grimper chez Lucette, qui en avait de la toute fraîche. Merci bien. Pour que Simone lui lâche le morceau !

Je me prétendis brouillé avec Lucette et, maugréante, elle se leva et sortit. « Si tu parles, dis-je à Simone, je te tue. » Elle gronda que je ne lui faisais pas peur et que je pouvais la tuer tout de suite. Et, jusqu'au retour de la Fouilloux, flanquée de Lucette, nous avons échangé de telles et semblables douceurs... Lucette, fille absurde, me pose et repose des questions. Elle ne se donnait pas l'air de gober mon histoire et la chambre, sens dessus dessous, avec des papiers épars, un chapeau crevé, une fourchette sur le plancher, devait, je m'en aperçus, ne pas offrir un spectacle trop catholique. Et puis zut ! Qu'elle s'estime heureuse, l'imbécile, d'avoir porté ici sa curiosité, ses grands yeux bêtes, son zézaiement et sa bouteille au grand cœur. Quand Simone eut lampé sa fine, d'une voix pitoyable je réclamai à boire. Ah ! j'avais les nerfs en boule. J'étais plus malade que mon amie. Sans un mot Lucette remplit le verre. Mais voici que la mère Fouilloux réclamait à son tour. Faites excuse, ce réveil en pleine nuit ne valait rien pour ses vieux membres ! Si Mlle Lucette voulait bien...

Elle voulait bien. Elle dit que son cognac filait d'une étrange manière, mais quoi, quand il n'y en aurait plus, on ne lui en demanderait plus ! La Fouilloux me tira le verre des mains et en lissa le rebord de ses gros doigts sales. Ces messieurs-dames Renaut étaient gens bien portants ! Pas besoin de nettoyer le verre ! Et la vie me démontra que le lancement de Georges par le monde devait aboutir un jour à ce beau résultat : je logerais dans ma chambre, une nuit, une vieille en bigoudis et peignoir rose, qui boirait un coup de cognac. Pourquoi pas ? Rien de plus absurde en cette scène qu'ailleurs. Il est tel Westphalien dont la tête a volé en éclats quelque part dans les Flandres, tel Breton qui se morfond en captivité vers Rostock ou Francfort-sur-le-Mein, tel marin de Swansea qui a coulé dans la mer des Sargasses, pour qu'au croisement de leurs destins et d'un certain nombre d'autres, une librairie parisienne, place de la Sorbonne, exposât une reproduction de Jean van Eyck.

Lucette et la Fouilloux, après un dernier regard au chapeau crevé et à la fourchette, déguerpirent tout de même. Un quart d'heure les oreilles me tintèrent de chuchotements sur le palier, là-haut. J'hésitai entre leur crier de se taire, me coucher près de Simone, poursuivre mon roman. Je marchais de long en large. La figure exsangue de mon amie me crispait comme jamais encore. Cet ignoble reproche impuissant, cet ignoble imbécile petit visage. Elle feignait de dormir. Son petit nez pâle se fronçait et se détendait. « Tu es fière de ton coup, hein ? » Elle ne répondit pas. Elle ne répondit pas à deux ou trois grossièretés, à deux ou trois injures. Je me suis déshabillé, allongé près d'elle. Son ignoble chaleur saine occupait tout le lit. A quoi bon dormir. Je demeurai couché sur le dos et m'abandonnai aux cauchemars. J'entendis les coqs.

CHAPITRE XIII

Lundi.

Je m'en vais dormir, la tête sur l'oreiller que salit un sang odieux. Vilaine tache, teinte punaise écrasée. Si le jus qui se promène dans le corps n'a pas plus fière allure, la vie, cela éclate aux yeux, n'est qu'une farce.

Simone a manqué le bureau. J'espérais vaguement, hier soir, qu'elle se suiciderait, mais, l'après-midi, Rigaud me téléphone qu'elle lui avait adressé un pneu. Elle gardait le lit, elle faisait une angine.

Prétextes. Comment tout cela va-t-il se terminer ? J'ai failli passer chez elle — peut-être eût-elle refusé de m'ouvrir. Je la hais.

Elle a oublié, ou laissé volontairement, son petit feutre. Son petit couvre-chef. Sa petite protection du crâne. « *Alas, poor Yorrick !* » dit Hamlet en prenant dans ses mains une tête de mort. « Grande imbécile ! » pourrais-je dire en soulevant le feutre qui abrita mille pensées futiles, depuis le sort du ticket DA aux agaceries d'un jeune homme à col dur. Un coup de pied dans cette ignoble chose.

Mardi.

Sans nouvelles de Simone. La tache de sang vire au brun sombre. J'ai relancé Maurice et me suis vanté, près de lui, d'avoir blessé une femme. Ah ! les femmes, quelle engeance ! Parlez-moi des hommes ! L'autre a fait la grimace. Aucun commentaire. Plus tard, il m'a conseillé un changement de vie... A qui se fier ? Au surplus, pour la seconde fois en quatre jours, j'ai essuyé un barrage dans le métro. Un civil graisseux me demande ma carte. Et de comparer, l'œil technicien, la photographie au modèle. Et de jouer l'homme entendu. « Ça va, merci. » Pauvre type... Mes belles empreintes digitales, de quel mépris on les entoure ! Je réclame pour elles. Rien de plus trompeur qu'une photo. Vérifiez, messieurs, vérifiez.

Mercredi.

Sous ma porte, ce soir, je trouve une lettre de Simone.

« Je vous déteste. Vous êtes un homme affreux et je vous oublierai car ce serait trop affreux de garder un souvenir de vous. Moi qui étais encore une vraie jeune fille — oui, j'avais eu une petite aventure, mais qui n'a pas la sienne ? — je ne comprends pas comment j'ai pu tomber sur vous. Je vous déteste. Je ne veux plus vous revoir. Après ce que vous m'avez fait et après ce que vous avez fait à tous ces gens. Je ne comprends pas que je ne sois pas devenue folle. Dimanche j'ai voulu me tuer, me pendre, m'asphyxier ou m'empoisonner, en finir avec vous et une vie si affreuse, qui m'a forcé à vous rencontrer. Quand j'y pense, je revenais de chez vous bouleversée par cette nuit affreuse et j'espérais trouver du réconfort chez mon camarade, sur le trottoir je me disais : « Pourvu qu'il soit chez lui ! » Je n'avais plus qu'une hâte, c'était de le revoir, lui qui est si bon et que je n'ai pas su toujours bien comprendre, mais alors je l'aurais compris, bien sûr. Je frappe chez le concierge, par habitude, pour voir s'il n'y avait pas un paquet. Et voilà qu'il m'apprend l'affreuse chose ! Cette nuit les Boches ont arrêté Jean Malcurat. Mon pauvre Jean ! Je ne sais pas comment je n'ai pas fondu en larmes et comment j'ai supporté d'entendre les détails que me donnait le concierge, cet homme ne s'est douté de rien. En tout cas j'ai grimpé les marches à toute vitesse et, chez moi, pleuré tout ce que je savais.

Vous aviez fait arrêter mon compagnon. Ah ! je sais bien que tout cela vient de vous ! Je vous déteste. Vous êtes un monstre. Je me demande quelle espèce d'homme vous pouvez être, car il n'y a pas le moindre bon sentiment dans votre cœur. Vous ne savez pas ce que c'est, vous, le cœur. Je ne vous dirai rien, aussi, soyez déçu, sur l'arrestation de mon pauvre Jean. Ah ! je commence à vous connaître. Vous seriez trop heureux que je vous raconte cela. Plus je vous en écrirais, plus vous seriez heureux. Quel sale type vous êtes et quel type pas comme les autres. Mais vous ne saurez rien. Je ne vous raconterai pas cette nuit affreuse, aussi affreuse peut-être que ma nuit dans votre chambre. Vous n'avez donc eu ni père ni mère pour vous apprendre qu'on ne brutalise pas les femmes, qu'on ne les torture pas. Et il faut que vous ayez l'air si gentil. Je sais bien, maintenant, ah, oui, que, gentil, vous ne l'êtes pas, vous ne pouvez pas, et je n'ai plus qu'un espoir : peut-être vous êtes vraiment fou.

« Je ne vous reverrai jamais. Je ne veux pas vous revoir. Je ne suis pas grippée en ce moment, pas enrhumée, je cherche seulement une place. Cela serait trop affreux de vous revoir. Je quitte la Jeunesse, une maison que j'aimais bien. C'est moi, jusqu'à la fin, qui me sacrifierai pour vous. Tant pis. J'aurai eu ma consolation de vous refuser un récit d'une nuit affreuse qui vous aurait fait un trop grand plaisir. Je sais qui vous êtes. Ah ! ma mère n'aurait pas cru, le jour où je suis née, que je deviendrais une espèce de savante et, si elle avait su ce que je devrais payer cette instruction, elle aurait tout fait pour que je reste naïve. Je ne vous reverrai jamais. Je ne vous dis pas adieu. Ces mots-là ne sont pas pour des gens comme vous — je ne vous dis rien. Je souhaite que vous mouriez le plus vite possible, pour que vous n'ayez plus le temps de faire souffrir des innocents, pour que je puisse savoir que vous êtes mort, que vous ne respirez plus nulle part.

« Simone Béal. »

Pauvre idiote. Elle a dû relire et admirer sa prose. Puis se frapper le front. Zut pour la logique ! Et en avant d'un post-scriptum...

« Vous pouvez aussi, si vous le voulez, me faire arrêter. Cela ne m'étonnerait pas de vous et je n'ai pas peur de vous. Mais dites-moi, en grâce, dans quelle prison ils ont fourré mon pauvre Jean. Je ne vous parlerai pas de votre mère, de Dieu, de moi. Rien ne vous touche. Même pas vous. Je dis peut-être là une chose compliquée, je veux dire que vous ne savez plus ce que c'est que d'avoir honte. Pour vous, tout de même, dites-moi cela. Tâchez de ne pas être jusqu'au bout un monstre. Les monstres complets, j'aurais cru que cela n'existe pas. Montrez-moi que je n'ai pas tort, je vous en supplie. »

Jeudi.

Bonne journée. Arlette (ce culot !) est venue me prendre à la Jeunesse. En chaussures blanches. (Ma parole, chaque fois ses talons augmentent.) Et avec des pendentifs roses coulant de ses petites oreilles. Et une grande croix byzantine sur la gorge. Bouche en cœur, faux cils, chevelure impeccable comme un buste de Rodin, avec des effets de terre glaise et de cuivre. Pour une belle garce, une belle garce. Dans le couloir, je tombe, naturellement, sur le patron, et je l'ai présentée à Rigaud sous le nom de « Mademoiselle Bosc, du Comité directeur des Jeunes du Spectacle, un groupe nouveau et très dynamique. »

Dupe ou non, Rigaud a plongé et baisé la main. « Si toute l'équipe des Jeunes du Spectacle a le même éclat que Mademoiselle... » Arlette l'a interrompu. « Flatteur ! » Rigaud m'eut l'air d'apprécier ce sans-gêne et j'ai vu le moment où il allait nous dire. dans une envolée de manchettes : « Bye bye ! »

Accompagné Arlette dans la cour, sous la porte cochère, sur le seuil. Je jugeais de mieux en mieux les choses et l'ai priée d'attendre; mon manteau, mon chapeau, et *rahaus !* Il faut battre le fer... Cette sacrée Arlette, dans sa enième métamorphose, plaque cabaret, théâtre, music-hall. Trop dangereux. Après la guerre il sera temps de voir : pour l'heure, il n'importe que d'en mettre à gauche. Je ne l'ai pas blâmée : eût-elle agi comme une gourde que je l'approuvais encore, mais, si je veux bien adopter une minute son point de vue chétif et brillant, je dois lui donner raison. Elle me consulte. Le margoulin désire qu'elle achète du foncier et des immeubles, seulement, voilà, elle se méfie. Elle croit que, sous prétexte d'amour, il surveille de trop près sa fortune. Qu'il essaie encore de rattraper des yeux l'argent lâché. Il les lâche facilement, bien sûr, mais qu'il reste dans son office, qui est de lâcher, non de placer. La distinction entre le bien d'Arlette et le bien de Monsieur, qu'elle soit fixée une fois pour toutes. D'autant que, dans le bien d'Arlette, tout ne vient pas de Monsieur. A beaucoup près. Moitié, moitié. Depuis deux ou trois semaines, elle en jurerait, il flaire, non seulement qu'elle le trompe (cela il a dû le soupçonner toujours), mais qu'elle le trompe avec des Boches. Et de prendre plaisir au partage. Il se sent protégé, dans son trafic, par la subtile obombration des Boches, et il ne serait pas mécontent, le vilain curieux, de jeter un œil sur les dons allemands à la commune maîtresse. Histoire de voir et de placer, non de diminuer sa propre contribution. C'est tout de même ennuyeux qu'il cherche à se fourrer là où il n'a que faire.

Et puis c'est un imprudent ! Tout le sang gagne-petit des ancêtres d'Arlette frémit au spectacle de cet homme lorsqu'il réussit, par exemple, un coup sur les sous-vêtements de laine ou les conserves alimentaires. Feu d'artifice de grande et petite monnaie. Cela fuse, pète, crève, coule. La moitié du bénéfice fout le camp dans les deux jours. Pas de blagues ! Il s'agit de placer un peu. L'année dernière il avait acheté pour Arlette une maison de rapport à Limoges — un bombardement l'a fichue par terre. Oui oui, on reconstruira et l'Etat paiera plus de la moitié : en attendant, voilà de l'argent malade. Les maisons, hum ! hum ! Mieux vaut ne pas tout mettre dans les maisons. Ces sales aviateurs vous flanquent des maisons en bas sans que vous puissiez rien pour les en distraire.

Je ne cesse de hocher la tête, de me rider le front, de

feindre une concentration extrême. Ah ! je suis un ami, moi, et de bon conseil ! Je ne lance pas la moindre rosserie touchant l'édifiante transformation de l'industriel du Nord en gars du marché noir. Il faut entendre avec quelle chaleur et quelle brièveté tranche-montagne je félicite l'autre garce de refuser la caisse commune. On sait trop comment ça tourne. Par bonté d'âme on se laisse entraîner dans la déconfiture du collègue. Non, non, pas de caisse commune. Et pas trop d'immeubles... C'est que j'ai l'air, vraiment, de m'y connaître ! Un délicieux souvenir me picote le sang. Je me revois chez les Pozzoli, lancé en plein laïus bancaire. Et l'envie me saisit, dans mes grandes phrases laudatives, de ne plus « parler pointu », de me mettre à l' « acént » : car, si elles sentent le hâbleur de l'Ile-de-France, elles sentent, plus encore, le « galéjeur ». J'invente, j'invente. Je suis le trouvère du bon conseil.

Arlette se dit confuse d'utiliser mes services — chère amie, je vous en prie ! Peut-être, cependant, voudrais-je me rappeler que, pour des sondages, désormais inutiles, elle m'avança dix mille francs l'autre jour. Ces dix mille francs, que je les garde. Merci quand même. Quelle merveille, un homme de mon genre. Il sait prendre les devants.

Il s'ensuit une invraisemblable histoire de tableaux, à laquelle sont mêlés des marchands et des artistes, et où je ne saisis rien, sinon que, pour finir, Arlette, craignant de se faire empiler et dérober en deux coups de cuiller à pot un argent accumulé par la fille de la concierge au sortir de générations de sans-le-sou, a tout envoyé promener, marchands et artistes, et veut recommencer, sous ma haute direction, une enquête. Les narines froncées, elle sollicite mon avis : les tableaux, c'est bien d'en acheter ?

« Très bien. »

Elle me donne le bras. Me voici l'heureux compagnon d'une créature à chaussures blanches et à pendentifs roses, d'un ignoble petit animal humain grouillant de jeune santé. Elle s'arrête, je m'arrête. Elle contemple la Seine : va pour la contemplation de la Seine ! Le flux de la Seine lui remémore-t-il le flux des choses ou suit-elle une pensée, elle soupire. L'étrange ennui, de ne pouvoir posséder, en tranquillité de cœur, son argent. Se confier dans son argent. Etre sûr qu'on a mis à gauche six cent, huit cent mille francs, un million, deux millions, trois millions. Il faudrait interdire les fluctuations de l'argent : à quoi donc pensent les hommes ? La valeur du franc, ça devrait se régler entre techniciens, comme les poids et mesures, et ne plus jamais bouger. On ne sait sur quel pied danser avec ces gens qui vous menacent, pour après la guerre, d'une chute épouvantable de la monnaie. Un million et rien du tout, des gens racontent, et des gens qui semblent raisonnables, que cela pourrait devenir kif-kif. Elle frissonne. Les pendentifs roses s'agitent. La jeune gorge sur laquelle pend la grande croix byzantine — gage d'une foi solide, je m'en assure, — se soulève. Une ride oserait-elle frapper ce jeune front, marquer sous cette chevelure la trace d'une inquiétude, le signe d'une pensée. Non tout de même. Ouf ! J'ai eu chaud, et le monde avec moi. Arlette a failli connaître le souci. Maintenant, que la Seine coule, jaune, rapide, monotone, indifférente. Que les pêcheurs pêchent. Que les remorqueurs baissent cheminée avant de pénétrer sous les ponts. L'absurdité du monde reste parfaite.

Nous avons battu deux heures les marchands de tableaux. Rue de Seine. Rue Bonaparte. Si la garçonnière abrite des toiles surréalistes, Arlette ne manifeste que dédain pour toute peinture qui ne croie pas à l'objet et elle ne conçoit pas qu'un tableau vaille plus de dix mille francs. Surtout un tableau de petites dimensions. Une grande scène de bataille, un grand déshabillé galant, passe encore pour onze mille. Mais deux citrons, un verre et une pomme ! ou cinq lignes molles qui prétendent à être un visage ! Elle serrait d'instinct contre son ventre le sac bleu aux initiales A. B. d'où le bon argent ne voulait pas sortir. Elle parlait de réfléchir quelques jours encore. Et, une fois dans la rue, elle gémissait à la fois sur elle-même, trop indécise, et fulminait contre les peintres, qui fabriquaient une sale peinture. J'ai défendu la cause d'un Braque. Cinquante billets, pour elle ça ne comptait pas ! Devant ce plat tranché en deux par une ombre acajou, ce verre flageolant, cette table mal équarrie et dont les bords se prolongeaient en esquisse et en projet de bords, le sang lui montait aux pommettes comme devant un grand feu. Oh ! non, tout de même pas ce tableau ! A la fin des fins elle n'a rien acheté. Elle se déclarait un fort mal de tête, seul un porto-flip saurait la guérir. Il serait question de me confier une somme importante et de me laisser pleins pouvoirs dans un achat de tableaux, mais, tant que je ne palperai pas les billets, moi, je garde mon scepticisme...

Qui donc est Arlette ?

Si mes relations avec elle demeurent sur ce terrain de camaraderie, il ne faut pas que mon ignorance dure. Qui est le pseudonyme de qui ? Arlette Bosc, Suzanne Reboul, Louise Dieulafoy — quel est le pivot de la triade ?

Plusieurs fois, dans l'après-midi, j'ai songé au petit revolver noir que dissimulait, peut-être, ce sac féminin...

L'argent. Logé à la même enseigne que les copains, l'argent les imite et prend la tangente. Douceur, douceur aiguë de ses ruses. Voici l'argent, à l'image des dieux antiques, lancé dans les transformations. L'argent-tableau, l'argent-collection de timbres. Merveilleuse énervante douceur de ruse. Dans ce tableau, où la main n'accrocherait, je dis la main la plus fine, nul bouton secret, ne dégagerait nul panneau clandestin, une fortune se rencogne; il en est du tableau comme du barillet qui boit le rhum, il a bu la fortune, il en est du tableau mieux que du barillet qui boit le rhum, il a bu la fortune et n'a pas grossi pour autant.

Πάντα ρεί. Le bas de laine ? Nous avons changé tout cela. Coffre-fort moderne, voir dessins et couleurs...

Bonne journée, décidément.

Je poste ce matin une lettre pour Simone.

« Ma petite Simone,

« Il ne faut pas qu'un léger malentendu vienne interrompre nos relations, je veux dire mettre en échec notre amour. Nos relations, notre amour, ne sont pas le fait du hasard, tu le sais aussi bien que moi. Dans cette force qui nous a jetés l'un vers l'autre, il y a quelque chose de supérieur à nous, quelque chose d'éternel.

« J'aime ta lettre. Tu es une fille épatante et tu me comprends à merveille. Voici, pour la première fois, qu'on me donne mon vrai nom : un sale type. Merci, ma petite Simone, je suis heureux que tu aies eu ce flair et ce courage et — j'y reviens car il faut y revenir — je trouve dans cette vigoureuse lucidité la preuve que notre amour ne dépend pas du hasard. Je sens, désormais, que j'existe. Tu m'as créé. Tu m'as donné mon nom. Tu n'as pas le droit d'interrompre ton œuvre et, dès aujourd'hui, mais sans impatience (car je sais que tu reviendras), je t'attends ici, dans cette chambre de nos amours.

« Il y a, dans l'histoire, de grands couples d'amants qui peuvent te séduire, apaiser et énerver en toi la soif de calme, de caresses et de prodiges, et pourtant, vois-tu, il ne faut pas te laisser obnubiler par eux. Tu vas me dire : Francesca et Paolo, Héloïse et Abélard. Permets-moi de te répondre, avec la charmante franchise que tu dois louer dans ma personne : à la gare,

Francesca et Paolo ! au diable Héloïse et Abélard ! Nous sommes Georges et Simone, Simone et Georges, ne t'inquiète pas des gorges sombres, des ravins inconnus où s'engage notre amour, ne cherche pas à imiter, à comparer, à te rappeler, suis-moi ou précède-moi, mais tiens-toi près de moi et nous parviendrons un jour à des lumières décisives. Est-ce ma faute si nous vivons une monstrueuse époque ?

« C'est un sale type que tu aimes et que tu dois aimer pour penser ton époque, ma petite Simone, cette lourde, cette horrible époque, informe, sanglante, boueuse, ah ! ne parlons pas d'une idylle avec soleils couchants et déjeuners sur l'herbe ! il s'agit, dans cette ombre, dans ce noir qui s'étend sur la masse des hommes, de tailler un pan qui soit le nôtre. Nous devons être les amants noirs d'un temps sinistre. Tu ne t'es pas trompée sur mon compte. Tu m'as *vu* comme il fallait me voir. Un pas de plus, ma petite Simone, tu as fait le plus difficile. Aime celui que tu as vu.

« Je t'écris comme si tu ne m'aimais pas — je sais que tu m'aimes, ma petite Simone, et tes injures n'y changeront rien. Tu es priée de m'aimer et déjà tu m'aimes. Tout cela est charmant. Viens le plus vite possible. Je t'ordonne de venir. Je t'attends.

« Je croyais t'avoir dit qu'une petite garce ne devait pas se permettre de juger certaines choses. Pour l'homme de notre maison, tu t'es trompée du tout au tout : tu interprètes, à ta façon féminine, superficielle et grotesque, une démarche dont tu ignores les motifs. Pour Jean Malcurat — si j'ai bonne mémoire, c'est ce petit crétin à face de satyre de sous-préfecture qui loge près de ta chambre ? — pour Jean Malcurat je me demande, avec sympathie, si tu ne serais pas devenue folle. S'il est arrivé un petit ennui à ce jeune homme — et je ne puis même pas t'écrire que je m'en désole, ou, si je m'en désole, c'est par hostilité contre lui, par regret de le voir assumer une souffrance qui doit le grandir — si ce Jean Malcurat s'est fait doucement pincer, nous n'y sommes pour rien. Ni moi ni les puissants miens que tu ignores et qui me protègent. Réfléchis avant d'écrire.

« Tu as les amitiés d'une tache de sang sur l'oreiller, ainsi que d'un chapeau crevé dont je ne tiens pas à m'encombrer au-delà de quelques jours. Je t'ordonne de venir ici. Lundi, je t'ordonne de reprendre ta place à la Jeunesse. Que signifient ces façons d'envoyer un pneu à Rigaud ? Suis-je ton chef, oui ou non ?

« Ton chef qui t'aime, à la folie, comme tu l'aimes toi-même, petite imbécile.

« GEORGES. »

Style nettement fou-fou. Je m'en moque. Moi, Messieurs, j'expérimente, je n'utilise pas l'orgeat tout préparé dans les bouteilles. Nous verrons. Je ne vais pas dégonfler devant cette odieuse petite fille ! Jusqu'au bout, soyons distant et usons de procédés personnels. J'ai besoin d'elle et je sais qu'elle viendra — il faut qu'elle vienne.

Dimanche.

Petite réunion intime, hier soir, chez les Fouilloux, pour fêter la reprise en charge du mari par le foyer domestique. Monsieur est libéré ! Monsieur connaît le bonheur du chez-soi ! Je ne l'avais jamais autant regardé ni écouté qu'hier soir. Pauvre couillon. Blanc cireux comme un cadavre. Ahuri, ahuri, ahuri. L'arrestation, la cellule, la libération, trois coups de bambou, trois, pour le crâne de Monsieur. Moins heureux en cela de rendre justice à la vérité que de sortir une petite précision, il répétait qu' « ils » l'avaient laissé tranquille. « Ils » ne l'avaient même pas interrogé. Je lui ai demandé s'il n'avait pas « subi quelque sévice », il m'a répondu, au jugé, qu'il n'y en avait pas dans sa cellule. Une chose le turlupine : que des gens de la haute aient pu être ses compagnons. Voilà une chose qui ne passe pas. Il ne les trouve pas spécialement sympathiques, les gens de la haute, non, mais il ne s'attendait pas à en rencontrer autant, là-bas, au mètre carré. Pensez donc. Un ancien percepteur. Le gérant de l'hôtel Bleu, à Deauville, un hôtel de cent cinquante lits. Un officier de marine. Les Fouilloux ont recommencé leurs longues séances de radio anglaise. Ils ne cherchent pas les motifs de l'arrestation — la femme déclare que c'était une erreur, lui, il cligne de l'œil, il dit malin qui pourrait deviner — ils ont remis les pas dans leur pauvre existence absurde de sixième étage, légumes, vaisselles, bruits de porte et chaussons éculés...

J'ai fait la queue une demi-heure pour un billet de cinéma puis j'ai tout planté là et me suis évadé pour m'offrir mon film à moi, une bande sur ma promenade parisienne solitaire. Par ce boulevard Saint-Jacques où le métro disloque le ciel, ce gros lion de Belfort, le haut du boulevard Raspail, le boulevard Edgar-Quinet... Je filmais ma méditation, visages, paysages. Sur la ville un ciel bleu d'alerte. Rue de la Gaieté, toute une jeunesse grouillait et braillait, occupant toute la rue, et les bleus chapeaux mous et les fronts étroits sous les cheveux gominés et les chairs rougeaudes et les bas de rayonne tout frais luisants et les bas de soie et les parapluies aux petites têtes carrées, les sacs, les rires, les avances, les propositions, les insultes. Ça suçait des bonbons débités dans la rue même, sans tickets, au prix fort, ça sortait du cinéma et ça se rendait au cinéma, ça se sentait bien en corps, bien en vêtements, bien en ville. Ah ! la belle chose que de savoir quelque chose ! dit Jourdain. Ah ! la belle chose que d'être un jeune homme ou une jeune fille, pensait cette racaille. Et des coups de sifflet de gosse et des familles endimanchées. Absurde. Quelques marins allemands, non moins absurdes, vaguaient dans la foule : par acquit de conscience je filmais leurs petits rubans... Et des vélotaxis amorphes devant la gare Montparnasse. Ces messieurs les conducteurs, par groupes de trois ou quatre, les mains dans les poches, les cheveux impeccables. Lacets, bougies, bonbons, fleurs malades, illustrés insanes. Queues de cinéma. Bistrots fermés, d'une sobre distinction de néant. Bistrots ouverts, pleins à craquer d'une assistance morne et trop vêtue, ou d'une assistance nerveuse. Un camion de la Wehrmacht, haut sur pattes, l'intérieur vide et noir. Un officier de la Wehrmacht, dont le petit sabre se balance. Absurde.

Faut-il que nous ayons plongé dans la mélasse pour que le gouvernement, sans entraîner une révolution immédiate, prenne avec le cinéma de telles singulières libertés ? Que signifient ces règlements du loisir et du plaisir ? Qu'on ne parle plus de cinéma dans ces histoires de séances qui commencent à l'heure juste, ces interruptions pour le dîner, cette électricité au compte-gouttes. Humanité idiote. Elle se laisse faire. Parce qu'on lui colle toujours de grandes affiches avec des têtes acides et savamment déformées, et des fonds de teint maison et du revolver hagard, elle s'estime heureuse. Alors qu'il n'y a plus de cinéma. Le cinéma est mort à l'aube. Le cinéma ne répond plus. Le cinéma a disparu. Il n'existe plus que des patronages : des patronages d'Etat, avec vertu, propagande, et vice réglementaires. Dans du décor laïc. Le ministre qui a osé démolir l'institution des permanents, il faudrait le pendre haut et court, et non sans filmer la pendaison :

1°) pour les actualités de la semaine; 2°) pour un film de court métrage, intitulé « De la pendaison et, en particulier, de la pendaison ministérielle »; 3°) pour un dessin animé — sous forme de proverbe : « Ne touchez pas aux nerfs des hommes. »

J'ai l'air de rire — et certes, sans trêve aucune, je m'occupe à grincer et à ricaner, en même temps qu'à jouir — mais je trouve odieuse la destruction du « permanent ». Comme si la faiblesse humaine, déjà, n'était pas trop grande. Comme s'il ne restait plus de progrès possible. Comme s'il n'importait pas de combler, d'abord, cette cruelle fissure qui oppose deux heures et dix heures du matin, la période sacrilège où l'on aère les salles et où les appareils de projection peuvent croire chasser de leurs regards fidèles l'image, absurde, des hommes. Ne pas sentir la poignante nécessité du permanent, quelle carence. Faut-il que nous ayons plongé dans la mélasse.

Dans la guerre nous possédons une émotion permanente. Dans la vie que je m'arrange, je tombe et retombe d'émotion en émotion. De là jusqu'à soutenir que les hommes et moi nous ayons moins besoin du cinéma... Réduction grossière du problème. Il existe là un devoir. Devoir, pour l'humanité, de se rendre perpétuellement, à elle-même, le compte de ses mœurs, de ses gestes, des images qu'elle offre. Devoir, pour l'humanité, de se pencher perpétuellement sur la connaissance d'elle-même. Il faut abattre les limites de la nourriture et du sommeil. Mourir de cinéma, le noble programme !

Quand ils emploient les mots « La maladie du sommeil », les hommes veulent parler d'un excès de sommeil, alors qu'en réalité, intelligemment, le langage, ici, trahit la pensée. Le sommeil tout court est déjà une maladie, une faiblesse. J'y trouve un élément ignoble, moi, et le témoignage que pas un homme ne vaut tripette. Cette ardeur qu'un nombre infime de personnages, débauchés, arrivistes, tâche, avec suite et courage, de mettre dans la vie — chaque soir, ou à une heure quelconque de la journée, il faut qu'ils en manifestent le repentir. Ils oublient, ils se désolent d'avoir tenté la grandeur et les voilà qui se déshabillent et se couchent ! Ils succombent dans la nuit, dans la négation du vice et de l'élan. Oui, même le débauché abandonne la femme et se tourne vers le mur, tandis que sa compagne, le visage détruit par l'oreiller, doucement s'anéantit sur le bord libre. Les montres et les pendules marchent, les comètes filent, les mers descendent et montent, le glacier travaille, Monsieur dort. Il a pris ses quartiers de nuit. Il a signé une trêve, pour lui déshonorante, avec l'étude. Sa tête pend dans le sommeil. Il n'en peut plus. Quelques heures de pensée, déjà il doit se refaire. O Nostalgie de la connaissance totale, je te porte dans mon sang. Moi avec tous, mais moi j'en garde la conscience.

Un des supplices les plus chers à l'homme ne demeure-t-il pas de crever les yeux. Empêcher l'ennemi de voir et de connaître. Lui refuser la documentation essentielle, instantanée, claire et continue, des couleurs et des formes. Lui fermer sur les yeux, à tout jamais, les écrasantes portes blindées de la cinémathèque du monde. Le réduire à des rognures de doublage sonore. D'autres fois, l'homme ne crève pas les yeux de son ennemi, il lui arrache les paupières : encore de l'eau pour mon moulin. L'homme arrache les paupières par dérision. Dans son canon de beauté, un œil sans paupière est ignoble. L'homme ne saurait croire non plus que son ennemi devienne un penseur, un vigilant de l'espace, et il insulte à une prétention qu'il juge dérisoire et à laquelle il le force : « Regardez celui-ci. Celui-ci raconte qu'il ne fermera jamais les yeux. Qu'il accumulera dans les chauds greniers de sa mémoire les nuances de l'ombre et les ombres de la lumière, les frémissements du calme et les lenteurs de l'orage. Bonne chance, mon petit, bonne chance. Pauvre fou ! Celui-ci raconte qu'il gardera les yeux ouverts sur le monde... »

L'homme qui arrache les paupières à sa victime souille, mais ne peut tuer , sa propre nostalgie. Il veut s'effrayer lui-même. S'interdire, par le choc d'images qui lui apparaissent comme terribles, la démesure dont la curiosité le pousse... Mourir de cinéma... Le feu sacré, à Rome, ne devait pas s'éteindre. Sous peine de mort pour le conseil municipal, les cinémas des villes modernes devraient ne s'arrêter jamais. Que soit créé bientôt le vrai « permanent », le cinéma perpétuel...

Domaine de la réalité médiocre : Simone, pâle et souffreteuse, a reparu dans le ciel de la Jeunesse. Elle me refuse sa nuit. Se figure-t-elle que je n'arriverai pas à la rendre raisonnable. Tu recoucheras ici, ma vieille, et bientôt.

Une croix de Lorraine, ce matin, était fichée dans mon buvard. Une autre se promenait dans le sous-main. Bagatelles : il faut que les corbeilles servent.

Très important. Très important ! J'allais oublier que le gars Romanino m'a fait subir une engueulade. Le petit crétin va fort et j'en dirai deux mots à son chef. Tout cela pourquoi, je vous le demande, parce qu'Arlette rompt avec lui ! Première nouvelle, mais, entre nous, l'événement semble normal. Monsieur crie, Monsieur pleure, Monsieur m'engueule. C'est moi qui le cocufie ! J'ai pouffé de rire. Si c'était vrai, je ne serais pas le seul... Il s'imagine, dur comme fer, qu'Arlette a rompu sur mes conseils. Je hausse les épaules ! Il m'a tendu le poing sur un solennel : « Je te revaudrai ça. — Tu m'en trouverais ravi. Je vais te donner une bonne adresse. Simone Béal, la dactylo, c'est ma petite poule. Aligne-toi, un beau P.P.F. de ton genre plaira certainement. » Ahuri, il a soufflé toute une minute. Ses grands yeux de sportif roulaient et roulaient. Comme premier plan de cinéma, quelle intensité de vie, ma chère ! Ne découvrant pas de phrase historique, il s'est dirigé vers la porte et, au moment de sortir, résigné à des insultes médiocres. Faux frère ! Sale type !

Cela vaut-il la peine de s'offrir une pinte de bon sang ? Une minuscule, peut-être. Ça n'est là qu'une pauvreté de plus parmi toutes celles que la vie charrie pêle-mêle.

Demain nous aurons mieux.

Mardi le 2 *mars* 1943.

Pas encore. Simone refuse. Elle s'est sauvée à toutes jambes. Bien que je doive l'attraper un jour ou l'autre, cette obstination me vexe. Elle paiera cher.

Je pensais à relancer Maurice, puis, avec Maurice, Fontanges, mais ce serait lamentable. Je me donnerais devant moi-même les airs de fuir le regret de Simone, de vouloir me consoler. Soit, je relancerai Fontanges. Plus tard. Quand Simone aura mis les pouces.

— Reçu un tract par la poste. Je jette dessus un coup d'œil et, de fil en aiguille, je le lis. Jubilation. Ces Messieurs ne s'accordent même pas entre eux. Prière aux Français de montrer une conduite qui ne mène pas « nos alliés » à nourrir de « mauvaises pensées » contre les colonies. Prière aux Français de noter que les émissions gaullistes ne se confondent pas avec les émissions britanniques en langue française.

— Lettre de Madame ma mère. Pas un mot de la méchante bafouille que je lui ai décochée l'autre jour... Oui ou non, ne désiré-je pas me marier ? Si oui, dans Besançon, « vieille ville espagnole », il existe pour moi un parti de rêve. Dans une maison entre cour et jardin. Des parents charmants, un peu gâteux, si charmants. Fille unique. Des relations dans la magistrature. Des cuivres de toute beauté, des assiettes de la Compagnie des Indes... Je vois ça d'ici. Le Christ janséniste. Les rideaux de velours rouge. La bonne qui est dure de la feuille. Une fille gnangnan... Post-scriptum. « Vous seriez aimable de me renvoyer l'emballage vide. » D'accord. Mais, condition *sine qua non,* ma chère petite, il faudrait qu'il vécût toujours. Et je crois, mon cher cahier, l'avoir brûlé dimanche.

— Hier, cela va de soi, je me logeais à la même enseigne que « mes semblables ». Je m'applique les injures que je lance contre les autres et je me déclare un faible, un lâche, un aventurier à la gomme. Moi aussi je dors. Je chéris la fièvre, vigilante, et chéris avec la même ardeur l'aspirine, la somnifère aspirine, qui garde à l'esprit, jusqu'à l'ultime seconde, sa tension, mais ne laisse pas de l'endormir. Moi aussi je renonce à tirer les conséquences de mes pensées, à reconnaître, exploiter, dépasser mes inventions prodigieuses. Alors que vont sauter de toutes parts les rocs et les barrières, alors que la folie, déjà, siffle dans les herbes, je m'arrête, et le sommeil, sans peine, me terrasse. Homme de peu de foi. Je n'ai pas cru dans la roideur de ma réflexion volontaire, la ruse et la vigueur de mon corps. Ces vertiges, ces chocs au crâne, je n'ai pas su les interpréter comme les explosions rituelles, les saintes menaces, dernier et grand moment de l'initiation, et j'ai choisi l'opinion la plus facile et grossière : j'ai dit « La débandade commence » et, par ma faute, ma faute seule, elle a commencé.

Il me vient, il me reste un scrupule. Le vice ne serait-il pas un ersatz de l'absolu ou de la mort ? Ne serait-ce pas pour dissimuler une défaite que je me jette dans le vice ? Fontanges, lui, je me le rappelle, tranchait la question. Il me considérait comme un nostalgique. Je souhaiterais, de toute ma fièvre posséder le moyen, le droit de me figurer qu'il se trompe, vraiment je ne les ai pas. Peut-être cette fièvre, cet élan sauvage et saccadé qui me précipitent dans le vice, le prestige et les vibrations du vice, ne sont-ils que le choc en retour d'une fièvre et d'un élan qui m'entraînaient à scruter l'ombre, les soubassements inconnus de l'homme et des choses, mais se sont entravés dans leur faiblesse ou ma faiblesse et ont reculé devant la nuit... Peut-être aurais-je dû, mille fois déjà, de mes propres mains me donner la mort, peut-être, dans cette ombre où je suppose, au hasard, des soubassements inconnus, aurais-je dû plonger et trouver le néant, voir le néant, recueillir du néant la seule explication de l'apparente et fugitive existence. Quand je dénonce le Fouilloux, qui me dira si je ne m'abaisse pas à un pis-aller ? Si je ne suis pas, simplement et tristement, un homme en rupture de ban d'avec la mort, en congé de mort, un hors-la-mort qui voudrait apaiser dans le brigandage et le crime son incapacité originelle à aimer l'eau, le soleil et le ciel, la nuit simple, le pas simple des hommes isolés ou en foule et à y goûter le calme ? apaiser dans des signes de brigandage, dans des gestes et semblants de crime, le manque total de nuit simple, de lumière calme sur les eaux pures, le vide éternel, édenté, des mots humains ?

CHAPITRE XIV

Jeudi.

— Croix de Lorraine dans mon sous-main : à la corbeille !

Je me dispute pour la première fois avec de Gentien, qui vidait les cendriers de mon service.

— Arlette. envoie un chèque de trois cent mille francs et une lettre. Prière d'acheter les tableaux le plus vite possible. Prière de bien choisir, sans trop d'égards au chiffre. Prière de garder les factures... Juste avant qu'elle signe, un mauvais souvenir l'assaille : pas de « Brack », surtout, pas de « Brack » !

Je rencontre dans un couloir un Romanino qui était — ou semblait — jovial. Nous avons bavardé naturellement, et comme s'il n'y avait pas eu, l'autre jour, cette engueulade. Nous irons demain au cinéma ensemble. Lucie mène de pair les sorties avec son Chleuh et la composition d'une brochure pour le P.P.F., *La femme française devant l'Europe.* « Tu ne lui donneras pas un coup de main ? » demande Gaston. J'acquiesce. Il faut que la brochure sorte vite, pour « gratter » celle du R.N.P., *La Française dans l'ordre nouveau,* à quoi s'est attelée une certaine Marie Michelant, de son pseudonyme Solange de Guérigny. Douceur et discrétion. La Lucie, auteur farouche, défend ses phrases... Je signale à Gaston, histoire de rire, que la Fouilloux se laisserait peut-être gagner au P.P.F., mais il prend ma blague au sérieux. Pauvre sot.

Simone a couché ici. Toute frissonnante, la garce, peureuse, honteuse, avide. Avec quelque force que les beaux yeux de Georges l'aient ramenée dans le devoir, l'ennui de la solitude a joué un rôle prédominant. Ou pourquoi Georges ferait-il fonctionner ses beaux yeux ? Il faut le dire, et je puis le dire aussi pour mon compte — moi qui soupçonne mon ardeur au vice d'être entachée de mollesse métaphysique, — lorsque je m'occupe d'ordonner à Simone le retour dans ma chambre, l'orgueil me pousse avec le désir éperdu d'infliger une souffrance, mais encore l'ennui de la solitude. *Potius mori quam foedari,* devise absurde, et mon personnage s'exprime autrement : *Potius foedari quam mori...* Plutôt l'ersatz que le néant. Formule qui va dans le sens de l'époque.

Ma conduite ne m'emballe guère. Tout ce temps de

bureau me fatigue et je me sens lamentable d'avoir remis à une meilleure occasion l'attaque-maison contre Simone. Pas plus de « meilleure occasion » que de beurre en branche ! Ces mots-là sont des attrape-nigauds ! Je me juge bon et me note d'infamie. Je suis un salaud. Mais, en vérité, je serai un faux salaud et me donnerai la mort si, la prochaine fois, je ne torture pas cette garce. Ma chambre, entre autres, a la forme d'une cage. Elle mérite qu'on y enferme des douleurs humaines. Qu'on y cisèle et accroisse, au fur et à mesure que du temps passe, les douleurs d'un être.

Oui, je me sens lamentable. Lire à Simone de l'Oscar Wilde, ce n'est qu'une farce : je lui engourdis l'intellect, déjà si morne, au lieu de la choquer. Il s'agit toujours, naturellement, de la pervertir, mais dans la souffrance et l'insécurité de soi-même. Mes lectures, à la longue, lui plaisent. N'employons que les ciseaux et les couteaux du dialogue. Si, la prochaine fois, je ne la contrains pas aux larmes, à me haïr, à se haïr, je me tue.

— *Ce que l'on nomme le Vice est un élément essentiel de progrès, sans lequel le monde stagnerait, perdrait jeunesse et couleur. Par sa curiosité le Vice ajoute à l'expérience de la race; par l'exaltation de l'individualité, il nous sauve de la banalité du type. Dans son mépris pour les notions courantes de morale, il se rencontre avec les plus hautes morales...* » Et aussi : « *La Société retournera tôt ou tard vers son chef perdu, le jeune et séduisant menteur. Quel fut le premier homme qui, sans avoir jamais participé à la chasse sauvage, conta au crépuscule, pour l'émerveillement de ses frères des cavernes, comment il avait fait pour chasser le Megatherium des pourpres profondeurs de sa grotte de jaspe ou tuer le Mammouth en combat singulier et lui arracher ses défenses dorées, nous ne saurions le dire... Mais quels qu'aient été son nom et sa race, il fut certainement le véritable fondateur des relations sociales...*

Lire à Simone les deux passages, c'était, comme dirait Topaze, de la poésie pure. J'ai gâché ma soirée. Ah ! la conversation idiote. « Tu vois, déclarait Simone, que tu aimes la civilisation anglaise. Quand tu touches un livre, il faut que ce soit un livre anglais. » Et moi de riposter. De lancer gravement des objections. Wilde, un Irlandais, non un Anglais. Ne pas confondre, *if you please !* Et un Irlandais condamné par l'hypocrite justice anglaise. Parallèle surréculé, supraéculé, entre les procès de Jeanne d'Arc et d'Oscar Wilde... Idiot, idiot.

Vendredi.

Je me résous à l'écrire — puisque j'ai pris hier une décision qui me sauve — j'ai reçu un coup de vieux depuis Marseille. Tout de même, j'étais plus rigolard sur la Canebière. Mes distractions stupides, je savais tout de même en rire ! A telle enseigne que, dans Marseille, il doit se propulser encore deux ou trois individus qui se rappellent mon personnage comme un joyeux vivant... Je regagne ma chambre, ce soir, avec un désespoir fade, une grotesque nudité intérieure. Du métro jusqu'ici, pluie au compte-gouttes. Cela suintait du ciel. Désespoir de cette pluie.

Ils ont empoisonné mon cher cinéma et, pour la première fois, j'ai ragé d'un mauvais film. Tout me portait sur les nerfs. Les cheveux de Romanino, son haleine dentolée, ses grands airs sombres. Il me raconte que Lucie, hier soir, a boudé son Siegfried. Elle chantait *« Mes larmes font éclore »*, l'autre a hoché la tête : les paroles allemandes, cent fois plus belles !... *La guerre à l'Est.* Une attaque romantique se prépare. Des guerriers, le casque feuillu, montrent leurs dents blanches et se regardent, riant d'être si beaux et purs. Un général botté donne des ordres. Un side-car défonce une route. Zimboumboum. Des canons crachent. Des guerriers courent, se planquent, tirent, courent, se planquent, tirent. Oh ! oh ! un avion russe ose gronder dans le ciel ! Grotesque et ridicule. Zimboumboum. Dagadagadagadagadac. A plus d'avion russe. Badoum l'avion russe. Des chars russes flambent comme un tas de paille. Ils sont là sept ou huit ensemble et passent le temps à flamber. Colonne de prisonniers russes. Musique. Grandes phrases. Musique. Lumière. Saphirs et brillants, Yves Roué. Emeraudes et brillants, Yves Roué... Le grand film. « Mon chéri, je vous attendais... — Voulez-vous que nous fassions un tour ? — Oh ! il pleut !... » Fausse pluie, carabinée. Mauvais garçons à vingt francs l'heure. Les pas dans la forêt, les voix dans la rue, éveillent sans vergogne les échos des murs d'un studio de tournage. « Bien joué ! Vous avez eu la première manche... — Et tu n'auras pas non plus la seconde... — On verra... — C'est tout vu. » Rire en gros plan. Rixe (détail de la). Rixe (ensemble). Coup de sifflet, coups de revolver, crocs-en-jambe, maison fatale (porte de la), maison fatale (hall de la)...

Je désire, sans doute, et je crains la mort. Je vois toutes les fissures de la vie, toutes les caches où la mort enfoncera ses coins. Je redoute et je prophétise la mort.

Dimanche.

Je ne me tuerai pas, ou, du moins, pas aujourd'hui. Simone a reçu son compte... Soirée d'hier délicieusement stupide, toute vibrante de bêtise.

A peine avions-nous gagné la chambre, coup de sonnette. « Bonsoir Messieurs-dames. Qu'est-ce que je disais, monsieur Renaut de la Motte, voilà un paquet pour vous. — Un paquet ? — Ben oui. » Sous un papier ficelé, c'est une longue chose plate et rectangulaire

— non, pas tout à fait plate. » Au sixième fuse un éclat de rire. « Cherchez pas, monsieur Renaut, une petite surprise que nous deux Madame Fouilloux on a voulu vous faire. Fallait bien vous dire merci question comme quoi vous m'avez donné un coup de main. » Tandis que le concierge, lentement, pénètre dans l'ascenseur, les Fouilloux descendent. Endimanchés. Le mari m'enlève le paquet mystérieux dont il retire les ficelles. Le concierge plonge. Un tableau apparaît, les Fouilloux ricanent de joie, Simone rallume la minuterie, *La Cité royale de Carcassonne*, sacré navet haut en couleur. « On pensait nous deux qu'un Monsieur comme vous ça aimait les beaux tableaux. C'est gentil, hein ? — Si on construisait dans ce temps-là ! — Il faudrait refaire ça qu'on dépenserait un milliard. — Un milliard ? Cent milliards ! — C'est bien simple, on ne le referait plus. — Si c'est joli ce bleu... » Vin d'honneur chez les Fouilloux. Discours, remerciements, réponse, salut à la France.

« Tu en as un culot », me dit Simone plus tard, et dès que nous sommes seuls, « de te laisser offrir un cadeau par les pauvres gens que tu as dénoncés. » Je hausse les épaules. Elle insiste, je garde le silence. Elle considère le tableau. Avec une ridicule sincérité chrétienne elle murmure que d'ailleurs, ou elle se trompe fort, le tableau ressemble à une croûte, mais j'interviens et ponds un discours aux fins de prouver que cette prétendue croûte est une belle œuvre : il y a là un sentiment de la pierre et du ciel, une technique des couleurs, du ton sur ton, etc. Voilà notre jeune critique désarçonné. Elle s'écarte du tableau, me fixe dans le blanc des yeux pour essayer de me comprendre, retourne au tableau, soupire : « Tu ne mentirais pas ? — Moi ? Tu me connais, voyons, Simone. » Et, en moi-même, je ris et rage de rire et, de cette rage, si je ne ris plus, je tire excitation suave. Un de mes camarades excellait jadis dans les imitations d'imitations : par exemple un homme politique en train de se raser et qui, pour se distraire, imiterait les bruits du métro. Cela déterminait un fantastique surcroît de drôlerie et mon ambition est de cette nature : multiplier en moi, dans le même instant, les images, les pensées, les émotions.

Elle s'est assise sur le divan. O délices, elle regrette sa venue ! Elle n'ose se déshabiller, elle a peur. « Moi aussi, ma petite, je voulais te faire un cadeau. » Elle me lance un coup d'œil inquiet et je la blâme de me regarder ainsi au lieu de battre des mains. Je ricane. Sa gorge se gonfle. « Alors, Simone, tu ne trouves rien à dire ? — Ce sera encore une farce. — Une farce ? Je ne sais seulement pas ce que c'est, une farce. Je t'apporte le suprême témoignage de l'esprit moderne, la fine fleur de l'époque. — Alors c'est comme je croyais, ce sera encore une farce. » Je ricane et lui colle sous les yeux, d'un geste brusque, la « carte d'amour », farce-attrape d'un mauvais goût sublime, conçue à l'image des « feuilles de rationnement », avec des tickets roses (détacher le long du pointillé), « Bon pour une caresse », « Bon pour un baiser », « Bon pour une nuit d'amour »... Elle blêmit. « C'est épatant, hein ? — C'est idiot. On ne plaisante pas ces choses-là. » Je me croise les bras et, l'air courroucé, entreprends et poursuis une apologie de la carte d'amour jusqu'à ce que Simone commence à hésiter et que j'aie le droit d'éclater de rire. « Que tu es méchant ! que tu es cruel ! — Et toi tu es ridicule. Tu te laisses embobiner. Tu poses à la jeune fille française des journaux. — Que tu es méchant ! » Un silence. Je la devine qui s'impatiente et se prépare à souffrir, et, fou de bonheur, je sais détenir de quoi justifier et au-delà cette impatience. La « carte d'amour » gît sur le plancher. Dans chacune des mes allées vers la fenêtre un « Bon pour une caresse » me frappe les yeux. Délicieusement fétide, la vie. Il a existé des gens, brachycéphales ou dolichocéphales, qui ont dépensé leur matière grise sur cette œuvre grotesque. Sans parler de *La Cité royale de Carcassonne*...

« Tu as des nouvelles de ton Jean Malcurat ? — C'est toi, peut-être, qui vas m'en donner. — Moi ? pourquoi ? — C'est vrai, je suis idiote. » Je ricane, j'attends une minute, puis je lance à Simone qu'en effet elle est idiote mais que je n'en ai pas moins dénoncé son Jean Malcurat. Elle se précipite sur moi, veut me battre. Je la renverse sur le divan. Elle se redresse et, cette fois, elle veut fuir, fuir, se sauver. Je la rattrape et lui tords les mains. Elle crie de toutes ses forces. D'abord j'en ris, mais, comme je ne désire pas non plus qu'elle ameute la maison, je lui cogne dessus. Je la bourre de coups de poing et de coups de pied. Elle a fini de crier. Elle geint, la figure sale de larmes. C'est laid, une femme.

Nuit suave...

— Cet après-midi, comme on ne guérit le cinéma que par le cinéma, je me rends au Colibri, où je possède mes grandes et petites entrées. A d'autres les plaisirs de la queue ! Revu la guerre à l'Est, dont j'ai mieux ri encore. Je savais tout ce qui allait se passer et me trouvais, *mutatis mutandis,* dans l'état d'esprit du metteur en scène. La moindre éclaboussure de boue, je sentais si bien désormais qu'elle valait son poids de propagande. Zimboumboum. Je le devine, la file des camions du bon parti, solides et purs, va s'étirer dans la plaine. Boumbadaboum. Maintenant c'est le moral du front. Fameux, le moral du front. Braoum. Tiens, un blessé. Ah ! oui, je me rappelle : camaraderie guerrière, excellence des soins médicaux. Dagadagadagadac. Ils vont flamber, les chars russes. « *Et cependant que, dans le bois maintenant libéré, flambent les derniers chars russes, sur la route s'allonge et s'allonge sans fin la colonne des prisonniers pour qui la guerre est finie. Et l'on se surprend, devant ces visages typiquement asiatiques...* » Rien de nouveau à l'Est. Un mauvais point pour « les services du docteur Goebbels » ! Ils devraient faire dépister dans la foule les gens qui connaissent déjà les actualités et leur en interdire une seconde vision. Qui a déjà vu cesse de contempler la guerre, il s'offre une bonne partie de ciné : une certaine agréable proportion de sourires amis, de coups de canon, de braves soldats et de pertes ennemies, voilà les batailles. Les derniers coups de manivelle une fois donnés, il éprouve si bien que ces Messieurs ramassent les décors, tous les décors, y compris les branches mortes, etc., et vident chopine. A.M.G.F. : *ad majorem gloriam fuhreris.*

L'Assassin a peur la nuit. Dans ma solitude et par ma solitude je n'ai pas trop souffert de cette bande malencontreuse. Pauvres assassins, on vous arrange. Michel Simon, dans *Fricfrac,* protestait contre les cambrioleurs tels qu'on les représentait dans les films, je me demande si l'on respecte mieux les assassins. On leur flanque des peurs nocturnes, de grandes fraîches sueurs qui leur inondent les joues. Petites têtes d'assassins. Ça tue des hommes et, à la première heure de nuit, une ville entière leur vacille dans le crâne et ça se met à suer froid... Il faudra que j'essaie pour voir... Je ne m'inscris pas en faux, après tout, contre les peurs nocturnes des assassins. Je ne dis pas qu'elles n'existent pas.

Titine va se marier, et à un conducteur de vélotaxi. Ils se feront de sacrés mois. Surtout si, comme elle en nourrit la chaste espérance, elle entre dans un cinéma des boulevards. Evidemment je suis de la noce : mais, d'ici là, on tâchera de se revoir, ne serait-ce que pour passer la nuit ensemble.

Lundi.

Si je devais assassiner, je crois que je choisirais Simone. Ce serait la victime la plus facile. Qui j'aimerais le mieux assassiner, ce serait Maurice.

Mardi.

— Je connais tout de même, dans Paris, des Messieurs-dames qui ne sont pas des buses. A la Galerie du Bon Tableau Moderne, rue de Seine, j'ai acheté pour 250 000 francs de toiles et dérobé pour quelques sous de papier à en-tête : moyennant quoi j'ai composé mon petit faux. Une belle facture de 300 000. Avec signature, timbre de quittance et tout et tout. Autre chose : sous le titre enjôleur de *Le ciel est, par-dessus Carcassonne, si bleu, si calme,* j'ai glissé dans ma liste le cadeau Fouilloux, estimé trente billets, et qui remplace, le plus avantageusement du monde, un Braque. Arlette n'aime pas les « Brack » : ne désolons pas cette enfant !

— Introduit Romanino chez les Fouilloux. Il leur apporte une liasse de brochures.

Mercredi.

— Tempête sur la Jeunesse. Mauléon, dit Métaxas, retrouve son poste et Rigaud verse dans le décor. D'un jour à l'autre. Le bruit en courait hier soir, mais moi, jeune conscience pure et fermée aux racontars, je battais la rue de Seine. Ce matin, donc, revu Mauléon. En pleine forme, costume tout laine et tout neuf, bonnes joues grasses, cigarettes à l'eucalyptus. Il a rajeuni, ma parole ! Quelques gorges chaudes sur sa révocation, scandale, désormais éteint, qui aurait pu blesser l'honneur d'un homme. « On sait pourtant que je suis Maréchal à fond. Je ne m'explique pas cette histoire. Tous unis derrière l'homme de Verdun, qui seul peut nous sauver, telle est ma devise... Encore un petit coup des petits copains... Et vous, de la Motte, ça marche ? vous êtes content ? Vous n'êtes pas encore préfet de Première classe ? » Je place deux ou trois phrases sur ma modeste personne, Mauléon boit du lait. Il n'écoute pas, mais ça le flatte, cet homme, qu'un subordonné lui explique sa conduite. Il me tape sur l'épaule. « En tout cas j'espère que vous êtes resté farceur. » Et de me rappeler le coup de la feuille sur les loges maçonniques. J'avais simulé un refus de signature sous prétexte que j'ignorais l'existence d'un « Prieuré des Gaules » et ne pouvais garantir, de ce fait, ma non-appartenance à la franc-maçonnerie : si j'avais appartenu, sans le savoir, au Prieuré des Gaules ? *Sufficit*. Dérobons-nous. Il ne faut pas importuner les chefs.

« J'ai beaucoup de sympathie pour vous, mon cher de la Motte. Un de ces jours, nous arrangerons ça, vous me ferez l'amitié de dîner à la maison... » Pourquoi pas, en effet ? Et maintenant c'est lui qui me garde. Il m'offre le tutoiement. Il me critique Rigaud en long et en large. Un esprit à courtes vues. Un esprit chagrin. Le contraire de ce que demande la Jeunesse ! Il se renseigne sur les uns et les autres et le départ d'Armande le consterne. En voilà une histoire pour trois fois rien. Il aurait étouffé cela, lui, et en cinq minutes. La pauvre femme aura couru se placer dans un bureau allemand, où elle se sera vu promettre un salaire deux fois meilleur.

Je loue un vélotaxi qui me transporte les tableaux chez Arlette. Quatre cent cinquante francs des Gobelins au parc Monceau. C'est coquet. Qu'on n'aille pas s'étonner si je dérobe cinquante mille francs. Le choix de plusieurs toiles, ça ne souffre pas la comparaison avec le transport par vélo ! Même un vélotaxi. Ça exige un doigté, un œil — et puis l'amortissement des frais d'étude, c'est quelque chose, aussi. N'ajoutons rien. Arlette me paie la course et m'octroie en sus deux mille balles. Fétu de paille, comme dit Romanino. Seulement, ici, le fétu de paille ne va pas s'éterniser dans la solitude. Je lui ai prévu des compagnons. Les deux mille balles rejoignent les cinquante mille déjà citées. Soit cinquante-deux mille. Je thésaurise.

Comme je pouvais m'y attendre, notre généreuse amie, de toute sa galerie, préfère : *Le ciel est, par-dessus Carcassonne...* Ça c'est de la peinture ! Du bleu de bleu et du vert de vert. Plein les yeux d'un coup. Ah ! la peinture ! Ah ! les peintres !

Jeudi.

Titine, hier soir, me relance. Pour la première fois depuis... deux mois, peut-être ? je m'étais couché tôt. J'allais dormir. Ce qui me valait l'honneur de sa visite, euh, mon Dieu, le désir d'une bonne partie. Tout simplement. Mais comment osait-elle ? Et si elle était tombée sur ma petite amie ? Titine secoue la tête avec un gros rire et une grosse danse de pendants d'oreilles. De chez Lucette on entend tout ce qui se passe dans ma chambre. On savait, là-haut, que j'étais seul. Et puis quoi, il faut tout dire, l'autre jour, ou, plutôt, l'autre nuit, il y a eu chez moi un potin fou. Des pleurs, des cris. Moi, je suis un petit cachottier ! Moi, il y a quelque chose qui ne va pas ! Titine, d'avance, épouse ma cause, et, tout en rangeant sur une chaise vêtements et linge, elle me conseille, si ma petite amie joue les imbéciles, de l'envoyer promener. Un homme de mon genre ne doit pas supporter qu'on lui manque.

« Marie-toi, mon petit, que je te dis, marie-toi. — A qui veux-tu ? — T'es pas un peu tocbombe, des fois ?

T'en trouveras cent pour une, mon petit, c'est moi qui te le dis... »

Elle se pose un doigt sur les lèvres. Pas un mot de plus à ce sujet. Elle en fait son affaire et, le jour de la noce, on me collera une petite fille charmante, une vraie de vraie. Cœur, instruction, élégance, tout pour plaire. On a beau ne pas être bien instruit soi-même, l'instruction, on sait la reconnaître ailleurs. Et que cette fille-là, comme instruction, c'est quelqu'un. « Tu seras un petit gâté », conclut Titine, et elle saute à pieds joints sur le divan. Je la prie d'attendre une minute. Je vais chercher dans le placard le tableau de Braque et, avant de le montrer, me fends d'un discours-maison sur la nécessité où se trouvent les gens raisonnables d'en mettre à gauche : surtout les jeunes ménages. « Travail, famille, patrie tu causes comme le vieux », m'interrompt Titine, que je remballe. Je lui répète qu'il faut en mettre à gauche. Sous une forme ou sous une autre, mais, de préférence, en possédant le fisc. Des formes semi-clandestines. Les objets d'art, excellent. Les tableaux, les tapis, les vases. Je donne trois coups de paume sur le Braque, prononce une formule magique et le retourne. Ahurissement de Titine : « Ben vrai, mon petit gars, t'es rien culotté ! Tu crois tout de même pas que je vais acheter ce truc-là ? Qu'est-ce qu'il dirait, l'Armand ? Que je déménage ! D'abord, moi, je suis bouchée. Je pige même pas ce que c'est. » Rediscours-maison. Pas nécessaire de piger. Secundo le tableau s'appelle une nature morte. Il représente trois pommes — une, deux, trois pommes — une carafe d'eau — une carafe d'eau, une orange, deux mandarines et un citron — une orange, une, deux mandarines, un citron. Tertio, un tableau comme celui-là vaut trente billets.

La Titine suffoque et ronchonne. Pas trop fort, car un coup de trente billets, ça se respecte, et elle vient de près la bouche ouverte, l'haleine frémissante, considérer le monstre. Elle le prend dans les mains. Long silence. « Tu dis que ça vaut trente billets, ton histoire ? — Je dis, parce que ça les vaut. — Ben, il doit pouvoir bouffer des billets de mille, le type qui fait ça. Il doit en abattre plusieurs comme ça dans la journée... — C'est un des plus grands peintres français... Ce serait fameux tu sais d'avoir ça chez toi. Tu devrais en parler à ton fiancé. » Rire énorme de Titine. La tête d'Armand lui pose sur les deux épaules ce serait plutôt rare qu'il se toque pour des pommes, une orange et une carafe d'eau ! Lui, d'ailleurs, il ne boit que du vin — et pur — et, pour les oranges, raconter que depuis l'armistice il en a été privé serait une erreur. Grâce à un petit copain des Halles il n'en a jamais manqué. Même que, le jour de la noce, on se tapera plutôt quelque chose comme oranges. Et des grosses. Le tableau, lui, minute !... J'insiste et réinsiste et, à la fin, Titine me promet tout de même de dire un mot à son Armand. Elle demande le nom du peintre : « Braque. » Rire énorme. C'est le bouquet. Non seulement Monsieur dessine des pommes qui marquent comme des macchabées, mais il s'appelle Braque. Avec ce nom-là, pas d'erreur possible. On sait à qui l'on cause...

Plus tard, après la bagatelle, Titine m'expose son plan de vie. Bien boire et bien manger. Une maison à la campagne. Un gosse dans trois ans, là-dessus on ferme le robinet, mais un gosse, oui vraiment, parce qu'un gosse, c'est rigolo à élever.

Vendredi.

— Croix de Lorraine dans mon sous-main : à la corbeille !

De Gentien m'aborde, le ton et le visage solennels. « Et d'abord, il faut que je vous présente mes excuses pour mes paroles de l'autre jour. — Quelles paroles ? — Je vous remercie d'être aussi généreux. » Teint de papier mâché, jambes tremblantes. Il s'assied. Mais on est de Gentien une fois pour toutes et le voilà qui lance le moteur. Il est venu me présenter ses adieux. « Vous quittez la Jeunesse pour un autre ministère ? » Sourire entendu de mon constipé, auquel je ne comprends goutte. Resourire. « Oui, le ministère du maquis. » A la bonne heure, j'en tiens un contre le projecteur de mes yeux. Gros plan. Mon cœur bat très vite. J'interroge ma mémoire, je provoque un spasme de mémoire, je demande si je ne dois pas *reconnaître* l'instant présent, la mémoire ne répond pas. Et une violente émotion ne laisse pas de m'étreindre peu à peu et je deviens le pauvre type qui écoutait l'autre jour : *Mes larmes font éclore*. Il est pourtant vrai que je touche le réel. De Gentien, dans mon cabinet, apparaît comme un symbole — et, si aucun détail de la vie n'existe et que toute chose soit apparence, ne puis-je croire à des groupes d'apparences ? Ah ! je divague. Ce constipé, à mes yeux, il vivait parce qu'il ne comptait plus lui-même. Il prodiguait des images au monde. Il jouait un rôle. L'acteur de Gentien. Le personnage aux équipées nocturnes, aux déraillements, aux assassinats, aux brumes sur la vallée, aux ardents crépuscules. Je comprenais tout : il venait simplement m'annoncer qu'il aurait la vedette du film : *Ceux du maquis*, dont le premier tour de manivelle se donne la semaine prochaine. Ce teint de papier mâché, ce n'était que le teint habituel aux artistes. La foire. L'attente discrète du rôle en or...

Après cela, qu'il me bonimente, autant en emporte le vent. Il nourrissait pour moi, disait-il, depuis toujours, une vive sympathie, seulement n'osait pas me déranger. Qu'il eût donc aimé nous voir discuter ensemble des grandes choses, la philo, la religion... La religion. A quel point Dieu aimait notre pays. « Le Bon Dieu », expression française. Il goûtait ça infiniment, Dieu, qu'on l'appelât le Bon Dieu et ça le mettait avec nous. Une pluie de grâces, positivement une pluie, tombait sur la France. Patience et longueur de temps. Les révélations de Fatima. La prédiction de Sainte-Odile... Et d'arborer sans trêve le même sourire humblement précieux... Epinglée sous un revers, j'aperçois une croix de Lorraine... « Mon pauvre Renaut de la Motte ». Ma parole, il me semble qu'il me donna du « pauvre ». Il m'estimait un homme qui cherche sa voie dans le brouillard... Fraternité du maquis, sainte pagaïe de l'organisation clandestine, dénuement sympathique, évangélique, des insoumis...

Sans relever une phrase j'évoquais tout le poids de maquis, de paysages, de réunions bruyantes, déplacé par notre individu. Ce crétin, demain, existerait peut-être. Il existait aujourd'hui...

Romanino m'en signale de curieuses. Le jeune homme à col dur appartenait, selon un ponte du P.P.F., à un groupement anti-boche. En conséquence de quoi les Allemands l'auraient inscrit sur une liste d'otages, bons à fusiller dès la première occasion. Tudieu, je suis un devin. Et aussi, par la bande, et de concert avec quelques autres, un assassin... Du coup, Romanino me bassine. Flairant dans Simone une sale gaulliste, il voudrait que je revienne et m'étende sur mes anciennes déclarations. N'ai-je pas remarqué le nez de Simone ? Hum, ce serait un nez juif qu'il ne faudrait pas s'en étonner... Je lui conseille de tomber notre sémillante dactylo. En couchant avec elle il trouvera le moyen de connaître son activité politique ! Rien de mieux qu'une telle expérience.

Dimanche.

Donné un coup de main à Lucie pour *La Femme*

Française devant l'Europe. Bonne partie de plaisir. Cette fille est une insensée qui croit dur comme fer à ses histoires : mais aurais-je tenté de souffler sur les belles prairies de son enthousiasme le vent glacé de mon scepticisme ? Le penser serait mal me connaître. Je me suis grandement délecté dans la prose lucienne : « Par la délicatesse de sa nature, qui, tout en répugnant à l'artifice, sait arrondir les angles, la femme, plus que l'homme, est apte à jouer ce rôle de tampon... La seconde moitié du siècle est fertile en réformes, d'une haute et profonde portée, qui mériteraient mieux que notre rapide coup de chapeau, etc. » Moi-même, j'ai accouché d'une préface-maison signée « Fabrice » et dont voici le début : « Il nous est arrivé un jour, dans ce Vichy qui s'obstine à se prendre pour une capitale, d'entendre hurler par un camelot :« Lisez, voyez « *Le Petit Journal !* La femme restera au foyer. Lisez, « voyez *Le Petit Journal !* La femme restera au « foyer... » Cette allégation lancée dans l'air mou de « notre grande ville d'eaux, voici que nous la repre- « nons à notre compte, mais pour lui donner un sens « infiniment plus riche et dont le pauvre camelot, cer- « tainement, ne se doutait pas. Oui, la femme restera « au foyer, mais par foyer nous disons tout lieu de cul- « ture et de pensée, tout lieu d'esprit et de civilisation « européenne. La femme restera au foyer. Partout où « montera la flamme d'une grande idée culturelle, la « femme sera présente. Femme, flamme, il semble que « les deux mots s'attirent... »

Gaston, après le thé, m'entraîne dans sa chambre. Simone l'inquiète, me dit-il, et comme je lui trouve l'air de soupçonner chez moi une dissimulation à ce propos, je lui livre de Gentien : voilà un nigaud bon à pincer. Le temps presse mais il ne manque pas. Jusqu'à mardi soir de Gentien garde Paris... Romanino secoue la tête. Il n'est pas complètement sûr que les Allemands triomphent — ménageons-nous en épargnant un type. Je blâme le raisonnement. Intervenir pour délivrer tel ou tel d'entre les mains allemandes offre un sens, non pas de jouer au non-dénonciateur. Personne ne nous tiendrait compte d'une clémence négative. Personne au surplus ne...

Une visite a interrompu mon journal. Titine et son fiancé, une paire de pneus en bandoulière : un malabar, l'Armand Tardivel. Des mollets magnifiques. En revanche et je m'y attendais, il ne possède pas plus de jugement qu'un oiseau et le Braque lui a ouvert la bouche toute grande. « Mince alors ! » Ses mains tremblaient. Sans un mot, j'ai enlevé la toile et — on connaît les usages — j'allais interroger le pédaleur sur son métier quand il a grommelé : « Une connerie ! » Sauf mon respect, bien entendu. Mais il y aurait peut-être des gens qui aimeraient ça. Un boucher de Vaugirard, rue Brancion, un certain Malavoine, eh eh ? Pourquoi pas, disait Armand, « C'teu connerie-là, il est fichu de la trouver à son goût. »

Mardi.

Hier soir, du Marseille à la sauce parisienne. Du Marseille en plus nerveux et plus suave. Je devais tomber là-dedans un jour ou l'autre et trop de gens se persuadent que je suis un homme libre. Ils ignorent mes doutes. Ils me voient sous les traits d'un homme libre, d'un homme seul, à fournir de femme. Le coup part de Mauléon, qui se prétend chargé, hier soir, de me « ramener » chez lui. Une invitation à la bonne franquette et fortune du pot.

Que tu dis ! Madame sur le pied de guerre, les gosses au lit, la vaisselle radieuse, des fleurs, des lumières, et, couronnant le tout, une Barbette Renoir, présente absolument par hasard. La nièce de Madame. Une bonne bille. Elle donne dans le genre femme d'intérieur et, pour débarrasser la table, présenter le cendrier, servir le café, ne craint pas une domestique. Mais on est une femme complète. Marguerite Jamois, Charles Dullin, Jean-Louis Barrault... Et Charles Munch, s'il mène un orchestre. Et Lifar, cet ange danseur. Et Moreno, Suzy Prim, Suzy Carrier... En politique, ce que mari voudra. A dix-neuf heures trente et une on déclarait tout de go non sans une charmante hardiesse : « De Gaulle a une autre conception de l'honneur français que ce pauvre Maréchal » et on rompait des lances avec Métaxas. Georges Renaut de la Motte défendait Métaxas : on se tut. A vingt heures, l'air paisible, on disait que toutes ces propagandes empêchaient de se faire une opinion. A vingt et une heures on critiquait de Gaulle. Les messages de Pétain, ça possédait tout de même une tenue littéraire ! Mauléon femelle me comble d'attentions graves et, en dessous, m'examine. Elle semble ne parler que pour moi. Elle prévoit les alertes, dit-elle. Sans aucun mérite, n'est-ce pas, car elle a un flair particulier. D'un ton négligent, elle signale que son frère est chez de Gaulle et que deux de ses neveux sont dans le maquis. Mauléon mâle tousse — elle ajoute qu'on peut servir la patrie de différentes manières...

Je raccompagne Mademoiselle. Elle marche le plus lentement possible et, pour que je lui tende la main, hésite à descendre des trottoirs ou à y monter. Nous bavardons charme et inconvénients du black-out, mais, naturellement, il vient une seconde où nous ne pouvons plus nous dérober au grand sujet. Le ravitaillement ? Fi. *Autant en emporte le vent,* oui. « Vous avez lu ? demande Barbette. Quel type, hein, Scarlett O'Hara. Je suis peut-être bâtie différemment des autres, figurez-vous que je l'adore... » Georges ricane. Il est en même temps aux anges et au supplice... Dans le métro, changement de décor. Nous ne nous entendions plus. Entre sa tête et la mienne pointait un fûsil boche et je recevais dans les côtes, parfois, le choc pressant d'un masque à gaz. Les gens gueulaient. Un Allemand suait à grosses gouttes. A chaque station les voyageurs nouveaux poussaient et soumettaient l'espace à une épreuve de force. L'air lui-même apparaissait comme bousculé, froissé, meurtri. Les barres sentaient la main suante et l'empoignade. Au diable Barbette ! Je ne m'occupe plus d'elle. La foule, le métro, la rêverie parisienne, c'est cela qui compte. Quand elle lance la main vers moi, entre deux têtes et sous la menaçante protection du fusil boche, je souris machinalement et je me hâte de plonger dans un journal pour ne pas avoir à la chercher des yeux sur le quai...

Un frère chez de Gaulle, deux neveux dans le maquis — c'est toujours bon à savoir.

CHAPITRE XV

Samedi.

Séance au Vel'd'Hiv', sous la conduite de Lucie. En tout bien toute virginité d'idées. Elle m'a présenté à des « jeunes », j'ai écouté des tas de discours, me voilà mieux et plus certain que la seule réponse au monde gît dans le désespoir. Il est affreusement laid, ce Vel'd'Hiv'. Si vingt, trente fois, je n'avais pensé qu'on tournait un film sous mes yeux, j'aurais faussé compagnie à mes gens... Quelques beaux moments de foule. Il faut peut-être avoir entendu, un jour, ces naïfs réclamer leur orateur, avec une sorte de tendre colère et de sombre admiration (tendre colère et sombre admiration que règlent des meneurs et qui figurent sur la note), et, à force de cris, de patience et d'impatience, comme le sécréter, le lancer à bout de bras dans cette tribune où il se dresse, le porter en triomphe sur les applaudissements. Quelle foutaise. J'imagine un compte rendu, par Bétove, de telles manifestations : « Monsieur Jacques Doriot se prononce pour une vie dure et propre... Monsieur Marcel Déat se prononce pour une vie propre et dure... Monsieur Bucard trouve qu'ils ont raison et qu'il a raison aussi... Vive le Maréchal ! crie Monsieur Jacques Doriot. Vive le Maréchal ! crie Monsieur Marcel Déat. Vive le Maréchal ! crie Monsieur Bucard. Vive le Maréchal ! crie tout le monde... » Mais je devine aussi quel sera demain le ton des journaux : « *Ce que la parole humaine est impuissante à exprimer, c'est l'ardeur, c'est l'enthousiasme, de l'immense vaisseau groupé autour de ses chefs et témoignant, par son unanimité, de sa confiance inébranlable dans l'illustre soldat... Les yeux s'embuent, la gorge se serre, chacun se sent meilleur...* »

Ah ! s'il existait une Gross-Kommandantur qui voulût bien connaître de la bêtise humaine, et de la bêtise en gros comme de la bêtise en détail, je lui dénoncerais et lui redénoncerais le Vel'd'Hiv'. S'il manque dans la sainte phalange un porteur de torche incendiaire, je m'offre, je ne me dérobe pas ! Griller ensemble ces imbéciles, chef-d'œuvre. Entreprendre un début de rachat, pour le sort stupide qui permit leur existence, en transcendant toutes ces sottises par une mort qui fût un beau spectacle. Ne me bassinez plus avec les Six Jours de Paris ni les courses à l'américaine — un incendie à l'allemande, voilà qui est autrement poignant. Rue Nélaton, si ce nom grotesque ne t'a pas avili jusqu'au bout, te déplairait-il de te prêter à mon jeu ? Calcinée mais superbe, telle serait ton image. En vérité, ces grandes enceintes ne naissent pas pour d'autres morts que les grandes morts désastreuses — les théâtres, les grands bazars, il faut que ça flambe — et moi, respectueux du cours des choses, je ne me propose que de porter le désastre à son point de perfection. Griller le Vel' d'Hiv' en plein spasme d'ardeur politique, tout farci de graisse humaine. Griller le contenant pour griller plus sûrement le contenu. Mais aussi griller le contenu pour détruire le contenant. Murer les issues, tuer comme des lapins ceux qui sauteraient au-dehors ou les rejeter dans l'incendie — pour le coup, mes amis les hommes, vous montreriez ce qui se dissimule dans le ventre de votre logique et je gage que jailliraient avec les flammes moins de chants du P.P.F. ou du R.N.P. que d'horribles cris sympathiquement poignants. S'il faut tout dire, je ne crois même pas que dût jaillir un seul chant du P.P.F. Vous me désapprouvez ? Désirez-vous que nous tentions l'expérience ? Vel' d'Hiv', l'occasion s'approche de rendre sublime ton nom vulgaire.

Je déteste les haut-parleurs qui relaient la voix. Cette multiplication du discours ne constitue qu'un faux miracle, car la voix qui tombe ainsi s'enveloppe de bourre électrique, de solennité métallique et grasseyante. Un alliage de voix humaine et de matière. Rien de commun avec la douceur du téléphone. Comme disait à Marseille le pauvre type qui s'appelait Renaut de la Motte : « Au téléphone j'ai entendu votre âme » : le haut-parleur livrerait plutôt le ventre. La mort s'annonce dans cette voix qui a cherché une aide, comme elle s'annonce dans les feuillets dactylographiés qui remplacent l'intransigeante pureté du manuscrit. La voix totalement intégrale de l'homme, disparue. Un peu de l'homme est mort. Un peu de l'homme était mortel. Parler de sa propre voix, écrire de sa propre main, autant d'œuvres et d'actes qui témoignent pour la mort, mais pour une mort qui peut être sereine, après une vie qui peut être orgueilleuse. Les haut-parleurs et les machines à écrire sont, d'abord, des aveux d'impuissance. Et des signes rauques et inquiets de la mort. Tous ces gens dont la parole vibrait aujourd'hui par-dessus ma tête et faisait se tendre mes oreilles comme vers un mystérieux écran sonore, ont prophétisé leur fin.

Lundi.

MAULÉON. — La guerre est atroce pour les hommes mais elle n'est pas gaie non plus pour les femmes.

CELUI QUE JE PUIS NOMMER MOI. — Non, elle n'est pas gaie.

MAULÉON. — Il y a des masses de prisonniers, mais il y a des masses de pauvres filles, qui sèchent sur pied.

MOI. — Tristement exact.

MAULÉON. — On ne doit pas en vouloir à une fille qui cherche le mariage. C'est normal, cela, enfin ! Pourquoi deux poids, deux mesures, selon qu'on est un jeune homme ou une jeune fille...

MOI. — Oui, pourquoi ?

MAULÉON. — *(Il soupire)*... Oui, pourquoi ?...

Je me trompe fort, ou en voilà un, ce soir, s'il raconte fidèlement les choses à Madame, qui se fera sonner les cloches pour sa balourdise...

La banlieue où habitent les parents de Simone a reçu des bombes et les morceaux d'un quadrimoteur. Simone joue le fatalisme. Ça tombe sur vous si ça doit tomber sur vous. « C'est le destin ». Mais elle se désole parce qu'une petite chienne a disparu.

Mardi.

Revu Fontanges.

« Qu'est-ce que vous devenez ?... Il faudra me montrer ça... Vous, on peut dire qu'on ne vous voit guère... » etc. Oui, longtemps, et tandis que Maurice, le serin, faisait du plat à Mireille et à Catherine, je ne pus obtenir de Fontanges que des réactions sociales. Enfin il alluma sa pipe. Je lui demandais à brûle-pourpoint s'il croyait impossible ou non l'existence de « dénonciateurs » mus par le seul amour de l'art. (La question, dans sa soudaineté, avait peut-être un air de sérieux mais, ce cahier le sait trop bien, elle me turlupine. Je narguais.)

Il rejeta la tête en arrière et plongea les yeux dans mes yeux. J'en étais ébloui. Il lâcha un peu de fumée. Sur le menton de ce négateur et contre ses joues tout un chaume sec et noir se dressait, attaquant cette peau ardente comme des goémons le bois d'un vieux navire. Qu'allait-il exprimer encore. Moi, cette vie grouillante sur cette peau me causait un brusque malaise — et qui bientôt me ravirait...

Oui, naturellement, et au sens faible du mot « exister », ça « existait », ces individus. Il y avait là un fait et, après tout, l'on comprenait qu'il en fût ainsi. Lui, moi, Catherine, Mireille, sinon Maurice, le cas échéant rougirions-nous d'une telle conduite ? Dans ses livres, il « dénonçait » lui-même la fragilité, l'horreur, la bêtise, le ridicule du monde et de la vie. Il s'en moquait, du public. Il n'écrivait pour personne, il écrivait pour le simple plaisir d'écrire. « Comment, mon petit, vous n'écrivez pas pour Daraut ? » susurra Mireille. « Vous êtes charmante. » Catherine caressa les cheveux blonds de Mireille, qui ferma les yeux, puis elle lui donna dans le dos une petite tape.

Tout ça ne plaisait guère à Maurice. De plus en plus humanitaire, le Maurice, de moins en moins vissé à la confrérie. Il criait au paradoxe : Fontanges écrivait pour le public ! On écrit toujours pour le public —

non pour quêter son avis, mais pour l'élever, lui offrir une émotion d'art. Lui, Maurice, il n'avait pas lâché une phrase, dans tous ses livres, qu'il eût à regretter.

Fontanges, la pipe à la bouche, demanda si *La Vie Parisienne* cherchait à élever ses lecteurs. Les « émotions d'art », ça lui rappelait quelque chose : les « visions d'art » des music-halls.

« Il y a écrivain et écrivain.

— D'accord. Fixez la limite.

— Elle est peut-être là.

— Autrement dit, les bonnes intentions font l'écrivain ? »

Les deux femmes rirent sans discrétion et, lâchant les idées générales, qui l'avaient fait broncher, Maurice allégua les circonstances. Fontanges ne vivait pas à une époque grand E, mais en 1943, dans une France pillée par le Boche. Les livres du passé, soit, c'était le passé, on n'en dirait rien, mais que les nouveaux livres se lancent dans la bagarre. Que Fontanges, désormais, cherche à agir pour et sur le public. Qu'il « s'engage ». Le pays réclamait une littérature saine et patriotique, il fallait la lui fournir. « Votre pays ne pense qu'à bouffer » dit Fontanges. Maurice triompha. Fontanges ne bougeait pas sous prétexte qu'il estimait le pays matérialiste — si on lui prouvait qu'il mésestimait le pays, il bougerait donc ? Des preuves, Maurice se faisait fort... « Arrêtez les frais, coupa Fontanges, vous me prenez en traître. Ce que j'en disais, j'aime autant l'expliquer, c'est politesse. Moi je m'en fous. Une fois pour toutes, je m'en fous. Les hommes sont trop cons. » Et d'ajouter que les « engagements » il avait déjà lu ce mot sur les gendarmeries et associé à « rengagement ». Il ne tenait ni à s'engager ni à rempiler.

Maurice se tourna vers les femmes, mais Catherine et Mireille n'allaient pas renoncer à leur souveraine admiration fontangienne pour un grassouillet, un peu rouge de honte, qui lâchait de sourds petits « Oh ! oh ! » désappointés. Mireille alluma une cigarette à la pipe de Fontanges. Personne ne parlait plus. La cigarette et la pipe, prolongeant les visages l'un vers l'autre, semblaient les manifestations extérieures d'une complicité absolue. Les centres émetteurs et récepteurs de la télépathie entre Fontanges et Mireille. Pour ranimer cependant une discussion qui m'amusait, je reprochai à Maurice de vouloir tuer le patriotisme de Fontanges. Tuer, je disais tuer. Qu'il se rappelât Goethe. Le livre servait à son auteur comme d'un exutoire pour ses passions. Après toute crise, Gœthe écrivait un livre pour tuer sa tristesse. Réclamer de Fontanges une œuvre patriotique serait vouloir tuer en lui tout ce qui pouvait tendre au patriotisme :

« Absurde », trancha Maurice. Artifice verbal. Une femme, chose éphémère, un pays, chose durable. Mireille et Catherine sourirent. « Vous souriez parce que je dis la femme « chose éphémère ? » balbutia-t-il. Elles sourirent deux fois plus. « Ce n'est pas pour cette raison », chuchota enfin Catherine. Et de quémander une cigarette, tandis que Maurice, la bouche entrouverte, la regardait fort incertain. Quel nigaud. La patrie non plus, dis-je, n'était nullement chose durable... Et nous avons ergoté l'un et l'autre sans rien nous céder, jusqu'à ce que Fontanges, du haut de son front réflexif et de sa pipe impérative, jetât des oracles. Il m'approuvait un tant soit peu. Il pensait que l'œuvre tuait l'idée. Une position définie était une position finie. L'homme ne pouvait que se dépasser... Maurice lança feu et flammes. Si je crois en Dieu, dit-il, du fait que je publie ma croyance je ne croirai plus en Dieu ? Et, si j'écris « la terre tourne », je n'aurai plus le droit d'y croire ? Je lui réponds : « Vous n'y croirez plus de la même façon. Je vous fiche mon billet que ce n'est plus tout à fait la même croyance. » En proie à un dur souci, Maurice, un instant, faillit se donner l'air tragique. Il souffla comme une otarie. Et le voilà qui gigote, tend le bras et s'accroche à la veste de Fontanges : « Vous, je vous retiens et je vous tiens. Vous êtes le patriote « sans-le-publier », comme on était philosophe, cosmographe, révolutionnaire, « sans-le-savoir ». Je n'insiste plus. Je sais que vous êtes patriote et que, si vous n'écrivez pas une œuvre patriotique, c'est pour ne pas altérer votre foi, Merci, Fontanges, cela me suffit. » L'autre ricana derrière sa pipe et répéta qu'il s'en foutait.

Maurice revint à la charge. Du fait que publier une œuvre détruisait dans l'esprit l'idée maîtresse de l'œuvre, Fontanges, qui avait commis des livres désenchantés, se devait, dorénavant, de pincer une autre corde. Primo. D'autre part Fontanges avait écrit, d'une suite, ses livres désenchantés, alors que, selon sa théorie, il aurait dû alterner livres gais, livres moroses. Fontanges récusa ces oppositions massives : croire en Dieu, ne pas croire en Dieu. Il y avait fagot et fagot, s'en foutre et s'en foutre. Il n'avait pas plus cessé d'évoluer, que de s'en foutre, et il ne se foutait plus de la vie, à beaucoup près, exactement comme autrefois. « Voudriez-vous être assez aimable, dit Maurice, pour nous expliquer la différence. Qu'est-ce qui sépare le Fontanges 43 de l'ancien ? — Je vous raconterai ça plus tard. » Maurice protesta; peine perdue. Optimiste incurable, il furetait encore après un motif de bonne humeur et, de guerre lasse, Fontanges lui concéda qu'un jour, peut-être, ses livres rendraient un autre son. Maurice jubilait. Petit modeste ou grand prudent, il se garda de chanter victoire. Il offrit avec ampleur des cigarettes.

Fontanges me criblait de regards attentifs sous lesquels paradait Renaut de la Motte numéro 1. Le 2, lui, sombrait dans le désespoir. Un pauvre type de plus, ce Fontanges. Accessible à des mouvements de sympathie. Le 2 n'aime pas à être aimé et jugeait le 1 lamentable. Et le 1 accusait le 2 de snobisme... Fontanges me prit la main. Certaines choses, dit-il, semblaient tout de même réussies dans leur genre. Quand ce ne seraient que les billes des champignons. Ou les gueules des poissons. Mais chaque fois, l'esprit avouait que l'heureuse impression produite ne tenait pas à une nécessité incluse en l'objet, mais à un hasard, et supposait une sorte de complicité, de collaboration — le mot, bien entendu, fit sourire et Maurice jugea utile de glousser — entre l'esprit et l'objet. Sinon une illusion, un aveuglement volontaire de l'esprit. Au surplus, le monde offrait encore d'innombrables apparences auxquelles, d'enthousiasme (ce qui diminuait le risque d'illusion volontaire), l'esprit souscrivait. Quand les choses se piquaient d'être cruelles ou ridicules, sans effort elles atteignaient au sublime du cruel et du ridicule et l'on pouvait les applaudir.

Exemple : les actualités cinématographiques de la guerre montraient sans cesse des cadavres d'ennemis. Dans un chant de victoire ouaté, parfumé : *Et les cadavres laissés par l'ennemi sur le terrain sont le témoignage de l'ardeur magnifique de nos troupes...*, ou telle autre sottise, les pauvres images de macchabées recroquevillés, raidis, défigurés, sales et bons à être fourrés en terre pour passer dans les plantes, défilaient devant une salle indifférente ou hostile. Des satyres, des amoureux, des margoulins, des familles endimanchées, promenaient leurs regards sur ce visage des morts qui eût tellement mérité de disparaître sous un voile, contemplant dans une absurde sagesse, ou avec la hâte d'en finir, une vision que jamais ils n'eussent dû connaître, réservée pour les pauvres familles des morts — dans la mesure où elle leur eût été tolérable. Privilège insensé : une menue somme mettait un spectateur à même d'apprendre la mort d'un inconnu dont il distinguait mal le cadavre de la terre et, à cent, deux cents, trois cents, mille lieues de lui, une mère ignorait la mort de son fils.

Tandis que Fontanges commençait à s'écouter parler, Georges I et Georges II s'accordaient pour jouir gratis d'une bonne émotion littéraire. Le collègue, d'ailleurs, ne montrait pas notre logique, ou notre manque de logique, ce grâce à quoi, enfin, nous ne jugeons la vie sérieuse que par boutades... Maurice releva une contradiction entre « s'en foutre » et « pauvres macchabées »; Fontanges s'expliqua, posément. Oui, il s'en foutait tout de même, et pour la raison qu'il n'avait pas organisé le monde. Un être en lui disait « pauvres types », un autre appréciait le malheur des gens et le trouvait réussi dans son espèce, les deux formaient une seule et même personne et qui s'en foutait. « Pilate ! » lança Maurice, le doigt mutin. Il affirma son impatience de voir sortir le prochain Fontanges, car, ou cela l'étonnerait, ou cette œuvre serait un acte de foi dans l'homme et dans la vie. Mireille siffla. Maurice, content de lui-même, passa des cigarettes.

Un silence s'était établi. Pesant. Je songeais à une panne de son dans la projection d'un film — le grésillement de l'appareil dans la salle désorientée cédait ici la place au bruit du temps. Nous pouvions nous figurer happer le bruit du temps. Le temps, inlassable, se projetait devant nous sans que nous pussions avertir, par le moindre chahut, les mystérieux opérateurs. Nous étions pâles, silencieux, immobiles. Nous usions notre courage... Je me suis secoué le premier et, histoire de fournir ma quote-part dans notre Exposition des bêtises humaines, citai quelques perles venues à ma connaissance. Dans le règlement de la Défense passive, affiché dans l'entrée de chaque immeuble, je signalai la belle formule : *E. Exécution. Le signal d'alerte est donné par les sirènes. A partir de ce moment, la vie normale doit cesser de continuer*... Il était « bon », aussi, l'article de

Maurice Chevalier, quelque temps après l'armistice, pour décrire la reprise de contact avec le public. Momo harangue la salle. Ce n'est plus le moment de rigoler ! Au boulot, et des deux mains ! Un titi gueule : « Ça va, Maurice, on a compris. » Et Chevalier ajoute : « Et, ce jour-là, j'ai compris que le public de Marseille avait compris... » Et puis le commentaire, par France-Actualités, d'un lancement de bateau dans un Chantier de Jeunesse. Un jeune s'approche pour couper d'un geste « crâne » le ruban censé retenir sur la cale la jeune force de la carcasse. *Détail symbolique — c'est avec une francisque qu'un jeune va couper,* etc.

Plus tard, dans la rue, Maurice tire sa conclusion de la soirée : « Vous avez vu, mon petit Georges, comment j'ai eu Fontanges ? » Cependant il reste sévère. Il voit déjà les livres que Fontanges écrira, en quarante-quatre, en quarante-cinq, après la défaite allemande — des livres anti-boches. C'est maintenant qu'il faut les écrire, ces livres. Nous nous serrons la main. Il exprima un vague regret de ne pas me convier à une collation — il doit travailler toute la nuit sur ses bonnes petites fiches. Après la guerre, on ne sait pas du tout si l'on se procurera aisément les livres et journaux dans les bibliothèques, mieux vaut rassembler les documents par soi-même. Pour assommer, le jour venu, ceux qui auront été des collaborateurs. De coquins petits extraits de livres ou d'articles.

Mercredi.

L'étrange hiver s'achève, qui portait en lui du printemps et de l'automne et se poursuivit sans une fissure. Encore un qui joue la double identité. Une langueur sèche frappe les arbres et le sol. Les marronniers des Tuileries se tiennent prêts. Sale histoire. Ces teintes de ciel au-dessus des arbres et entre les branches séduisent l'œil, et la mémoire, mieux encore, se souvient de poèmes, de tableaux, qui ont su refléter le ciel, mais tout cela pourquoi ? La vie n'en est pas moins une gigantesque foutaise. Il en advint de ce jeune souffle printanier comme de la voiture blanche du glacier dans la rue populaire. Il figure au décor. Chimie et compagnie. Tout cela grouille d'accomplissements de lois moroses comme de vers un pâté pourri.

Jeudi.

Métaxas pique une nouvelle crise d'inquiétude. C'est entendu — tous derrière le Maréchal, l'homme de Verdun peut seul nous tirer de là, il faut assurer la permanence française, etc. — mais, au bout du compte, les Allemands risquent de perdre la guerre, et de la perdre à fond. De quoi aura-t-il l'air, le Métaxas, avec sa francisque ? Je m'emploie à le calmer. Un homme aussi dévoué, aussi compétent. Il ferait beau voir que le nouveau régime français se privât de ses services. On n'improvise pas des cadres. Sacrebleu... Et je raconte la dernière histoire drôle du S.J. Vendredi à deux heures et demie, boulevard des Italiens, mon collègue Poydenot laisse sa bicyclette, sans fermer son antivol, contre un plan de métro. A trois heures et demie, quand il revint, la bicyclette était encore là.

Vendredi.

La belle Arlette m'offre *Les Visiteurs du soir*, puis un dîner à tout casser dans une petite boîte. Le film lui a tapé sur le crâne. Peut-être s'y est-elle ennuyée, mais les *Nouveaux Temps*, *Je suis Partout*, et les autres, en ont dit un tel bien qu'elle se figure le trouver beau. Et les nains. Et le coup de la fontaine. Et la chasse. Et *Le tendre et merveilleux visage de l'amour.* Ça lui donne faim et soif, en tout cas, de voir un film, car elle dévorait et pompait avec de grands rires. Un peu éméchée, elle me raconta, vers la fin, que j'étais un drôle de type et que M. Jean Tapis m'avait à la bonne. Oye, oye. Elle prétend qu'il désire traiter des affaires avec moi ou, plus exactement, me prendre comme son lieutenant financier. Il s'inquiète, le pauvre cher homme, ne sait où mettre ses fafiots. Pas plus tard que samedi n'a-t-il pas acheté coup sur coup (et, peut-être, au même marchand) un réfrigérateur — il en possédait un, mais le nouveau, c'est du grand-luxe — et un manuscrit de Jean-Jacques Rousseau. « C'est bien, ça, Rousseau ? demande-t-elle entre parenthèses, l'air soudain très grave. — Oui, ce n'est pas mal. — C'est quel genre ? Estaunié, Marcel Aymé ? C'est gai, c'est triste ? — C'est triste. » Le Jean Tapis, qui est devenu propriétaire de nombreux tableaux, a sondé Arlette, l'autre jour, sur la possibilité d'en déposer chez moi quelques-uns des plus intéressants. Les percepteurs, après la guerre, ne seront-ils pas d'une indiscrétion stupide ? Il suffirait que je signe, pour la forme, et en bonne amitié, une reconnaissance. Et, naturellement, service grassement payé... Arlette, figurez-vous, a dissuadé son type. Elle a découvert qu'un jour ou l'autre j'étais appelé à disparaître de la circulation et que les tableaux ne seraient pas plus en sûreté chez moi que chez Tapis. Cette blague ! Elle rit comme une folle. En réalité, me dit-elle, elle ne me croit pas un ami trop honnête et j'aurais été capable, au lendemain de la guerre, de renier ma reconnaissance. Elle ne s'explique pas comment j'aurais procédé, mais j'aurais trouvé le moyen de garder les tableaux. Eh eh, voilà une fille intelligente. Je lui reproche, il va de soi, de se faire de ma personne une idée aussi sombre — dommage que je ne puisse lui casser la figure. Elle m'enlève une affaire. Animal féminin. Elle qui recourait à moi pour lui acheter des tableaux ! Logique, logique. Je pense qu'elle joue à la femme capricieuse et désire me montrer son influence.

Samedi.

Arlette m'avait transmis l'invitation de M. Tapis, pour l'apéritif, au bar des Mouettes — une nouvelle boîte, qui sent le mastic et la poudre de riz — mais l'invitation valait encore pour le dîner, *Chez Jules,* dans une petite rue proche de la Santé. Nous nous y sommes rendus en vélotaxi, un par personne, car Monsieur tenait à « avoir le geste », et il espérait (pauvre, large espérance, vous fûtes déçue) que nos rouleurs organiseraient une course. Il devait me dire ensuite qu'après le muscat, la souplesse du vélotaxi repose excellemment les nerfs... Le dîner n'avait pas lieu dans le restaurant, mais dans la salle à manger du patron. Ce n'est pas qu'on craigne la police, tudieu non, et Messieurs les inspecteurs ne dédaignent pas, le cas échéant, de torcher ici une petite réjouissance, mais M. Tapis voulait que nous pussions parler entre amis, tranquillement, loin des gêneurs. La cohue des boîtes clandestines, c'est charmant. Manger à quatre sur une table longue comme une boîte d'allumettes en recevant dans les côtes, selon un rythme régulier, le coude du voisin, frôler de jolies jambes et, parfois, se faire écraser le pied par une femme obèse, ça rajeunit, ça stimule — mais à la fin des fins on souhaite un cadre plus confortable... Il prononçait le mot avec quelque hauteur, car, évidemment, les meubles de M. Jules ne valent pas tripette. Du toc. J'étais assis en face d'un buffet à personnages, affublé de niches où se gobergeaient des assiettes à motifs. Toute une série de chiens placides. Des têtes de foxs retirés et blasés. « Ça ira-t-il comme ça ? » demandait Jules et Tapis réclama des fleurs. Nous entendions le patron gueuler sur son fils qui refusait d'interrompre ses devoirs d'école — il y eut le bruit d'une claque et, tout de même, le gosse partit en criant : « Y en a marre. »

Arlette et son homme éclatèrent de rire et Tapis, qui s'observait les mains, de lourdes mains aux ongles courts, conclut que ça changeait du climat des boîtes. Il se serait cru transporté dans l'avant-guerre, à l'époque où l'on respectait le client. Ça n'était rien, une serviette de toile, eh bien, après tant de papier, ça faisait plaisir... Il n'avait pas fini son discours que les sirènes gueulaient et qu'aboyait une D.C.A. lointaine. Jules vint nous rassurer pour son fils, un sacré petit malin, et nous avons feint, par des regards navrés, d'avoir pu nous intéresser à ce morveux. Une D.C.A. plus proche s'était mise à taper. Jules servait le porto. Quand le gosse, hors d'haleine, surgit avec les tulipes, Tapis lui donna cent francs et le conseil de les dépenser le plus vite possible. Mais déjà une maritorne posait la soupière. Gueuleton réglé au quart de poil. Après chaque plat, nous avions droit à l'apparition de Jules et de ses commentaires, et, entre-temps, la porte fermée, le margoulin éclairait mes opinions... Le marché noir, quoi quoi le marché noir ? Le marché noir avait sauvé la France. Oui, monsieur. S'il se trouvait en France des usines qui fonctionnaient toujours et des ouvriers qui gagnaient de l'argent, s'il se trouvait en France de la semence de cordonnier, des vis, des pointes, des vitres, du papier carbone, des moulins à café, des conserves, des pantoufles, des violons, des violoncelles — marché noir. Tapis indiqua sa boutonnière. Avec un gouvernement qui comprît son devoir, celle-là ne resterait pas longtemps dégarnie. Il y avait des Légions d'honneur qui se perdaient. Le gouvernement se réservait les grandes phrases sur la nourriture des citoyens, *qui se-*

rait, coûte que coûte, assurée, mais c'était le marché noir, serviteur modeste, qui s'offrait le travail. Le voilà, le patriotisme : sauver le commerce français : « Achetez, c'est un devoir national. » Ce qui ne signifiait pas qu'on dût vivre à couteaux tirés avec les Boches, des gens si corrects en affaires et si compréhensifs.

Un ami et collègue de M. Tapis s'était fait cinquante millions de bénéfice net, en 1942, sur des fournitures vestimentaires à l'intendance allemande, un autre quatre-vingts millions sur des brodequins et du champagne, un autre quinze millions sur des faux cols, deux autres plus de cent millions sur des articles photographiques et de l'appareillage électrique. Lui, Tapis, il ne révélait pas ses chiffres, mais il donnait à entendre, par une chiquenaude sur le verre grossier où stagnait le pouilly, qu'il n'était pas le plus mal loti de la bande. Il clignait de l'œil. Dame. Quand on vend à la fois des salles de bain et des couteaux, des parfums et des cochons, des bas de soie et du café, « on se défend » un peu, ou on n'est pas un homme. Il se tapa sur la cuisse. Le gouvernement, qui ne ratait pas une bêtise, les nommait les trafiquants du marché noir et encombrait les journaux de communiqués stupides — violation des règles sacro-saintes du commerce, spéculation sur marchandises fictives, encore et toujours des histoires de polytechniciens. Bien sûr, ils ne tenaient pas pignon sur rue et vendaient et achetaient sans voir, par coups de téléphone, de là à qualifier leurs marchandises de « fictives » ! Elles existaient bel et bien. Il lui était arrivé, le même jour, d'acheter et de revendre un grand lot de fausses dents et un wagon de savonnettes, n'empêche que savonnettes et fausses dents existaient. D'un coup de téléphone il pouvait, au choix, les introduire dans sa maison comme dans le vestibule d'un ministre ! Eux, des trafiquants ? Allons donc. Ils travaillaient sur des denrées précises, et ne se payaient pas de mots comme les ministres. S'il y avait des trafiquants, on les trouvait dans les ministères, pas ailleurs. Que signifiait de donner aux tickets de matières grasses, pendant l'hiver, une valeur qui ne devait pas être respectée ? De mettre à la disposition de l'Allemagne cent mille hommes-papier qui se transformeraient en vingt, vingt-cinq mille hommes ? Mieux encore, d'annoncer contre le marché noir une lutte à mort et de se satisfaire d'une ou deux poursuites ? Le voilà, le trafic, les voilà, les matières fictives...

Il vida son verre et me regarda dans les yeux : « Vous n'avez pas pu vous en rendre compte, parce que vous êtes trop jeune, mais la guerre aura été une grande époque pour le commerce... Une époque héroïque. »

Plus tard, il me proposait une association. Ses affaires s'étendaient toujours, il ne savait plus où donner de la tête. Arlette lui avait parlé de mon intelligence et la psychologie, ça le connaissait, il m'avait jugé un homme fort. Défendu de quitter ma place à la Jeunesse : je possédais là un observatoire... Je demande à réfléchir, il m'approuve. Que je mijote ma décision. Je serais seulement très aimable si, dès à présent, je pouvais lui écrire un petit rapport (deux, trois pages, et dans un style clair) sur la politique financière suivie en Algérie par de Gaulle. On lançait tellement de bobards. Que je me renseigne à bonne source et que je lui explique la chose. Foutument délicat, cette histoire. Fallait-il, dans ces conditions, acheter de l'or ?... Nous bavardons théâtre, Cocéa mille fois trop maigre, Gaby Morlay qui « se défend » bien, nous bavardons zazous et tabac blond, manucures et pédicures, et, d'un geste brusque, Tapis sort de sa poche des échantillons d'étoffe pure laine. Il me prie de choisir la teinte qui m'agrée le mieux pour un complet. Tarifs d'avant 39.

Arlette servira d'intermédiaire — j'ai l'impression que je ne débourserai pas un sou.

Jules boit avec nous le café et les liqueurs. Il gémit parce que ses deux frères prisonniers ne reviennent pas, et il gueule contre les Boches, mais notre margoulin, petit flatteur, le ramène, tout doux, à des conceptions plus saines. Que diable, les Allemands gardent les hommes qui pourraient leur nuire. Une supposition que lui, Jules, fût prisonnier, aurait-il un désir plus violent, après celui de se sauver, que d'en découdre avec les Boches. Pas de bêtises. Les Boches n'allaient pas renvoyer chez lui un homme dans la force de l'âge, pour qu'il leur tombât sur le dos ! « Peut-être bien », dit Jules. Son nez rouge brillait de joie. Dans la force de l'âge. Ses yeux vibrèrent et vacillèrent. Quand Tapis voulut régler et prit son portefeuille, il balaya l'espace d'une main souveraine et poilue : « Cachez ça. » Il voulait moins, d'ailleurs, récompenser Tapis de ses belles phrases qu'amorcer un troc. Hum. Il manquait de beaucoup de choses, ces derniers temps, le Jules, et, si l'on s'occupait de le regarnir, les affaires n'en iraient que mieux. Tapis décrocha son stylomine. « Annoncez la couleur. » D'une voix lente, Jules énuméra des besoins hétéroclites : sel, charbon, bas de soie, Lucky Strike, tabac belge, cognac, Vichy...

Lundi.

Simone est en train de décoller. Je ne me sens même plus de haine contre ce visage blafard, ces yeux battus, je me découvre une souveraine indifférence. Mais je pense avec joie aux tribulations de son jeune chevalier servant, notre Malcurat national, qui doit méditer, en cette minute, sur l'inconvénient de me déplaire. Et j'entretiens l'espoir qu'un de ces jours des hommes brutaux le chasseront hors du monde. Il n'y a pas de place sur la terre pour ses cheveux en brosse ronde ni ses cols durs. Le roi de Montherlant condamne son fils à la prison pour médiocrité : que le verdict de mort, sans tambour ni trompette, soit prononcé contre cette chose à face humaine qui se permit, un soir, de nous régaler de boudin. Il est affreusement « donné », ce type. Il a une peau, une chair, un teint, une odeur. Ses oreilles doivent sécréter exactement la quantité moyenne de cérumen que sécrètent les oreilles humaines, la croûte de ses yeux, le matin, posséder exactement la densité moyenne de ces croûtes. Encore maintenant, malgré les privations, sinon les tortures, il ne doit pas céder tout entier à la souffrance, mais nourrir en lui, selon une proportion que l'étude révélerait la proportion même fixée par la sagesse théorique et l'expérience pratique, des pensées de vengeance et de plaisir qui, le cas échéant, prennent le pas sur les autres. Un équilibre tend toujours à s'établir en lui. S'il gémit, le gémissement lui sert à mieux retrouver le calme. Il faut écarter du monde ces individus précis. Une seule solution : la mort.

Je n'ai pas assez regonflé Métaxas la dernière fois, le revoilà plein d'inquiétude. Ce Maréchal, tout de même, comment savoir ce qu'il pense ? C'est entendu, tous derrière l'homme de Verdun, mais l'homme de Verdun, dans quelle direction marche-t-il ? On finit par se demander, hein, si la boutade populaire ne répond pas à la réalité : « Suivez-moi, je ne sais pas où je vais... » Il faut miser aveuglément sur un tableau, d'accord, mille fois d'accord, mais à la condition, hein, que ce soit le bon. « Vous n'avez jamais reçu de cercueil, vous, Renaut de la Motte ? — Jamais. » Il soupire. Il se figure que cela lui pend au nez, de recevoir un cercueil, et il donnerait sa démission s'il ne craignait de se rendre suspect. La mort il s'en fiche mais il ne voudrait pas se diriger dans un autre sens que ses compatriotes. J'appelle à moi mon éloquence. Je lui dépeins une après-guerre terriblement calme... Bien sûr, qu'il s'en aille, qu'il reste, l'homme à la francisque, en soi je m'en moque — à ceci près que, s'il part, on pourrait m'offrir le poste. De cette solution je ne veux à aucun prix. Si je refuse (et je refuserai sans doute) la proposition du margoulin, je ne désire nullement briller à la Jeunesse d'une lumière trop vive. Un gros poste, très peu pour moi. Demi-gros, cela me suffit...

A l'heure qu'il est, Mauléon me tient pour son inséparable. Je deviens le confident de tragédie ou, plutôt, la deuxième voix. « Je suis triste », chante Métaxas et je barytonne : « Tu es triste. » Après quoi, seulement, je combats cette tristesse. Et il y a grand deuil dans l'âme du chef pour ce que son ami ne souffle mot de la Barbette Renoir. Il essaie de m'entortiller. Il m'inflige le récit de ses difficultés familiales. Son Paul, treize ans, célèbre dans tout le lycée Voltaire, donne tant qu'il peut dans le marché noir. Plumes de stylo, livres, cigarettes, biscuits vitaminés. Monsieur serait partisan de la manière forte, Madame s'y refuse : la guerre est responsable de tout ! « Elle a bon dos, la guerre », souffle Métaxas. Voilà qui nous prépare une jolie petite génération de fripouilles. A treize ans on vend des biscuits, à seize on copie au baccalauréat, à vingt ans on est mûr pour tuer père et mère. « Tu vois, dis-je, que tu ne peux quitter la Jeunesse. Le pays réclame le concours de tous ses bons serviteurs... »

Les Allemands continuent de chanter dans les rues, le printemps de s'annoncer. Une grande pluie exaltante est tombée tout le jour, avec un gros bruit de gouttes et des trottoirs luisants. Rien d'une chute baudelairienne. Un paradis matériel et gluant de force. Cela me dégoûte. Cette grâce d'Ile de France, qui soudain écarte les nuages et, au-dessus des arbres, déploie ses châteaux légers et lumineux, je suis capable, comme un autre, de lâcher pour la décrire un bataillon de phrases, mais en moi rien ne lui répond, rien ne s'intéresse au triomphe du lilas dans les parcs, rien aux rives de la Seine. Je ne m'intéresse qu'à ma déliquescence. Je n'ai pas à connaître des saisons. Mon mal, comme la guerre moderne, peut se développer à tous les moments de l'année et les nuits de cet hiver, certes, lui furent propices. Il semble, aujourd'hui, que j'aie pénétré dans le calme et je me refuse à traiter l'impression de menteuse, mais je sais, de science certaine, que, si calme il y a, je me contenterai de traverser le calme. J'ai confié à mon journal que je ne ressentais plus de haine pour le visage de Simone : faiblesse. Je n'en suis pas encore à partager mon pain avec les moineaux du Luxembourg ! Je ne peux pas avoir perdu si vite mes ressources de haine. Je ne peux, même, obtenir de moi que Simone me devienne indifférente et ne plus souhaiter lui nuire quelque jour. J'ai noté trop vite un état d'âme un peu obscur.

Mardi.

J'oubliais le gars Romanino : « Merci à lui », comme disait Mme Pozzoli, « merci à lui ». Je me retrouve plein de haine ! Contre lui, Simone, Malcurat, Maurice, Fontanges, Métaxas — contre tous. Il a du vice et de l'esprit de suite, ce petit Gaston et, on est godelureau ou on ne l'est pas, il a gardé sur le cœur mon succès près d'Arlette. Moi, pauvre naïf, je livrais les Fouilloux à sa propagande P.P.F. et je ne me doutais pas qu'il allait s'établir là-haut en ami de la maison ni s'amuser à suivre une petite enquête personnelle. Jeune policier. Ça logeait des soupçons dans le médiastin. Racontez voir, madame Fouilloux, combien vous avez payé pour libérer votre homme. Vingt-cinq mille francs, mon bon Monsieur. Gaston frétille. Il tient la preuve que l'ami Georges a soutiré quinze mille balles et, s'il n'en dit rien encore aux Fouilloux, l'ami Georges ne perd rien pour attendre. On va le faire chanter. Marché en main. Ou Georges s'engage à la L.V.F. et Gaston n'ouvre pas la bouche, ou Georges refuse de s'engager et Gaston mange le morceau : les Fouilloux apprendront qui je suis. « Ils seront plus avancés que moi », dis-je, l'air hautain et, pour une minute, je coupe le sifflet à notre jeune, qui se creuse la tête sans arriver à comprendre. Il préfère négliger l'interruption et, entre deux ricanements, m'invite à me résigner.

Il s'octroie le luxe de me donner une tape sur l'épaule. Je frémis, et d'un délicieux frémissement, car je sais que je tirerai vengeance de cette familiarité. Je pose les mains sur les genoux, offre mon visage aux caresses, je désirerais que la petite canaille, une fois lâchée, osât m'effleurer les joues — hélas ! il n'ose pas, il n'a pas cessé de me craindre et se contente de dégoiser, la voix ironique, sur les avantages de la L.V.F. J'aurai une belle casquette dure, que bossellera mon crâne. De belles petites demi-bottes noires, grosses et grasses. Mon petit sabre. Et, à la manche droite, mon écusson explicatif. Ah ! de beaux gaillards bottés de mon espèce, on n'en verra guère, et à moi les cœurs. Lucie, ma marraine, sera bien avisée de veiller sur son élégance... Je propose à Gaston cinq mille francs, dix mille francs, il refuse. Il tient à se venger : « C'est ça, mon petit vieux, escrime-toi ! » lui ai-je dit. Il a ri, s'est octroyé le luxe d'une seconde tape sur mon épaule, puis il a filé. Il me donne quatre jours.

On ne me roule pas de cette façon. Je vois déjà, selon l'expression des bureaux, « la marche à suivre ». Il faudrait lâcher du fric (un de lâché, dix de rattrapés, telle serait notre formule.) Je grimpe chez les Fouilloux. Je restitue les quinze mille balles. Et puis je m'engage, non à la L.V.F., mais au P.P.F. ou au R.N.P. Une semaine et je suis à tu et à toi avec les chefs. Plus de petit voyage dangereux en Russie. Je me cramponne en bonne terre française, j'habite les centres nerveux du pays, quelque part vers les Champs-Elysées, et je corrige les épreuves de *La Femme Française devant son destin,* de *Ce qu'est le P.P.F., ses méthodes, son avenir,* de *Un chef, Déat,* de *Le mensonge de la politique franco-anglaise* et autres joyeuses bêtises. Creusons cette idée. Nuançons-la. Pour que la rogne de Gaston soit totale, mieux vaut m'affilier au R.N.P. qu'au P.P.F. Déat, Doriot, moi je m'en fous et je considère le petit Asiate comme plus astucieux que le Malabar de Saint-Denis.

Objection, grosse objection : je me mouille. Si je me lance de la sorte, je devrai presque sûrement quitter la Jeunesse et je lierai mon nom, dans la mémoire de quelques hommes, à une politique précise. Je vais m'afficher en partisan de l'Allemagne, alors que je crois pertinemment à sa défaite. Oui, oui, je posséderai les honneurs, les communiqués à la presse, les automobiles rapides, les coupe-file, une plus fine connaissance des événements et des hommes, un mot de moi aux Allemands et Monsieur un tel passera liftier ou chef de service, Madame une telle pourra ou non parler une minute à son mari emprisonné — les *Nouveaux Temps* couleur de pain loueront mon dynamisme, *L'Illustration* et *Signal* publieront ma photographie — et, un beau jour, les Allemands quitteront la France et le nouveau pouvoir me demandera des comptes. Foin d'une puissance fragile. Très joli de plastronner au téléphone, je risque ma peau, moi, dans tout cela.

Ai-je peur de la mort ? Comment savoir ? Mais je puis dire, au moins, que mon génie ne comporte pas la recherche de la mort.

J'écrivais l'autre jour, naïf, que je refuserais sans doute les offres du margoulin — elles me séduiraient maintenant. Le « marché noir », ce mot vous possède une telle touche surréaliste. Noir : comme les fameux paysages que nous dissimulons dans le fond de nos consciences. Noir : comme les fameux romans noirs. Oui, ce nom lui fut donné, pour souligner, entre autres, qu'il fabriquait le surréel. Les ressources, les richesses mystérieuses du pays, voilà son domaine. Il est la survérité, la surbeauté, la surgrâce du monde. Hélas ! pour le chanter je devrais d'abord m'être piqué à la morphine ou avoir fumé l'opium ou bu du café turc, toutes matières que lui seul, justement, procure, vous voyez qu'il en va de lui comme des Dieux : car les Dieux ne se prient dignement, eux aussi, que dans la prière fixée par les Dieux. Je vis dans et par le marché noir, j'existe en lui et par lui, il m'enveloppe et me protège et me surveille, ô grand, ô très grand marché noir.

Vainqueur de la science, dont il utilise la rigueur en en dépassant la méthode, il professe que les opérations arithmétiques se conçoivent sur des quantités de différente nature, et il se livre à des équivalences, aujourd'hui audacieuses, demain périmées, entre les objets les plus divers : par là — comme la radio britannique, avec les messages personnels, des mots de la langue, — il tire des choses un son aigu et révèle entre elles de baudelairiennes correspondances. Si le talent verbal, chez ses adeptes, se tenait à la hauteur de l'esprit, quels poèmes en prose naîtraient pour notre consternation admirative. Ces bœufs qui sont du papier, qui est une baignoire, qui est un appareil de T.S.F. Cette bicyclette qu'une phrase sans verbe transforme en boîtes de sardines. Ces fourrures qui deviennent des tableaux, qui deviennent des timbres-poste, qui deviennent des caisses d'apéritifs. Je souhaite qu'une école de peinture comprenne son devoir et Picasso, le maître Picasso, devrait donner là-dessus des toiles admirables. *Nature morte au marché noir*. Deux citrons se pâmeraient d'aise absurde sur un bas de rayonne, et un tube d'insuline, qui cracherait de l'or et des nougats, se pencherait vers un pot de colle forte. *Scène de genre au marché noir.* Une paysanne, dont des louis d'or remplaceraient les yeux, ferait couler des trayons de sa vache un flot de morceaux de sucre et de grains de café, tandis qu'une poule blanche, les pattes dans des chaussures à clous, traînerait sur la poussière un lourd coupon de velours. Un jambon plein de bonhomie, enveloppé de pneus et de chambres à air, entrerait dans une chemise blanche, blanche, « ah ! » comme dit Gide — blanche, blanche à en crever les yeux...

En vérité, j'ai fait le nigaud. Le marché noir m'irait comme un gant, à moi qui y puiserais matière à enrichir et répandre mon dédain des choses. Il enseigne que tout remplace tout, donc, que rien n'importe. La survérité, la surbeauté, la surgrâce du monde (pour réécrire les mots soufflés dont je le salue) ne peuvent naître que par un gigantesque désir de rompre avec lui. Gide, le pauvre enfant, regrettait le Paradis terrestre. Quoi, il aura manqué cette heure où toute chose se révélait dans sa pure origine et attendait de recevoir un nom. Pointillisme, cubisme ridicules. Nous avons changé tout cela. Le palmier-dattier se confond avec le drap de laine et les pneus d'avant-guerre sont les frères de lait des cochons. L'ingérence de l'esprit parmi les choses et sa puissance sur elles ne connaissent plus de bornes. Au commencement était le trafiquant du marché noir. Puis rien. Puis rien. Et enfin — j'abrège car je devrais, pour être juste, écrire une vingaine de fois « puis rien » — il y avait les produits du marché noir. Allons, une œuvre immense se dispose pour moi, au bout de laquelle je posséderai la connaissance de l'indignité de la vie : non sous la forme d'une intuition métaphysique, mais par l'usure, indéfiniment renouvelée, des noms et des choses qui sont derrière les noms. Sus au marché noir. Les rares hommes qui aient existé, Don Juan, Napoléon, nul ne peut dire qu'ils se soient mis à une autre école et, dans l'ambition ou la jouissance effrénées, je distingue le même principe d'autorité sans appel que dans la spéculation de nos bougres.

Je me suis abandonné. J'ai célébré le marché noir avec flamme, peut-être désirais-je me cacher mes ennuis, me reposer d'eux. Le marché noir s'appuie sur le mépris du monde — et d'un — je vendrai aussi bien du marché noir que de la Jeunesse — et de deux — pourtant je ne dois pas accueillir sans méfiance les offres de M. Jean Tapis. Il m'ignore, ce type. Avec ses phrases il me passe la main dans le dos et, que je comprenne ou non le phénomène, a peut-être plus besoin de moi que moi de sa grosse personne.

Jeudi 1er avril 1943.

Romanino vient aux nouvelles. Croyant me faire peur, il sort son revolver et, le plus gentiment du monde, l'essuie dans sa pochette : « Encore deux jours », jette-t-il en s'en allant.

Sale gosse. Il me conduirait, si je ne m'écoutais pas, à des solutions imprudentes : tellement je brûle de me venger ! J'ai découvert, par exemple, que je pouvais, en digne sectateur des équivalences à la Tapis, échanger l'adhésion au P.P.F. ou au R.N.P. contre de bonnes et belles fiançailles avec la Barbette Renoir. Que le Gaston veuille casser les vitres et, à défaut de lancer contre moi des Fouilloux dûment remboursés, me dénonce — pourquoi pas ? — à la Gestapo, Métaxas interviendrait en ma faveur avec tout le poids d'un haut fonctionnaire, deux fois renvoyé, deux fois repris, et ça lui retomberait sur le nez, à notre Gaston... Ouais, Barbette Renoir, gros morceau. On ne divorce plus très facilement. En prenant femme, quel atout je perds.

Une fine conduite, ce serait le flirt durant la période ennuyeuse... Pas si fine. J'ai vieilli. Ces sacrés engrenages, maintenant, je les redoute. Quels tours de cochon l'oncle Métaxas, sitôt que je laisserais tomber la petite, ne serait-il pas en mesure de me jouer...

A tout hasard j'ai préparé les voies. Je simule un bafouillage de candidat amoureux :

« Puis-je te demander si tu ne crois pas que je pourrais te demander si... Je veux dire... Sais-tu si Mlle Barbette Renoir serait jeune fille à accepter une invitation pour aller voir — mettons — je ne sais pas — *La Reine Morte ?* ou *Clotilde du Mesnil ?* »

Métaxas me cligne de l'œil :

« Quel jeune homme cultivé ! « Sais-tu si Mlle Barbette Renoir serait jeune fille à accepter... » Mon petit Renaut de la Motte, tu as une façon de dire les choses qui te vaudra toujours toute ma sympathie. »

Il a pris un temps et, d'un air malin :

« Toute la sympathie des femmes, aussi, j'en ai l'impression furieuse. Tu ne peux pas ne pas réussir. »

Et, là-dessus, on met Barbette à ma disposition. Ravie elle sera, la petite chère. Vous pensez, le théâtre. Et avec un jeune homme dans le mouvement. Voyons, nous disons *La Reine Morte* — on va tâcher de nous arranger ça pour une loge... Je proteste que je ne l'entends pas de cette oreille, l'autre simule une colère paternelle, avec des « Tu vas m'obéir... ? » et des « Mais, nom d'une pipe, tu me fais jurer, qui est le chef ici ? » et, à la fin, ravi sous une mine consternée, j'ai reçu l'ordre de ne m'occuper de rien. « On » nous aura la loge d'un ministère.

Plus tard, au téléphone, me rattrape un Mauléon, bourru et pressé, qui ricane de sa bêtise. Il a oublié de me dire qu'il a le texte de *La Reine Morte*. Bien sûr, j'ai lu la pièce, mais, si je désire m'en pénétrer mieux, il serait ravi de me prêter le livre. Et puis quoi, en cas de besoin, tout autre. Il faudra que nous organisions une visite de sa bibliothèque...

Préparé les voies, aussi, chez les Fouilloux. La radio anglaise dégoisait. Cependant Monsieur, qui lisait une brochure P.P.F., me raconte qu'ils viennent d'écouter Jean-Hérold Paquis dans une causerie intitulée : *L'Europe au-dessus de tout.* « C'était bien foutu et bien envoyé », répète-t-il trois fois. Voilà qui me servira de transition. Ce qui serait bien foutu et bien envoyé, ai-je repris, ce serait de rendre aux Fouilloux la plus grande partie de leur argent. Oui, cet argent qu'ils avaient dû cracher pour la libération de Monsieur. Motus et bouche cousue. Pas de questions. Je n'avais rien dit. Il fallait attendre. J'accepte un coup d'eau-de-vie rhumée, mais, naturellement, c'est pour leur plaire, « parce que c'est eux », parce qu'ils insistent...

Je songe à une autre possibilité : rembourser les Fouilloux et adhérer à un de ces partis que je sens grouiller dans l'ombre large de Maurice. Idée grotesque. Le désir de se venger autoriserait-il toutes les faiblesses mentales ? Je sais aussi ou, plutôt, je flaire, que ma vie se trouve à un moment crucial. J'ai moins exactement à « miser », comme j'en ai gardé le souci tout au long de cette existence parisienne, ni à incliner ma vie dans le sens de telles opinions, jugées les plus favorables, mais à franchir un passage, à opérer une mue. Je sens que je vais me transformer. Sans que je devine si cette transformation sera intérieure ou brutalement physique. Suis-je en marche vers le mépris définitif — ou la blessure, ou la mort, vont-elle s'abattre sur moi ? Tant de méthodes pour aborder au néant.

Je me rappelle cette rencontre rue Saint-Denis avec *Les Fleurs du Mal.* Le destin, ce jour-là, m'a lancé un signe — mais ce signe, qui, je n'en doute pas, fut d'amitié, comment l'interpréterai-je. Dois-je comprendre que, bientôt, mes appétits de fortune recevront satisfaction éclatante ou que, sans ce détour, droit au but, d'une poussée, la mort comblera ma nostalgie du néant, mon envie de détruire à jamais les limites charnelles où je recevais, malgré moi, les messages du monde ? Je l'ignore. J'attends. Il semblerait, *a priori*, qu'il ne fût pas malhabile de « miser » contre les Allemands et, puisque, dans cette histoire politique, je ne mets en jeu rien d'essentiel, ne devrais-je pas, un jour, me situer parmi leurs adversaires ? Ils sont foutus, voyons... Reste que je ne voudrais « me mouiller » en aucune manière. Et la compagnie des Boches s'accorde avec mes humeurs baudelairiennes. La pitié, la charité, à d'autres. Les guerriers verdâtres et chanteurs, casqués, bottés, ceinturonnés de *Gott mit uns*, je les vois sous les espèces de leurs cadavres. Ils pourrissent devant mes yeux comme les nageurs, dans *Quai des Brumes*, sous les yeux du peintre. Eux qui se sont répandus sur le monde comme une épidémie, la grande épidémie de la mort va les envelopper.

Et pourtant, vous serez semblable à cette ordure...

Où vont-ils de leur pas cadencé, avec leurs chœurs à deux voix et à trois voix, où vont-ils, souriants et crispés, maintenant, je l'ai appris et, en cette nuit tiède, je puis l'écrire — ils marchent, dociles et puissants, vers la mort. Le respect qu'ils montrent de leurs corps, de la vigueur physique et du soleil, c'est le reflet, immense, ce n'est que le reflet de leur vénération pour la mort.

Ich hatt'einen ka-me-ra-den,
ei-nen bes-sern findt du nit...

Ils n'ont constitué, hors de leur peuple, une armée, que pour mieux mourir ensemble et tendre à la destruction par grappes de victimes. Ils mourront par paquets de soldats et de femmes-soldats et de familles de soldats et d'ouvriers mobilisés à leurs machines. Salut, grandioses organisations qui facilitez la tâche du néant. Comme vous conseilliez aux usines françaises d'exporter en Allemagne des travailleurs tout encadrés, avec leurs outils et leurs chefs, la mort, si elle avait eu la parole, vous eût recommandé de distinguer parmi les hommes ces groupes et sous-groupes, de les innerver et sérier multiplement, de les situer les uns par rapport aux autres et chacun par rapport au tout, de façon que, si le sabordage dût être ordonné un jour, personne ne disposât d'une fissure pour fuir. Salut, communauté des hommes allemands qui assurerez la destruction totale d'un bloc humain, comme brûle, dans une ville, tout le quartier des maisons de bois. La solidarité vous arrose, ô multiples Boches, comme un pétrole fraternel, votre flambée sera unique.

Moi-même, où vais-je ? J'accorde au changement le préjugé favorable et ne dois pas désirer connaître en quel sens il opère. La ville m'opprime. J'ai soif de wagons qui m'entraînent, de poteaux télégraphiques rejetés dans l'espace, de plaques tournantes frappées avec fracas. La ville m'opprime de tout le poids de sa poussière et j'ai soif d'un corps lavé couleur de fruit pur. Il me semble que je suis sale depuis des siècles; que je n'ai pas mangé, ce qui s'appelle manger, depuis des siècles. Et pourtant je me baigne et je mange à ma faim. Il faut le dire, quelque honte que j'en éprouve, ce sont tous ces gens près de moi, sous-alimentés, mal lavés, qui forcent mes sensations coenesthésiques et m'obligent à gémir, toutes ces faims inassouvies et ces peaux crasseuses, ces poux et ces gales, tous ces misérables obstinés à être, mal ou bien, dans la gêne comme dans le luxe, pourvu qu'ils soient... Je n'ai pas avec eux la solidarité d'un uniforme, ni d'un idéal — mais les frontières de mon individu sur les autres individus sont imprécises; on entre en moi sans que je le veuille :

« Mon cœur est un palais flétri par la cohue... »

Vendredi.

Bizarre, bizarre. La blafarde Simone me relance. Elle vient m'apporter son aide. Son aide blafarde, à moi, Renaut de la Motte. Comment cela se peut-il ?... Des menaces pèsent sur ma personne. « Tu écoutes aux portes à présent ? » Elle proteste : « Alors, d'où sais-tu ? » Secret. Il doit me suffire qu'elle sache. Ah ! si je l'eusse tenue dans cette chambre, par les menaces et les coups je lui extorquais son histoire. Les connaissances de cette fille, pour la première fois, m'intriguent. Je me trouve devant elle transparent, faible, presque dérisoire.

Comment peut-elle savoir que des menaces pèsent sur moi ? Elle me parle de la L.V.F., de mon désir de secouer les influences, les amitiés, les craintes, de conquérir la solitude — comme si elle avait lu mon journal. Je me demande quelle tête je faisais. Je ne voulais pas sembler trop curieux, ai-je réussi à me contenir ? Vers la fin, l'angoisse me brisait les membres.

La tête froide — autant que je possède ce soir le moyen d'être calme — j'éprouve encore un grand malaise. Je regrette de ne pas avoir sous la main, pour rétablir en moi la confiance et l'indifférence vitale, une seringue et de la morphine. Je ne me suis jamais piqué : ce n'est pas une raison pour fuir les piqûres. J'en suis encore à pouvoir m'offrir les premières, les plus douces et foudroyantes ! Tout à l'heure, sans alerte, toute cette vague place d'armes que forme le dehors nocturne se mit à ronronner et à taper : j'ai souhaité un bombardement, un vacarme, alors une absurde tranquillité s'est rétablie. Et, avec elle, se développe mon inquiétude. Chambre médiocre, chambre anonyme, chambre où se blottit la lumière de ma lampe comme un ver dans le fruit, que dis-tu de cette fille, qui en sait désormais trop long. Ne penses-tu pas que je doive me tenir en garde contre elle... Si je l'en croyais, dès demain soir je ne craindrais plus Romanino : il me suffirait de rendre visite, quelque part vers Asnières, à un certain Monsieur Lambilly. Bizarre, bizarre. Nous ferions le chemin ensemble, Simone et moi...

J'admets que cette fille soit stupide ou, plus exactement, que toutes les femmes soient stupides, j'ai torturé Simone avec trop de rudesse pour que je puisse m'attendre, de sa part, à la bienveillance... Je suis Renaut de la Motte, c'est-à-dire un homme formidable — d'accord. Et la vanité n'expliquerait-elle pas, chez Simone, un geste amical que blâmerait sa raison ? Oye. Je commence à connaître la musique. Cette fille me hait. Son grand amour est passé à la dissidence. Elle me hait avec désordre, avec des retours de passion qui attisent la fureur. Cette voix sans timbre dont elle me parlait aujourd'hui n'est plus une voix de femme amoureuse que l'émotion étreint, mais de femme résolue et qui cache son jeu. En vérité, tout me dit, non plus que « Phylis est aimable », mais que Simone me dresse un piège.

Le sigisbée aux cheveux en brosse et au col dur figurait dans un groupement clandestin : pourquoi notre garce nationale ne suivrait-elle pas l'exemple ?

Je viens de pondre une lettre pour Gaston. Impression d'écrire sous l'aguet d'un ennemi. Méfiance de la lumière, de la glace, du stylo, du papier buvard. J'ai déchiré le buvard. Je posterai la lettre, que j'ai mise sous enveloppe, demain matin. L'envie me prend de déchirer ce journal. Un tel geste ne me donnerait-il pas le même plaisir que la morphine ? Cette résistance qu'apprêterait la reliure, la briser... Au-dessus de moi, la radio anglaise, tout doux, raconte les derniers petits exploits des Nations Unies. Ah ! ce que l'on rigole, ce que l'on rigole. J'écris à Romanino que, si je disparais de la circulation, il doit en incriminer Simone et, sans la dénoncer officiellement, s'arranger pour la faire disparaître. Je lui indique où il trouvera la clef de mon tiroir personnel : dans ce tiroir il trouvera mon journal, que je lui offre. Ce Gaston, disons-le net, je le tiens pour un pauvre type, mais peut-être une étude sérieuse livrerait-elle en lui quelques éléments d'un salaud. Je ne serais pas mécontent de lui faciliter la corruption. Ah ! ce que l'on rigole, ce que l'on rigole... Dehors glue la nuit printanière, pleine de germes et de spasmes prévus, dehors glue toute la cruauté du monde et se cachent ou étincellent tous ses absurdes coutelas.

« Composition réalisée en ordinateur par INFORMATYPE SERVICE »

IMPRIMÉ EN FRANCE PAR BRODARD ET TAUPIN
6, place d'Alleray - Paris.
Usine de La Flèche, le 15-01-1973.
6366-5 - Dépôt légal n° 2249, 1er trimestre 1973.
LE LIVRE DE POCHE - 22, avenue Pierre 1er de Serbie - Paris.
30 - 21 - 3489 - 01

Le Livre de Poche historique

(Histoire, biographies)

Amouroux (Henri).
Vie des Français sous l'Occupation, t. 1, 3242** (2); t. 2, 3243** (0).

Aron (Robert).
Histoire de Vichy, t. 1, 1633** (4); t. 2, 1635** (9).
Histoire de la Libération, t. 1, 2112** (8); t. 2, 2113** (6).

Azeau (Henri).
Le Piège de Suez, 2245*** (6).

Bainville (Jacques).
Napoléon, 427** (2).
Histoire de France, 513** (9).

Bellonci (Maria).
Lucrèce Borgia, 679** (8).

Benoist-Méchin.
Ibn-Séoud, 890** (1).
Mustapha Kémal, 1136** (8).

Bertrand (Louis).
Louis XIV, 728** (3).

Blond (Georges).
Le Survivant du Pacifique, 799** (4).
Le Débarquement, 1246** (5).
L'Agonie de l'Allemagne, 1482** (6).
Convois vers l'U.R.S.S., 1669* (8).
Histoire de la Flibuste, 3183*** (8).

Bruckberger (R.-L.).
L'Histoire de Jésus-Christ, 2884*** (2).

Chaplin (Charles).
Histoire de ma vie, 2000*** (5).

Chastenet (Jacques).
Winston Churchill, 2176*** (4).
La France de M. Fallières, 2858*** (6).

Daniel-Rops.
Histoire sainte, 624** (4).
Jésus en son Temps, 626** (9).
L'Église des Apôtres et des Martyrs, 606*** (1).

Dayan (Moshé).
Journal de la campagne du Sinaï-1956, 2320** (7).

Delarue (Jacques).
Histoire de la Gestapo, 2392*** (6).
Trafics et crimes sous l'Occupation, 3199*** (4).

Dulles (Allen).
Les Secrets d'une reddition, 2835** (4).

Erlanger (Philippe).
Diane de Poitiers, 342** (3).
Charles VII et son mystère, 2668** (9).
Henri III, 3257** (0).

Fauvet (Jacques).
La IVe République, 3213*** (3).

Fourcade (Marie-Madeleine).
L'Arche de Noé, t. 1, 3139** (0); t. 2, 3140** (8).

Gaulle (Général de).
MÉMOIRES DE GUERRE :
1. *L'Appel (1940-1942)*, 389** (4).
2. *L'Unité (1942-1944)*, 391** (0).
3. *Le Salut (1944-1946)*, 612** (9).

Gaxotte (Pierre).
La Révolution française, 461** (1).
Le Siècle de Louis XV, 702** (8).

Gimpel (Erich).
Ma Vie d'espion, 2236** (5).

Grousset (René).
L'Épopée des Croisades, 883** (6).

Héron de Villefosse (René).
Histoire de Paris, 3227*** (3).

Hough (Richard).
La Mutinerie du Cuirassé Potemkine, 2204* (3).

Lapierre (D.) et Collins (L.).
Paris brûle-t-il? 2358*** (7).

Le Livre de Poche policier

Alexandre (P.), Maier (M.).
Genève vaut bien une messe, 3389** (1).

Alexandre (P.), Roland (M.).
Voir Londres et mourir, 2111* (0).

Allain (M.), Souvestre (P.).
Fantômas, 1631** (8).
Juve contre Fantômas, 2215** (9).
Fantômas se venge, 2342** (1).

Behn (Noël).
Une lettre pour le Kremlin, 3240** (6).

Boileau-Narcejac.
Les Louves, 2275* (3).
L'Ingénieur aimait trop les chiffres, 2411* (4).
A cœur perdu, 2328* (0).

Bommart (Jean).
Le Poisson chinois, 2124* (3).
Le Train blindé n° 4, 2834* (7).
Bataille pour Arkhangelsk, 2792* (7).
Le Poisson chinois a tué Hitler, 3332* (1).

Buchan (John).
Les 39 marches, 1727* (4).
Les 3 otages, 1724** (1).
Le Camp du matin, 3212*** (5).

Cain (James).
Assurance sur la Mort, 1044* (4).

Calef (Noël).
Ascenseur pour l'Échafaud, 1415* (6).

Carr (J. Dickson).
La Chambre ardente, 930* (5).

Charteris (Leslie).
Le Saint à New York, 2190* (4).
Le Saint et l'Archiduc, 2376* (9).
Le Saint à Londres, 2436* (1).
La Justice du Saint, 2610* (1).
Le Saint et les Mauvais Garçons, 2393* (4).
L'Héroïque Aventure, 2746* (3).
Le Saint à Ténériffe, 2821* (4).
Les Anges des Ténèbres, 3121* (8)
Ici, le Saint! 3156* (4).
Les Compagnons du Saint, 3211* (7).
Le Saint contre Teal, 3255* (4).
La Marque du Saint, 3287* (7).
Le Saint s'en va-t-en guerre, 3318* (0).
Le Saint contre Monsieur Z, 3348* (7).
En suivant le Saint, 3390* (9).

Cheyney (Peter).
Cet Homme est dangereux, 1097* (2).

Christie (Agatha).
Le Meurtre de Roger Ackroyd, 617** (8).
Dix Petits Nègres, 954** (5).
Les Vacances d'Hercule Poirot, 1178** (0).
Le Crime du Golf, 1401* (6).
Le Vallon, 1464** (4).
Le Noël d'Hercule Poirot, 1595** (5).
Le Crime de l'Orient-Express, 1607* (8).
A.B.C. contre Poirot, 1703** (5).
Cartes sur table, 1999** (9).

Clarke (D.H.).
Un nommé Louis Beretti, 991* (7).

Decrest (Jacques).
Les Trois Jeunes Filles de Vienne, 1466* (9).

Deighton (Len).
Ipcress, Danger immédiat, 2202** (7).
Mes funérailles à Berlin, 2422** (1).

Dominique (Antoine).
Trois gorilles, 3181** (2).
Gorille sur champ d'azur, 3256** (2).

Doyle (A. Conan).
Sherlock Holmes : Étude en Rouge suivi de *Le Signe des Quatre,* 885** (1).
Les Aventures de Sherlock Holmes, 1070** (9).
Souvenirs sur Sherlock Holmes, 1238** (2).

Résurrection de Sherlock Holmes, 1322** (4).
La Vallée de la peur, 1433* (9).
Archives sur Sherlock Holmes, 1546** (8).
Le Chien des Baskerville, 1630* (0).
Son dernier coup d'archet, 2019* (5).

Doyle (A. Conan) et Carr (J. D.).
Les Exploits de Sherlock Holmes, 2423** (9).

Exbrayat (Charles).
La Nuit de Santa Cruz, 1434* (7).
Olé, Torero!, 1667* (2).
Dors tranquille, Katherine, 2246* (4).
Vous manquez de tenue, Archibald!, 2377* (7).
Les Messieurs de Delft, 2478* (3).
Le dernier des salauds, 2575* (6).
Les Filles de Folignazzaro, 2658* (0).
Pour Belinda, 2721* (6).
Des Demoiselles imprudentes, 2805* (7).
Barthélemy et sa colère, 3180* (4).
Le Voyage inutile, 3225* (7).
Une petite morte de rien du tout, 3319* (8).

Gaboriau (Émile).
L'Affaire Lerouge, 711** (9).

Hart (F.N.).
Le Procès Bellamy, 1024** (6).

Highsmith (Patricia).
L'Inconnu du Nord-Express, 849** (7).
Plein Soleil (Mr. Ripley), 1519** (5).
Le Meurtrier, 1705** (0).
Eaux profondes, 2231** (6).
Ce mal étrange, 3157** (2).
Jeu pour les vivants, 3363** (6).

Hitchcock (Alfred).
Histoires abominables, 1108** (7).
Histoires à ne pas lire la nuit, 1983** (3).
Histoires à faire peur, 2203** (5).

Iles (Francis).
Préméditation, 676* (4).

Japrisot (Sébastien).
Piège pour Cendrillon, 2745* (5).
La Dame dans l'auto avec des lunettes et un fusil, 3166** (3).

Leblanc (Maurice).
Arsène Lupin, gentleman cambrioleur, 843* (0).
Arsène Lupin contre Sherlock Holmes, 999** (0).
La Comtesse de Cagliostro, 1214* (3).
L'Aiguille creuse, 1352* (1).
Les Confidences d'Arsène Lupin, 1400* (8).
Le Bouchon de cristal, 1567** (4).
Huit cent treize (813), 1655** (7).
Les huit coups de l'horloge, 1971* (8).
La Demoiselle aux yeux verts, 2123* (5).
La Barre-y-va, 2272* (0).
Le Triangle d'Or, 2391** (8).
L'Ile aux trente cercueils, 2694* (5).
Les Dents du Tigre, 2695** (2).
La Demeure mystérieuse, 2732* (3).
L'Éclat d'obus, 2756** (2).
L'Agence Barnett et Cie, 2869* (3).
Victor, de la Brigade mondaine, 3278** (6).
La Femme aux deux sourires, 3226** (5).

Le Breton (Auguste).
Du Rififi chez les hommes, 2856* (0).
Razzia sur la chnouf, 3137** (4).
Le Rouge est mis, 3197* (8).

Le Carré (John).
Chandelles noires, 1596* (3).
Le Miroir aux espions, 2164** (9).

Leroux (Gaston).
Le Fantôme de l'Opéra, 509** (7).
Le Mystère de la Chambre Jaune, 547** (7).
Le Parfum de la Dame en noir, 587** (3).
Rouletabille chez le Tsar, 858** (8).
Le Fauteuil hanté, 1591* (4).
Le Cœur cambriolé suivi de *L'Homme qui a vu le diable,* 3378** (4).

Malet (Léo).
Brouillard au Pont de Tolbiac, 2783* (6).
L'Envahissant Cadavre de la Plaine Monceau, 3110* (1).
M'as-tu vu en cadavre?, 3330* (5).
Pas de bavards à La Muette, 3391** (7).

Monteilhet (Hubert).
Le Retour des Cendres, 2175** (5).
Les Mantes religieuses, 2357* (9).

30/3489/9